ODISSEIA II

REGRESSO

Edição bilíngue em três volumes

Leia também na Coleção **L&PM** POCKET:

Odisseia I: Telemaquia – Homero
Odisseia III: Ítaca – Homero

As fenícias – Eurípides
Antígona – Sófocles
Édipo Rei – Sófocles
Édipo em Colono – Sófocles
Lisístrata: A greve do sexo – Aristófanes
Os sete contra Tebas – Ésquilo

Homero

ODISSEIA II

REGRESSO

Edição bilíngue em três volumes

Tradução do grego, introdução e análise de
DONALDO SCHÜLER

www.lpm.com.br

L&PM POCKET

Coleção **L&PM** POCKET, vol. 602

Texto de acordo com a nova ortografia.

Título original: ΟΔΥΣΣΕΙΑ

Primeira edição na Coleção **L&PM** POCKET: maio de 2007
Esta reimpressão: outubro de 2014

Capa: Néktar Design
Imagem da capa: Odisseu, preso ao mastro do navio, escuta o canto das sereias.
   Pintura sobre vaso grego antigo. © Rue des Archives/CCI
Revisão: Bianca Pasqualini

CIP-Brasil. Catalogação na Fonte
Sindicato Nacional dos Editores de Livros, RJ.

H726o
v.2

Homero
Odisseia, v.2: Regresso / Homero; tradução do grego, introdução e análise
   de Donaldo Schüler. – Porto Alegre, RS: L&PM, 2014.
   v. – (L&PM POCKET; v. 602)

   Tradução de: ΟΔΥΣΣΕΙΑ
   ISBN 978-85-254-1632-2
   1. Poesia grega. I. Schüler, Donaldo, 1932-. II. Título. III. Título:
Regresso. III. Série.

07-0747.   CDD: 881
                                    CDU: 821.14'02-1

© Donaldo Schüler, 2007

Todos os direitos desta edição reservados a L&PM Editores
Rua Comendador Coruja, 314, loja 9 – Floresta – 90220-180
Porto Alegre – RS – Brasil / Fone: 51.3225.5777 – Fax: 51.3221.5380

Pedidos & Depto. Comercial: vendas@lpm.com.br
Fale conosco: info@lpm.com.br
www.lpm.com.br

Impresso no Brasil
Primavera de 2014

Sumário

Por que ler a *Odisseia* – *Donaldo Schüler* / 7

Odisseia II – Regresso / 11
    ΟΔΥΣΣΕΙΑΣ Ε / 12
    Canto 5 / 13
    ΟΔΥΣΣΕΙΑΣ Ζ / 40
    Canto 6 / 41
    ΟΔΥΣΣΕΙΑΣ Η / 60
    Canto 7 / 61
    ΟΔΥΣΣΕΙΑΣ Θ / 80
    Canto 8 / 81
    ΟΔΥΣΣΕΙΑΣ Ι / 114
    Canto 9 / 115
    ΟΔΥΣΣΕΙΑΣ Κ / 146
    Canto 10 / 147
    ΟΔΥΣΣΕΙΑΣ Λ / 178
    Canto 11 / 179
    ΟΔΥΣΣΕΙΑΣ Μ / 214
    Canto 12 / 215

Notas do Editor / 240

Odisseia, a epopeia das Auroras (2) – *Donaldo Schüler* / 243

Sobre o tradutor / 280

Por que ler a *Odisseia*?

Donaldo Schüler

A *Odisseia* nunca deixou de ser lida. Esteve nas mãos de Virgílio, de Camões, de Joyce, de Ezra Pound, de Guimarães Rosa, de García Márquez. Em momentos decisivos, a *Odisseia* abalou a literatura ocidental. Por que deixaríamos de lê-la agora? Como a *Ilíada,* a autoria da *Odisseia* é atribuída a Homero, um autor legendário do século IX antes de Cristo, nascido, ao que supunham, numa das cidades gregas da Ásia Menor. Vale uma rápida comparação da *Ilíada,* primorosamente traduzida por Haroldo de Campos, com a *Odisseia.*

A *Odisseia* percorre, de certa forma, caminho contrário ao da *Ilíada.* A epopeia que narra as aventuras de Odisseu dilata tempo, espaço e ação. Permanece o princípio de que a narrativa não ultrapasse, em tamanho, a capacidade de memorização. Embora Odisseu esteja envolvido em aventuras marítimas por dez anos, o narrador o apanha em Ogígia, uma ilha misteriosa nas proximidades de Ítaca. Em algumas semanas, o herói, livrando-se do cativeiro de uma ninfa, chega à sua terra, depois de breve estada em Esquéria, a ilha dos feáceos. Homero rompe, entretanto, a unidade do reduzido tempo desta última etapa, convertendo o herói em narrador de suas próprias aventuras, expediente estranho à *Ilíada*. Recebido pela corte de Alcínoo, Odisseu rememora para um auditório fascinado o que lhe aconteceu desde a saída de Troia até à prisão de sete anos em Ogígia. Entre as doze aventuras lembradas em ordem cronológica, Odisseu se demora naquelas que lhe ilustram a inteligência e a ousadia, voando sobre insucessos.

Em vez de concentrar a ação, a *Odisseia* mostra-nos, no primeiro plano, Odisseu atuar em três lugares distintos: Ogígia, Esquéria, Ítaca. O espaço amplia-se ainda mais se a ele acrescentarmos os episódios narrados pelo protagonista. A diversificação espacial já estava prevista na introdução. Ouvimos que Odisseu conheceu muitas cidades e a índole de muitos homens. Alguns homeristas observam a divergência entre essa afirmação e as fantásticas viagens de Odisseu em que aparece uma única cidade, a capital do reino de Alcínoo. Há que lembrar, entretanto, a obstinada decisão de considerar o mundo grego como o único civilizado. O navegador que se distancia dele enfrenta o desproporcional, o desmedido, o desumano, o caótico. Curiosamente, nas ocasiões em que Odisseu mente sobre as suas viagens, a normalidade se restaura, pontilhada de cidades, mas, quando relata fatos pretensamente reais, surpreende-nos com ninfas e gigantes. Se devemos procurar a verdade na mentira, chegamos à conclusão de que Homero conhecia histórias de navegações plausíveis, transfiguradas nos cantos, em meio a lendas de vária origem, encanto do poema, verossímeis em caóticas periferias.

Apropriando-se do espaço fantástico, o autor da *Odisseia* ganha novos territórios para a literatura. Comparada com a *Odisseia*, a *Ilíada* é pouco imaginativa, já que nos amarra ao que confirmam os sentidos. A *Odisseia* nos libera o rico mundo dos sonhos, assustadores e reais, embora contrários à experiência cotidiana. Também por esse caminho a *Odisseia* nos ensina a desbravar o mundo interior. Nascidos e criados num continente em que bebemos o fantástico com o leite materno, haja vista os romancistas do realismo mágico, podemos sentir melhor a verdade das narrações de Odisseu do que a culta Europa de que somos periferia. Os escritores latino-americanos da segunda metade do século passado repetiram a homérica incorporação do fantástico, libertando-nos do confinamento ao sensorialmente constatado.

Ao contrário da *Ilíada*, a *Odisseia* desdobra-se em três conjuntos distintos: os quatro cantos iniciais em que é protagonista Telêmaco, as aventuras de Odisseu e a reconquista do palácio. Atentos a essa divisão, críticos sugeriram a existência de três poemas originariamente separados, amalgamados, por fim, em um único. A hipótese, embora plausível, é inverificável. Farta tradição oral anterior à *Odisseia* está assegurada. Basta comparar a *Odisseia* com os contos recolhidos por Grimm e Andersen para constatar a dívida da epopeia grega à literatura popular cultivada em outras regiões. Fontes orais não negam, entretanto, a existência de um poeta de qualidades privilegiadas. Devemos a ele a reorganização e a recriação do legado.

As convenções de tempo, espaço e ação inventadas na *Ilíada*, ao serem inteligentemente preservadas e modificadas na *Odisseia*, evidenciam a existência de uma tradição culta que não pode ser confundida com a espontaneidade das invenções populares. Acrescente-se a elaboração de personagens sem paralelo na *Ilíada* e no folclore.

O poema é dominado do princípio ao fim pela figura singular de Odisseu. O autor da *Odisseia* assume o compromisso de cantar o herói versátil, não uma de suas qualidades. Se a fúria do Aquiles ausente destaca vários heróis, a presença polimorfa de Odisseu obscurece a atuação dos demais. Entre os caracteres criados, destaca-se a galeria das mulheres, aplaudida em todos os séculos. Circunstâncias diversificadas iluminam o herói como orador, cavalheiro, trapaceiro, guerreiro, pai, esposo, amante, estrangeiro, rei, líder. Enquanto que o campo de batalha requer, na *Ilíada*, número limitado de qualidades, situações imprevistas solicitam aqui respostas para as quais não houve preparo. O Odisseu narrador surge na corte de Alcínoo. É também aí que se vê a urbanidade do guerreiro no trato com a rainha, com o rei, com a princesa, com os príncipes e os nobres.

Como não há exércitos inimigos que afastem o herói do objetivo, Homero cria obstáculos de outra ordem. A natureza, cuja força encheu de espanto o homem desde sempre, é uma delas. Ela ataca com tempestades, estreitos rochosos, mares desconhecidos, escassez de alimentos. Para vencê-la, requer-se inteligência, além de destreza, coragem e força. Sem o amparo de ninguém, Odisseu inventa soluções para todas as dificuldades. Os deuses, que decretaram o seu regresso à pátria, ofereceram recursos imprecisos para realizá-lo. Odisseu é vitorioso por ser quem é.

Embora a epopeia valorize o momento que passa, não omite preocupações pelo que há de vir. Odisseu deixou impressão mais profunda nos leitores do que Aquiles. A personagem foi persistentemente retrabalhada, deixando versões da mais alta importância. Muitos fatores terão contribuído para o sucesso de Odisseu. Dificilmente se mexe no temperamento irado de Aquiles. As múltiplas faces de Odisseu oferecem ao leitor a oportunidade de selecionar as que lhe convêm. Joyce explora a busca e a viagem, dando ao navegador o mar de dúvidas, indagações, andanças inócuas do angustiado homem do século XX.

Pretendemos, nesta tradução, afrouxar a carga sintática e vocabular que abafa vozes juvenis. Mantemos diálogo entre nosso tempo e outros tempos. Tivemos em mira fazer personagens reviverem em nosso dizer coloquial. Se xingam, que xinguem em português. Quisemos criar ritmos livres, não subordinados a modelos, movimentos próximos à mobilidade do hexâmetro homérico. As repetições, lembrança da literatura oral, aparecem modificadas, moduladas, contornadas em consonância com procedimentos da literatura escrita. Não estranhe *Odisseu* em lugar de *Ulisses*. A preservação de *Odisseu* nos permite reinventar truques homéricos: a invenção e o uso estratégico do nome. Percebida a sonoridade grega, insistimos em sonoridades na tradução. A sonoridade de *Finnegans Wake* bate nas paredes da epopeia de Homero.

Revisitadas discussões entre analíticos (corrente que defende a autoria múltipla) e unitários (corrente que defende a ideia de um só autor), optamos por uma divisão em três seções da *nossa Odisseia*: Telemaquia (1 – 4), Regresso (5 – 12), Ítaca (13 – 24). Adotamos, para a *Odisseia*, o mesmo critério que nos orientou no exame da construção da *Ilíada*. Não negamos a rica tradição oral, trabalho de muitos cantores e responsável por níveis linguísticos, estratos culturais e contradições. Não podemos negar, entretanto, a presença de um poeta central, a quem atribuímos a cuidadosa elaboração dos episódios, a invenção de caracteres, a variedade estilística. A literatura e o pensamento ocidentais foram construídos sobre Homero. A biografia de Homero são as epopeias homéricas. Precisamos de outra? Os argumentos levantados contra a teoria da autoria única das duas epopeias não são convincentes. Admitamos que a *Ilíada* e a *Odisseia* procedam de um só autor em dois momentos privilegiados de sua farta criação literária.

Em literatura, a erudição filológica está subordinada à realização poética.

ODISSEIA II

REGRESSO

ΟΔΥΣΣΕΙΑΣ Ε

Ἠὼς δ' ἐκ λεχέων παρ' ἀγαυοῦ Τιθωνοῖο
ὤρνυθ', ἵν' ἀθανάτοισι φόως φέροι ἠδὲ βροτοῖσιν:
οἱ δὲ θεοὶ θῶκόνδε καθίζανον, ἐν δ' ἄρα τοῖσι
Ζεὺς ὑψιβρεμέτης, οὗ τε κράτος ἐστὶ μέγιστον.
τοῖσι δ' Ἀθηναίη λέγε κήδεα πόλλ' Ὀδυσῆος   05
μνησαμένη: μέλε γάρ οἱ ἐὼν ἐν δώμασι νύμφης:
"Ζεῦ πάτερ ἠδ' ἄλλοι μάκαρες θεοὶ αἰὲν ἐόντες,
μή τις ἔτι πρόφρων ἀγανὸς καὶ ἤπιος ἔστω
σκηπτοῦχος βασιλεύς, μηδὲ φρεσὶν αἴσιμα εἰδώς,
ἀλλ' αἰεὶ χαλεπός τ' εἴη καὶ αἴσυλα ῥέζοι: 10
ὡς οὔ τις μέμνηται Ὀδυσσῆος θείοιο
λαῶν οἷσιν ἄνασσε, πατὴρ δ' ὣς ἤπιος ἦεν.
ἀλλ' ὁ μὲν ἐν νήσῳ κεῖται κρατέρ' ἄλγεα πάσχων
νύμφης ἐν μεγάροισι Καλυψοῦς, ἥ μιν ἀνάγκῃ
ἴσχει: ὁ δ' οὐ δύναται ἣν πατρίδα γαῖαν ἱκέσθαι: 15
οὐ γάρ οἱ πάρα νῆες ἐπήρετμοι καὶ ἑταῖροι,
οἵ κέν μιν πέμποιεν ἐπ' εὐρέα νῶτα θαλάσσης.
νῦν αὖ παῖδ' ἀγαπητὸν ἀποκτεῖναι μεμάασιν
οἴκαδε νισόμενον: ὁ δ' ἔβη μετὰ πατρὸς ἀκουὴν
ἐς Πύλον ἠγαθέην ἠδ' ἐς Λακεδαίμονα δῖαν."   20
τὴν δ' ἀπαμειβόμενος προσέφη νεφεληγερέτα Ζεύς:
"τέκνον ἐμόν, ποῖόν σε ἔπος φύγεν ἕρκος ὀδόντων.
οὐ γὰρ δὴ τοῦτον μὲν ἐβούλευσας νόον αὐτή,
ὡς ἦ τοι κείνους Ὀδυσεὺς ἀποτίσεται ἐλθών;
Τηλέμαχον δὲ σὺ πέμψον ἐπισταμένως, δύνασαι γάρ,   25
ὥς κε μάλ' ἀσκηθὴς ἣν πατρίδα γαῖαν ἵκηται,
μνηστῆρες δ' ἐν νηὶ: παλιμπετὲς ἀπονέωνται."
ἦ ῥα καὶ Ἑρμείαν, υἱὸν φίλον, ἀντίον ηὔδα:
"Ἑρμεία, σὺ γὰρ αὖτε τά τ' ἄλλα περ ἄγγελός ἐσσι,
νύμφῃ ἐυπλοκάμῳ εἰπεῖν νημερτέα βουλήν,   30
νόστον Ὀδυσσῆος ταλασίφρονος, ὥς κε νέηται
οὔτε θεῶν πομπῇ οὔτε θνητῶν ἀνθρώπων:
ἀλλ' ὅ γ' ἐπὶ σχεδίης πολυδέσμου πήματα πάσχων
ἤματί κ' εἰκοστῷ Σχερίην ἐρίβωλον ἵκοιτο,
Φαιήκων ἐς γαῖαν, οἳ ἀγχίθεοι γεγάασιν,   35

Canto 5

A Aurora ergueu-se do leito de Titono para trazer
luz aos imortais e aos mortais. Os deuses tomaram
assento no conselho divino, presidido pelo Zeus
dos brados bravios, de penetrante poder. Falou-
lhes Atena, lembrada dos conflitos de Odisseu. 05
Doíam-lhe as dores ardentes que o herói sofreu na
gruta da Ninfa: "Zeus Pai e vós senhores celestes
cessem doravante dos soberanos cetrados sensatez,
serenidade e compreensão, cessem cultores de
retos desígnios, reinem tirânicos reis, pratiquem 10
prepotências, já que ninguém dos governados pelo
sábio Odisseu o lembra como pai generoso. Merece
padecer privações penosas no ilhado calabouço de
Calipso? A ninfa o retém prisioneiro. Remoto
recua o mais modesto projeto de regresso à pátria. 15
Faltam-lhe naus, remeiros, equipamento, tudo.
Como cavalgar o largo lombo salgado? Ameaças
à vida do filho agravam-lhe a sorte. Concluirá Telêmaco
seu retorno a Ítaca depois da visita a Pilos
e à louvada Lacedemônia para saber de seu pai? 20
Em resposta lhe declara o Fazendeiro das Nuvens:
"Como pôde esta fala, filha, saltar-te a cerca dos
dentes? Tu mesma elaboraste em tua mente o
plano da punição dos impudentes com a chegada do
herói. Proteger a volta de Telêmaco é tarefa tua. 25
Que toque sem danos a terra que é dele! Retornem
frustrados da funesta empresa os criminosos
pretendentes." Não tarda a ordem ao mensageiro,
filho seu: "Hermes, notório em outras missões,
leva meu decreto irrevogável à ninfa das 30
renomadas tranças. Terminou a angustiosa espera
de Odisseu. Volte já, mesmo sem recursos divinos
e sem ajuda humana! Com sacrifício chegará, ao
vigésimo dia, em jangada bem-construída, a
Esquéria, terra dos feáceos, parentes próximos dos 35

οἵ κέν μιν περὶ κῆρι θεὸν ὣς τιμήσουσιν,
πέμψουσιν δ' ἐν νηῒ φίλην ἐς πατρίδα γαῖαν,
χαλκόν τε χρυσόν τε ἅλις ἐσθῆτά τε δόντες,
πόλλ', ὅσ' ἂν οὐδέ ποτε Τροίης ἐξήρατ' Ὀδυσσεύς,
εἴ περ ἀπήμων ἦλθε, λαχὼν ἀπὸ ληίδος αἶσαν. 40
ὣς γάρ οἱ μοῖρ' ἐστὶ φίλους τ' ἰδέειν καὶ ἱκέσθαι
οἶκον ἐς ὑψόροφον καὶ ἑὴν ἐς πατρίδα γαῖαν."
ὣς ἔφατ', οὐδ' ἀπίθησε διάκτορος ἀργεϊφόντης.
αὐτίκ' ἔπειθ' ὑπὸ ποσσὶν ἐδήσατο καλὰ πέδιλα,
ἀμβρόσια χρύσεια, τά μιν φέρον ἠμὲν ἐφ' ὑγρὴν 45
ἠδ' ἐπ' ἀπείρονα γαῖαν ἅμα πνοιῇς ἀνέμοιο.
εἵλετο δὲ ῥάβδον, τῇ τ' ἀνδρῶν ὄμματα θέλγει,
ὧν ἐθέλει, τοὺς δ' αὖτε καὶ ὑπνώοντας ἐγείρει.
τὴν μετὰ χερσὶν ἔχων πέτετο κρατὺς ἀργεϊφόντης.
Πιερίην δ' ἐπιβὰς ἐξ αἰθέρος ἔμπεσε πόντῳ· 50
σεύατ' ἔπειτ' ἐπὶ κῦμα λάρῳ ὄρνιθι ἐοικώς,
ὅς τε κατὰ δεινοὺς κόλπους ἁλὸς ἀτρυγέτοιο
ἰχθῦς ἀγρώσσων πυκινὰ πτερὰ δεύεται ἅλμῃ·
τῷ ἴκελος πολέεσσιν ὀχήσατο κύμασιν Ἑρμῆς.
ἀλλ' ὅτε δὴ τὴν νῆσον ἀφίκετο τηλόθ' ἐοῦσαν, 55
ἔνθ' ἐκ πόντου βὰς ἰοειδέος ἠπειρόνδε
ἤιεν, ὄφρα μέγα σπέος ἵκετο, τῷ ἔνι νύμφη
ναῖεν ἐυπλόκαμος· τὴν δ' ἔνδοθι τέτμεν ἐοῦσαν.
πῦρ μὲν ἐπ' ἐσχαρόφιν μέγα καίετο, τηλόσε δ' ὀδμὴ
κέδρου τ' εὐκεάτοιο θύου τ' ἀνὰ νῆσον ὀδώδει 60
δαιομένων· ἡ δ' ἔνδον ἀοιδιάουσ' ὀπὶ καλῇ
ἱστὸν ἐποιχομένη χρυσείῃ κερκίδ' ὕφαινεν.
ὕλη δὲ σπέος ἀμφὶ πεφύκει τηλεθόωσα,
κλήθρη τ' αἴγειρός τε καὶ εὐώδης κυπάρισσος.
ἔνθα δέ τ' ὄρνιθες τανυσίπτεροι εὐνάζοντο, 65
σκῶπές τ' ἴρηκές τε τανύγλωσσοί τε κορῶναι
εἰνάλιαι, τῇσίν τε θαλάσσια ἔργα μέμηλεν.
ἡ δ' αὐτοῦ τετάνυστο περὶ σπείους γλαφυροῖο
ἡμερὶς ἡβώωσα, τεθήλει δὲ σταφυλῇσι.
κρῆναι δ' ἑξείης πίσυρες ῥέον ὕδατι λευκῷ, 70
πλησίαι ἀλλήλων τετραμμέναι ἄλλυδις ἄλλη.
ἀμφὶ δὲ λειμῶνες μαλακοὶ ἴου ἠδὲ σελίνου

deuses, onde o aguarda calorosa e cordial acolhida.
De lá partirá, enfim, em direção à pátria amada, com
ricos presentes: bronze, ouro e esplêndidos tecidos,
dons superiores aos despojos arrebatados de Troia,
tesouros saqueados e perdidos nas ondas do mar. 40
Seu destino é este, rever os amigos, recuperar sua
morada e a terra de seus antepassados." A ordem
ao célebre Matador de Argos[1] não bateu em ouvidos
surdos. Calça pronto as deslumbrantes sandálias,
preparadas para conduzi-lo por úmidas ou terrestres 45
veredas à velocidade do vento. Empunha o
caduceu[2]. A um toque seu, encantos povoam olhos
sonhadores e homens emergem da vigília à luz.
Munido dele, o forte Arrasa-Argos transcursa
o espaço, sobrevoa Piéria, e do éter desce ao mar, 50
paira sobre ondas dançantes com a leveza da
gaivota que, devota a aterradoras profundezas das
águas inquietas, banha as asas nas ondas à caça
de peixes. Assim deslizava Hermes sobre a úmida
serrania. Aproximando-se da ilha, deixa o mar 55
violáceo para pousar os pés em terra firme. Busca
a gruta, residência da ninfa das memoráveis
madeixas. Encontrou-a em casa. Labaredas
lambiam fartas o forno. Longe recendia o perfume
das achas de cedro e de tuia, repasto das chamas. 60
O canto deslizava suave pelos sonoros paredões. Os
pés se moviam junto ao tear, nos dedos navegava a
áurea naveta. Um bosque verdejante cercava a
gruta, amieiros e choupos e cedros fragrantes.
Os galhos sustentam os ninhos de robustos voláteis: 65
corujas, falcões e gralhas bicudas, variedades
afeitas às lides da pesca marinha. Vigorosa videira
de rechonchudos cachos cercava a caverna ardilosa.
Fontes de linfa alvíssima arrematavam o quadro.
Fluíam, em número de quatro, cristalinas correntes. 70
Corriam a diversos destinos. Nas cercanias,
verdeja o brando tapete dos prados de violeta

θήλεον. ἔνθα κ' ἔπειτα καὶ ἀθάνατός περ ἐπελθὼν
θηήσαιτο ἰδὼν καὶ τερφθείη φρεσὶν ᾗσιν.
ἔνθα στὰς θηεῖτο διάκτορος ἀργειφόντης. 75
αὐτὰρ ἐπεὶ δὴ πάντα ἑῷ θηήσατο θυμῷ,
αὐτίκ' ἄρ' εἰς εὐρὺ σπέος ἤλυθεν. οὐδέ μιν ἄντην
ἠγνοίησεν ἰδοῦσα Καλυψώ, δῖα θεάων·
οὐ γάρ τ' ἀγνῶτες θεοὶ ἀλλήλοισι πέλονται
ἀθάνατοι, οὐδ' εἴ τις ἀπόπροθι δώματα ναίει. 80
οὐδ' ἄρ' Ὀδυσσῆα μεγαλήτορα ἔνδον ἔτετμεν,
ἀλλ' ὅ γ' ἐπ' ἀκτῆς κλαῖε καθήμενος, ἔνθα πάρος περ,
δάκρυσι καὶ στοναχῇσι καὶ ἄλγεσι θυμὸν ἐρέχθων.
πόντον ἐπ' ἀτρύγετον δερκέσκετο δάκρυα λείβων.
Ἑρμείαν δ' ἐρέεινε Καλυψώ, δῖα θεάων, 85
ἐν θρόνῳ ἱδρύσασα φαεινῷ σιγαλόεντι·
"τίπτε μοι, Ἑρμεία χρυσόρραπι, εἰλήλουθας
αἰδοῖός τε φίλος τε; πάρος γε μὲν οὔ τι θαμίζεις.
αὔδα ὅ τι φρονέεις· τελέσαι δέ με θυμὸς ἄνωγεν,
εἰ δύναμαι τελέσαι γε καὶ εἰ τετελεσμένον ἐστίν. 90
ἀλλ' ἕπεο προτέρω, ἵνα τοι πὰρ ξείνια θείω."
ὣς ἄρα φωνήσασα θεὰ παρέθηκε τράπεζαν
ἀμβροσίης πλήσασα, κέρασσε δὲ νέκταρ ἐρυθρόν.
αὐτὰρ ὁ πῖνε καὶ ἦσθε διάκτορος ἀργειφόντης.
αὐτὰρ ἐπεὶ δείπνησε καὶ ἤραρε θυμὸν ἐδωδῇ, 95
καὶ τότε δή μιν ἔπεσσιν ἀμειβόμενος προσέειπεν·
"εἰρωτᾷς μ' ἐλθόντα θεὰ θεόν· αὐτὰρ ἐγώ τοι
νημερτέως τὸν μῦθον ἐνισπήσω· κέλεαι γάρ.
Ζεὺς ἐμέ γ' ἠνώγει δεῦρ' ἐλθέμεν οὐκ ἐθέλοντα·
τίς δ' ἂν ἑκὼν τοσσόνδε διαδράμοι ἁλμυρὸν ὕδωρ 100
ἄσπετον; οὐδέ τις ἄγχι βροτῶν πόλις, οἵ τε θεοῖσιν
ἱερά τε ῥέζουσι καὶ ἐξαίτους ἑκατόμβας.
ἀλλὰ μάλ' οὔ πως ἔστι Διὸς νόον αἰγιόχοιο
οὔτε παρεξελθεῖν ἄλλον θεὸν οὔθ' ἁλιῶσαι.
φησί τοι ἄνδρα παρεῖναι ὀϊζυρώτατον ἄλλων, 105
τῶν ἀνδρῶν, οἳ ἄστυ πέρι Πριάμοιο μάχοντο
εἰνάετες, δεκάτῳ δὲ πόλιν πέρσαντες ἔβησαν
οἴκαδ'· ἀτὰρ ἐν νόστῳ Ἀθηναίην ἀλίτοντο,
ἥ σφιν ἐπῶρσ' ἄνεμόν τε κακὸν καὶ κύματα μακρά.

e aipo. Até um imortal se deteria em êxtase para
contemplar o espetáculo. Hermes, arrebatado,
interrompe a marcha. Recuperado do enlevo   75
que lhe inundara o coração, dirigiu os passos
à arejada caverna. Calipso, esplêndida entre
esplêndidas, o identificou num relance. Os imortais
reconhecem uns aos outros, ainda que a distância
afaste o sítio de suas residências. Quem estava   80
ausente? Odisseu. Não se achava na caverna.
Sentado na praia, de lá não saía. De coração
dilacerado, e não era a primeira vez, chorava.
Seus olhos, mergulhados num mar de lágrimas,
varriam a superfície azul. Calipso, a luminosa,   85
ofereceu a Hermes uma poltrona, assim só dela,
uma obra de arte. Veio a pergunta: "Hermes, sabes
que te venero, te quero embora te veja pouco. O
que te trouxe? Estou inclinada a satisfazer-te sem
reservas, se é que estou à altura dos teus desejos.   90
Vem! Minha generosidade confirma o que digo."
Com essas palavras, a deusa aproximou a mesa.
Serviu-lhe ambrosia. Néctar purpurino espumava
na cratera. Deliciou-se com as iguarias Hermes, o
divino. Terminada a refeição, saciados seus   95
desejos, revelou o motivo da visita: "Deusa, diriges
a palavra a um deus. Não poderia ocultar-te
a verdade. Exponho-te palavras sem véus. Não
vim por decisão minha. Zeus me mandou. Quem,
por vontade própria, enfrentaria esta imensidão   100
salgada, este espaço sem-fim? Não vejo homens.
Cidade que cultue deuses que se celebre
hecatombes por aqui não há. Sabes que não é
possível contrariar Zeus. Que deus se oporia a um
decreto do Porta-Escudo? Consta que vive aqui um   105
sofredor, um dos que sitiaram a cidadela de Troia
por nove anos. No décimo retornaram os autores
do prodígio. Os que regressaram ofenderam Atena.
Ela reagiu com ventos funestos e ondas gigantes.

ἔνθ' ἄλλοι μὲν πάντες ἀπέφθιθεν ἐσθλοὶ ἑταῖροι, 110
τὸν δ' ἄρα δεῦρ' ἄνεμός τε φέρων καὶ κῦμα πέλασσε.
τὸν νῦν σ' ἠνώγειν ἀποπεμπέμεν ὅττι τάχιστα·
οὐ γάρ οἱ τῇδ' αἶσα φίλων ἀπονόσφιν ὀλέσθαι,
ἀλλ' ἔτι οἱ μοῖρ' ἐστὶ φίλους τ' ἰδέειν καὶ ἱκέσθαι
οἶκον ἐς ὑψόροφον καὶ ἑὴν ἐς πατρίδα γαῖαν." 115
ὣς φάτο, ῥίγησεν δὲ Καλυψώ, δῖα θεάων,
καί μιν φωνήσασ' ἔπεα πτερόεντα προσηύδα·
"σχέτλιοί ἐστε, θεοί, ζηλήμονες ἔξοχον ἄλλων,
οἵ τε θεαῖς ἀγάασθε παρ' ἀνδράσιν εὐνάζεσθαι
ἀμφαδίην, ἤν τίς τε φίλον ποιήσετ' ἀκοίτην. 120
ὣς μὲν ὅτ' Ὠρίων' ἕλετο ῥοδοδάκτυλος Ἠώς,
τόφρα οἱ ἠγάασθε θεοὶ ῥεῖα ζώοντες,
ἧος ἐν Ὀρτυγίῃ χρυσόθρονος Ἄρτεμις ἁγνὴ
οἷς ἀγανοῖς βελέεσσιν ἐποιχομένη κατέπεφνεν.
ὣς δ' ὁπότ' Ἰασίωνι ἐϋπλόκαμος Δημήτηρ, 125
ᾧ θυμῷ εἴξασα, μίγη φιλότητι καὶ εὐνῇ
νειῷ ἔνι τριπόλῳ· οὐδὲ δὴν ἦεν ἄπυστος
Ζεύς, ὅς μιν κατέπεφνε βαλὼν ἀργῆτι κεραυνῷ.
ὣς δ' αὖ νῦν μοι ἄγασθε, θεοί, βροτὸν ἄνδρα παρεῖναι.
τὸν μὲν ἐγὼν ἐσάωσα περὶ τρόπιος βεβαῶτα 130
οἶον, ἐπεί οἱ νῆα θοὴν ἀργῆτι κεραυνῷ
Ζεὺς ἔλσας ἐκέασσε μέσῳ ἐνὶ οἴνοπι πόντῳ.
ἔνθ' ἄλλοι μὲν πάντες ἀπέφθιθεν ἐσθλοὶ ἑταῖροι,
τὸν δ' ἄρα δεῦρ' ἄνεμός τε φέρων καὶ κῦμα πέλασσε.
τὸν μὲν ἐγὼ φίλεόν τε καὶ ἔτρεφον, ἠδὲ ἔφασκον 135
θήσειν ἀθάνατον καὶ ἀγήραον ἤματα πάντα.
ἀλλ' ἐπεὶ οὔ πως ἔστι Διὸς νόον αἰγιόχοιο
οὔτε παρεξελθεῖν ἄλλον θεὸν οὔθ' ἁλιῶσαι,
ἐρρέτω, εἴ μιν κεῖνος ἐποτρύνει καὶ ἀνώγει,
πόντον ἐπ' ἀτρύγετον· πέμψω δέ μιν οὔ πῃ ἐγώ γε· 140
οὐ γάρ μοι πάρα νῆες ἐπήρετμοι καὶ ἑταῖροι,
οἵ κέν μιν πέμποιεν ἐπ' εὐρέα νῶτα θαλάσσης.
αὐτάρ οἱ πρόφρων ὑποθήσομαι, οὐδ' ἐπικεύσω,
ὥς κε μάλ' ἀσκηθὴς ἣν πατρίδα γαῖαν ἵκηται."
τὴν δ' αὖτε προσέειπε διάκτορος ἀργεϊφόντης· 145
"οὕτω νῦν ἀπόπεμπε, Διὸς δ' ἐποπίζεο μῆνιν,

Foi o fim dos companheiros, embora valentes. Os
ventos e as ondas empurraram o sobrevivente para
cá. Tens que soltá-lo, é a ordem, o mais depressa
possível. Morrer aqui, longe dos seus, não é esse seu
destino. Foi determinado que ele reveja quem ama,
que volte ao seu palácio e que pise o solo pátrio."
Estas palavras abalaram Calipso, a esplêndida deusa.
Saíram-lhe voando da boca estas palavras: "Deuses,
sois duros, invejosos mais que ninguém. Perseguis
deusas que, movidas pelo desejo, levam para a
cama homens eleitos. Quando a Aurora de dedos
róseos escolheu Órion, vós, os de vida fácil, vós,
deuses, vos opusestes, a ponto de Ártemis atingi-lo
desde seu trono de ouro com flechaços suaves em
Ortígia[3]. Quando Deméter, inflamada, cedendo ao
coração, se aproximou com seus belos cabelos de
Jasião e aos abraços o levou para a maciez do leito,
campo três vezes lavrado, não demorou a notícia
chegar ao trono de Zeus. Um raio fulgurante matou
o amante. A perseguida agora sou eu devido a um
mortal. Agarrado à quilha, o raio de Zeus partiu
com uma tempestade bravia a nau em que se movia
no mar cor de vinho. Quem o salvou fui eu. Seus
companheiros, embora valorosos, morreram todos.
Ventos raivosos e ondas agitadas o largaram
aqui. Eu o acolhi, tratei-o com afeto, ofereci-lhe
a imortalidade, garanti-lhe que não conheceria
a velhice em dias vindouros. Visto ser impossível
contornar decisões de Zeus, nem a Zeus se consente
menosprezar a vontade de outra divindade, que se
vá! Submeto-me ao decreto do Porta-Escudo. Mas
não conte com minha ajuda. Não tenho naus nem
tripulação que lhe permitam cavalgar o lombo de
indômitas ondas. Mais que aconselhar não posso.
Não dissimulo. Que retorne sem danos à sua terra!"
Brilhou a resposta do Arrasa-Argos: "Fazes bem
em libertá-lo. Não provoques a ira de Zeus. A

μή πώς τοι μετόπισθε κοτεσσάμενος χαλεπήνῃ."
ὣς ἄρα φωνήσας ἀπέβη κρατὺς ἀργεϊφόντης:
ἡ δ' ἐπ' Ὀδυσσῆα μεγαλήτορα πότνια νύμφη
ἤι', ἐπεὶ δὴ Ζηνὸς ἐπέκλυεν ἀγγελιάων.   150
τὸν δ' ἄρ' ἐπ' ἀκτῆς εὗρε καθήμενον: οὐδέ ποτ' ὄσσε
δακρυόφιν τέρσοντο, κατείβετο δὲ γλυκὺς αἰὼν
νόστον ὀδυρομένῳ, ἐπεὶ οὐκέτι ἥνδανε νύμφη.
ἀλλ' ἦ τοι νύκτας μὲν ἰαύεσκεν καὶ ἀνάγκῃ
ἐν σπέσσι γλαφυροῖσι παρ' οὐκ ἐθέλων ἐθελούσῃ: 155
ἤματα δ' ἂμ πέτρῃσι καὶ ἠιόνεσσι καθίζων
δάκρυσι καὶ στοναχῇσι καὶ ἄλγεσι θυμὸν ἐρέχθων
πόντον ἐπ' ἀτρύγετον δερκέσκετο δάκρυα λείβων.
ἀγχοῦ δ' ἱσταμένη προσεφώνεε δῖα θεάων:
"κάμμορε, μή μοι ἔτ' ἐνθάδ' ὀδύρεο, μηδέ τοι αἰὼν   160
φθινέτω: ἤδη γάρ σε μάλα πρόφρασσ' ἀποπέμψω.
ἀλλ' ἄγε δούρατα μακρὰ ταμὼν ἁρμόζεο χαλκῷ
εὐρεῖαν σχεδίην: ἀτὰρ ἴκρια πῆξαι ἐπ' αὐτῆς
ὑψοῦ, ὥς σε φέρῃσιν ἐπ' ἠεροειδέα πόντον.
αὐτὰρ ἐγὼ σῖτον καὶ ὕδωρ καὶ οἶνον ἐρυθρὸν   165
ἐνθήσω μενοεικέ', ἅ κέν τοι λιμὸν ἐρύκοι,
εἵματά τ' ἀμφιέσω: πέμψω δέ τοι οὖρον ὄπισθεν,
ὥς κε μάλ' ἀσκηθὴς σὴν πατρίδα γαῖαν ἵκηαι,
αἴ κε θεοί γ' ἐθέλωσι, τοὶ οὐρανὸν εὐρὺν ἔχουσιν,
οἵ μευ φέρτεροί εἰσι νοῆσαί τε κρῆναί τε."   170
ὣς φάτο, ῥίγησεν δὲ πολύτλας δῖος Ὀδυσσεύς,
καί μιν φωνήσας ἔπεα πτερόεντα προσηύδα:
"ἄλλο τι δὴ σύ, θεά, τόδε μήδεαι, οὐδέ τι πομπήν,
ἥ με κέλεαι σχεδίῃ περάαν μέγα λαῖτμα θαλάσσης,
δεινόν τ' ἀργαλέον τε: τὸ δ' οὐδ' ἐπὶ νῆες ἐῖσαι   175
ὠκύποροι περόωσιν, ἀγαλλόμεναι Διὸς οὔρῳ.
οὐδ' ἂν ἐγὼν ἀέκητι σέθεν σχεδίης ἐπιβαίην,
εἰ μή μοι τλαίης γε, θεά, μέγαν ὅρκον ὀμόσσαι
μή τί μοι αὐτῷ πῆμα κακὸν βουλευσέμεν ἄλλο."
ὣς φάτο, μείδησεν δὲ Καλυψὼ δῖα θεάων,   180
χειρί τέ μιν κατέρεξεν ἔπος τ' ἔφατ' ἔκ τ' ὀνόμαζεν:
"ἦ δὴ ἀλιτρός γ' ἐσσὶ καὶ οὐκ ἀποφώλια εἰδώς,
οἷον δὴ τὸν μῦθον ἐπεφράσθης ἀγορεῦσαι.

fúria dele poderia causar-te danos. Com estas
palavras partiu o forte Hermes, o triunfador. A
ninfa senhoril procurou o Odisseu dos profundos
sentimentos. A mensagem de Zeus ainda soava aos
ouvidos da ninfa. Calipso encontrou-o na praia. As
lágrimas não secavam. A vida doce escoara. Sem
retorno, restava-lhe penar. Os atrativos de Calipso
eram águas passadas. Tormentosas arrastavam-se as
noites na gruta espaçosa. A ninfa sedenta abraçava
um homem sem desejos. Passava os dias sentado
sobre rochas e dunas. Lágrimas, gemidos e dores
tumultuavam-lhe o coração. O amargo de seus
olhos se misturava com o amargo do mar. Próxima
soou a voz esplendorosa da esplêndida deusa:
"Coitado! Não quero que consumas tua vida aqui,
em prantos. Já não me oponho à tua partida. Abate
troncos. Providencio ferramenta. Constrói uma
jangada. Levanta um estrado para enfrentar o mar
tenebroso. Terás pão, água, vinho tinto, tudo a
teu gosto. Te garanto que de fome não vais morrer.
Receberás roupa e ventos propícios. Chegarás
sem transtornos à tua terra, se os senhores que
mandam no vasto céu assim o desejarem. Estou
sujeita a irrevogáveis decretos deles." Odisseu,
o sofredor, tremeu da cabeça aos pés. Estas
palavras saíram-lhe aladas da boca em resposta:
"Deusa, desejas minha partida? Esperas que eu
vença perigosos abismos com uma jangada feita
por mim? A travessia é negada até a naves destras,
velozes, favorecidas com sopros de Zeus. Jamais
embarcarei numa jangada se não me jurares, por
tudo o que é sagrado, que não me empurras,
caríssima, a outra desgraça ainda maior." As
precauções de Odisseu fizeram Calipso sorrir.
O herói ouviu estas palavras de afeto: "Espertinho,
vejo-te sempre cheio de dedos. Não te dás conta
do que acabas de dizer? Saibam este chão sob

ἴστω νῦν τόδε γαῖα καὶ οὐρανὸς εὐρὺς ὕπερθε
καὶ τὸ κατειβόμενον Στυγὸς ὕδωρ, ὅς τε μέγιστος   185
ὅρκος δεινότατός τε πέλει μακάρεσσι θεοῖσι,
μή τί τοι αὐτῷ πῆμα κακὸν βουλευσέμεν ἄλλο.
ἀλλὰ τὰ μὲν νοέω καὶ φράσσομαι, ἅσσ' ἂν ἐμοί περ
αὐτῇ μηδοίμην, ὅτε με χρειὼ τόσον ἵκοι:
καὶ γὰρ ἐμοὶ νόος ἐστὶν ἐναίσιμος, οὐδέ μοι αὐτῇ   190
θυμὸς ἐνὶ στήθεσσι σιδήρεος, ἀλλ' ἐλεήμων."
ὣς ἄρα φωνήσασ' ἡγήσατο δῖα θεάων
καρπαλίμως: ὁ δ' ἔπειτα μετ' ἴχνια βαῖνε θεοῖο.
ἷξον δὲ σπεῖος γλαφυρὸν θεὸς ἠδὲ καὶ ἀνήρ,
καί ῥ' ὁ μὲν ἔνθα καθέζετ' ἐπὶ θρόνου ἔνθεν ἀνέστη   195
Ἑρμείας, νύμφη δ' ἐτίθει πάρα πᾶσαν ἐδωδήν,
ἔσθειν καὶ πίνειν, οἷα βροτοὶ ἄνδρες ἔδουσιν:
αὐτὴ δ' ἀντίον ἷζεν Ὀδυσσῆος θείοιο,
τῇ δὲ παρ' ἀμβροσίην δμωαὶ καὶ νέκταρ ἔθηκαν.
οἱ δ' ἐπ' ὀνείαθ' ἑτοῖμα προκείμενα χεῖρας ἴαλλον.   200
αὐτὰρ ἐπεὶ τάρπησαν ἐδητύος ἠδὲ ποτῆτος,
τοῖς ἄρα μύθων ἦρχε Καλυψώ, δῖα θεάων:
"διογενὲς Λαερτιάδη, πολυμήχαν' Ὀδυσσεῦ,
οὕτω δὴ οἶκόνδε φίλην ἐς πατρίδα γαῖαν
αὐτίκα νῦν ἐθέλεις ἰέναι; σὺ δὲ χαῖρε καὶ ἔμπης.   205
εἴ γε μὲν εἰδείης σῇσι φρεσὶν ὅσσα τοι αἶσα
κήδε' ἀναπλῆσαι, πρὶν πατρίδα γαῖαν ἱκέσθαι,
ἐνθάδε κ' αὖθι μένων σὺν ἐμοὶ τόδε δῶμα φυλάσσοις
ἀθάνατός τ' εἴης, ἱμειρόμενός περ ἰδέσθαι
σὴν ἄλοχον, τῆς τ' αἰὲν ἐέλδεαι ἤματα πάντα.   210
οὐ μέν θην κείνης γε χερείων εὔχομαι εἶναι,
οὐ δέμας οὐδὲ φυήν, ἐπεὶ οὔ πως οὐδὲ ἔοικεν
θνητὰς ἀθανάτῃσι δέμας καὶ εἶδος ἐρίζειν."
τὴν δ' ἀπαμειβόμενος προσέφη πολύμητις Ὀδυσσεύς:
"πότνα θεά, μή μοι τόδε χώεο: οἶδα καὶ αὐτὸς   215
πάντα μάλ', οὕνεκα σεῖο περίφρων Πηνελόπεια
εἶδος ἀκιδνοτέρη μέγεθός τ' εἰσάντα ἰδέσθαι:
ἡ μὲν γὰρ βροτός ἐστι, σὺ δ' ἀθάνατος καὶ ἀγήρως.
ἀλλὰ καὶ ὣς ἐθέλω καὶ ἐέλδομαι ἤματα πάντα
οἴκαδέ τ' ἐλθέμεναι καὶ νόστιμον ἦμαρ ἰδέσθαι.   220

meus pés e o grande céu que nos espia lá em cima
e as águas do sacro Estige[4] lá embaixo – maior 185
juramento não há nem para bem-aventurados
deuses – que não tenho desejo de prejudicar-te.
O que te falo eu recomendaria a mim mesma se
me encontrasse em dificuldade igual à tua. Te
afirmo que sou bem-equilibrada. Não me atribuas 190
um coração de ferro. Até sei ser misericordiosa."
Tendo-lhe dado essa garantia, a excelsa divindade
tomou a frente para orientá-lo. Odisseu seguiu-lhe
os passos. Entraram na imponente caverna, a deusa
e o herói. Indicou-lhe a poltrona ainda há pouco 195
ocupada por Hermes. A ninfa preparou-lhe a mesa,
manjares e vinhos, dieta adequada a mortais. Ela
assentou-se diante de Odisseu, seu divino[5] hóspede.
As criadas ofereceram à deusa ambrosia e néctar.
Serviram-se das iguarias dispostas. Concluída 200
a refeição de cálices e travessas, Calipso, de sedosa
pele, reencetou a conversa: "Ilustre filho de Laertes,
linhagem de Zeus, prodigioso Odisseu, quer dizer
que pretendes retornar à tua terra natal sem mais
delongas? Pensa bem, é isso que desejas? Sabes 205
o que te espera? Não penses que a empresa é fácil.
Cansativo seria enumerar as dificuldades. Agora,
se resolvesses ficar comigo, poderias administrar
esta propriedade. Eu te concederia a imortalidade,
mesmo que dia após dia sentisses falta de tua 210
esposa. Não sou de se jogar fora. Se consideras
corpo e beleza, ganho dela. Mortais não igualam
imortais na forma e na harmonia das linhas."
Respondeu-lhe Odisseu: "Deusa querida, não te
irrites comigo. Ninguém sabe melhor do que eu 215
que a minha adorada Penélope, seja no porte, seja
na beleza, comparada contigo, some. Sei que ela é
mortal e que tu não pereces nem decais. Mesmo
assim, espero, dia vem, dia vai, voltar para casa.
Rever o que é meu, desejo só isso. Se eu sofrer 220

εἰ δ' αὖ τις ῥαίῃσι θεῶν ἐνὶ οἴνοπι πόντῳ,
τλήσομαι ἐν στήθεσσιν ἔχων ταλαπενθέα θυμόν·
ἤδη γὰρ μάλα πολλὰ πάθον καὶ πολλὰ μόγησα
κύμασι καὶ πολέμῳ· μετὰ καὶ τόδε τοῖσι γενέσθω."
ὣς ἔφατ', ἥλιος δ' ἄρ' ἔδυ καὶ ἐπὶ κνέφας ἦλθεν· 225
ἐλθόντες δ' ἄρα τώ γε μυχῷ σπείους γλαφυροῖο
τερπέσθην φιλότητι, παρ' ἀλλήλοισι μένοντες.

ἦμος δ' ἠριγένεια φάνη ῥοδοδάκτυλος Ἠώς,
αὐτίχ' ὁ μὲν χλαῖνάν τε χιτῶνά τε ἕννυτ' Ὀδυσσεύς,
αὐτὴ δ' ἀργύφεον φᾶρος μέγα ἕννυτο νύμφη, 230
λεπτὸν καὶ χαρίεν, περὶ δὲ ζώνην βάλετ' ἰξυῖ
καλὴν χρυσείην, κεφαλῇ δ' ἐφύπερθε καλύπτρην.
καὶ τότ' Ὀδυσσῆι μεγαλήτορι μήδετο πομπήν·
δῶκέν οἱ πέλεκυν μέγαν, ἄρμενον ἐν παλάμῃσι,
χάλκεον, ἀμφοτέρωθεν ἀκαχμένον· αὐτὰρ ἐν αὐτῷ 235
στειλειὸν περικαλλὲς ἐλάινον, εὖ ἐναρηρός·
δῶκε δ' ἔπειτα σκέπαρνον ἐύξοον· ἦρχε δ' ὁδοῖο
νήσου ἐπ' ἐσχατιῆς, ὅθι δένδρεα μακρὰ πεφύκει,
κλήθρη τ' αἴγειρός τ', ἐλάτη τ' ἦν οὐρανομήκης,
αὖα πάλαι, περίκηλα, τά οἱ πλώοιεν ἐλαφρῶς. 240
αὐτὰρ ἐπεὶ δὴ δεῖξ', ὅθι δένδρεα μακρὰ πεφύκει,
ἡ μὲν ἔβη πρὸς δῶμα Καλυψώ, δῖα θεάων,
αὐτὰρ ὁ τάμνετο δοῦρα· θοῶς δέ οἱ ἤνυτο ἔργον.
εἴκοσι δ' ἔκβαλε πάντα, πελέκκησεν δ' ἄρα χαλκῷ,
ξέσσε δ' ἐπισταμένως καὶ ἐπὶ στάθμην ἴθυνεν. 245
τόφρα δ' ἔνεικε τέρετρα Καλυψώ, δῖα θεάων·
τέτρηνεν δ' ἄρα πάντα καὶ ἥρμοσεν ἀλλήλοισιν,
γόμφοισιν δ' ἄρα τήν γε καὶ ἁρμονίῃσιν ἄρασσεν.
ὅσσον τίς τ' ἔδαφος νηὸς τορνώσεται ἀνὴρ
φορτίδος εὐρείης, ἐὺ εἰδὼς τεκτοσυνάων, 250
τόσσον ἐπ' εὐρεῖαν σχεδίην ποιήσατ' Ὀδυσσεύς.
ἴκρια δὲ στήσας, ἀραρὼν θαμέσι σταμίνεσσι,
ποίει· ἀτὰρ μακρῇσιν ἐπηγκενίδεσσι τελεύτα.
ἐν δ' ἱστὸν ποίει καὶ ἐπίκριον ἄρμενον αὐτῷ·
πρὸς δ' ἄρα πηδάλιον ποιήσατο, ὄφρ' ἰθύνοι. 255

no mar cor de vinho perseguição divina,
aguentarei. Desenvolvi coração resistente à dor.
Nem queiras saber o que já padeci no mar e na
guerra. Estou preparado para suportar o que vem."
Ora, o sol já se punha, adensava-se a bruma. 225
Penetraram no interior da gruta aconchegante
e adormeceram abraçados em profunda ternura.

Quando a Aurora ergueu os róseos dedos, Odisseu
vestiu a túnica e cobriu-se com o manto, ao passo
que a ninfa esplendeu no prateado de um vestido 230
longo, leve, gracioso, estreitado na cintura com
um cinto de áurea beleza, um véu cobria-lhe o rosto.
Revolvendo na cabeça planos para o retorno de
Odisseu, ela passou-lhe um pesado machado de
bronze, fio duplo, adequado a mãos robustas, 235
provido de um vistoso cabo de oliveira, ajustado.
Apresentou-lhe ainda uma enxó, cuidadosamente
acabada. Mostra-lhe, então, o caminho ao extremo
da ilha, onde cresciam árvores viçosas, choupos,
amieiros, abetos que se afundam no céu, secos há 240
muito, leves, adequados ao uso naval. Tendo-lhe
fornecido o necessário, Calipso retornou à caverna.
Prontamente se pôs Odisseu a abater os troncos. O
trabalho rendeu. Derrubou vinte ao todo, falquejou-os
a ferro, alisou-os a preceito, alinhou-os a prumo. 245
Veio Calipso, a solícita deusa, com as puas. Feitos
os furos, Odisseu ajustou os troncos um ao outro.
Cunhas consolidaram o conjunto. O herói procedeu
como um armador experimentado. O piso da jangada,
comparável à superfície de um grande navio de carga, 250
alargou-o com precisão. Ergueu, então, a plataforma,
sustentando-a com a prescrita quantidade de vigas
para, por fim, firmar os bordos com longas pranchas.
Levantou, ainda, o mastro, atravessado pela verga.
Arrematou o trabalho com o leme, segurança da rota. 255

φράξε δέ μιν ῥίπεσσι διαμπερὲς οἰσυΐνῃσι
κύματος εἶλαρ ἔμεν· πολλὴν δ' ἐπεχεύατο ὕλην.
τόφρα δὲ φάρε' ἔνεικε Καλυψώ, δῖα θεάων,
ἱστία ποιήσασθαι· ὁ δ' εὖ τεχνήσατο καὶ τά.
ἐν δ' ὑπέρας τε κάλους τε πόδας τ' ἐνέδησεν ἐν αὐτῇ,   260
μοχλοῖσιν δ' ἄρα τήν γε κατείρυσεν εἰς ἅλα δῖαν.
τέτρατον ἦμαρ ἔην, καὶ τῷ τετέλεστο ἅπαντα·
τῷ δ' ἄρα πέμπτῳ πέμπ' ἀπὸ νήσου δῖα Καλυψώ,
εἵματά τ' ἀμφιέσασα θυώδεα καὶ λούσασα.
ἐν δέ οἱ ἀσκὸν ἔθηκε θεὰ μέλανος οἴνοιο   265
τὸν ἕτερον, ἕτερον δ' ὕδατος μέγαν, ἐν δὲ καὶ ἦα
κωρύκῳ· ἐν δέ οἱ ὄψα τίθει μενοεικέα πολλά·
οὖρον δὲ προέηκεν ἀπήμονά τε λιαρόν τε.
γηθόσυνος δ' οὔρῳ πέτασ' ἱστία δῖος Ὀδυσσεύς.
αὐτὰρ ὁ πηδαλίῳ ἰθύνετο τεχνηέντως   270
ἥμενος, οὐδέ οἱ ὕπνος ἐπὶ βλεφάροισιν ἔπιπτεν
Πληιάδας τ' ἐσορῶντι καὶ ὀψὲ δύοντα Βοώτην
Ἄρκτον θ', ἣν καὶ ἄμαξαν ἐπίκλησιν καλέουσιν,
ἥ τ' αὐτοῦ στρέφεται καί τ' Ὠρίωνα δοκεύει,
οἴη δ' ἄμμορός ἐστι λοετρῶν Ὠκεανοῖο·   275
τὴν γὰρ δή μιν ἄνωγε Καλυψώ, δῖα θεάων,
ποντοπορευέμεναι ἐπ' ἀριστερὰ χειρὸς ἔχοντα.
ἑπτὰ δὲ καὶ δέκα μὲν πλέεν ἤματα ποντοπορεύων,
ὀκτωκαιδεκάτῃ δ' ἐφάνη ὄρεα σκιόεντα
γαίης Φαιήκων, ὅθι τ' ἄγχιστον πέλεν αὐτῷ·   280
εἴσατο δ' ὡς ὅτε ῥινὸν ἐν ἠεροειδέι πόντῳ.

τὸν δ' ἐξ Αἰθιόπων ἀνιὼν κρείων ἐνοσίχθων
τηλόθεν ἐκ Σολύμων ὀρέων ἴδεν· εἴσατο γάρ οἱ
πόντον ἐπιπλώων. ὁ δ' ἐχώσατο κηρόθι μᾶλλον,
κινήσας δὲ κάρη προτὶ ὃν μυθήσατο θυμόν·   285
"ὢ πόποι, ἦ μάλα δὴ μετεβούλευσαν θεοὶ ἄλλως
ἀμφ' Ὀδυσῆι ἐμεῖο μετ' Αἰθιόπεσσιν ἐόντος,
καὶ δὴ Φαιήκων γαίης σχεδόν, ἔνθα οἱ αἶσα
ἐκφυγέειν μέγα πεῖραρ ὀιζύος, ἥ μιν ἱκάνει.
ἀλλ' ἔτι μέν μίν φημι ἅδην ἐλάαν κακότητος."   290

Vedou as fendas, em volta, com varas para impedir
a penetração de água. De lastro empilhou madeira.
A divina Calipso ofereceu-lhe pano para a confecção
da vela. Ele o cortou a jeito, firmando-a no alto
e no pé do mastro. Concluído o trabalho, confiou   260
a jangada ao divino balouço do mar. Ao cabo do
quarto dia, as providências tinham sido tomadas.
Despediu-se de Calipso no dia seguinte, depois de
banhado e provido de vestes fragrantes. A deusa não
se esqueceu de abastecer a jangada de bebida, dois   265
odres avantajados, um de vinho tinto, outro, de água.
Alcançou-lhe ainda um alforje repleto de alimentos,
favorecendo-o com vento propício. Contente,
Odisseu desfraldou as velas. Toma o timão e o
maneja com maestria. Não permitiu que o sono lhe   270
baixasse as pálpebras. De olho nas Plêiades,
não perde de vista o Boieiro, que se recolhe tarde.
Viaja atento à Ursa. Outros a chamam de Carro.
A Ursa, que gira sempre no mesmo lugar, encara
Órion. Só ela repele banhos nas águas do Oceano.   275
Que, ao singrar o mar, a deixasse sempre à
esquerda, foi a recomendação de Calipso. Dez dias
mais sete tomou-lhe a travessia. No décimo
oitavo, apareceram os montes nevoentos da terra
dos feáceos, já bem próxima dele. Vista através   280
da névoa marinha, a ilha parecia um escudo.

Percebeu-o Posidon, ao deixar os etíopes. Viu-o de
longe, desde os Montes Solimos, a manobrar a
jangada. Dominado pela cólera, moveu a cabeça e
falou assim ao próprio coração: "Quem diria?   285
Aproveitaram-se da minha ausência para mudar
a decisão sobre a sorte de Odisseu. Vejo-o
aproximar-se da terra dos feáceos. A trança dos
sofrimentos termina aí. A ordem do destino é essa.
Não pense que já alcançou o topo dos males."   290

ὣς εἰπὼν σύναγεν νεφέλας, ἐτάραξε δὲ πόντον
χερσὶ τρίαιναν ἑλών· πάσας δ' ὀρόθυνεν ἀέλλας
παντοίων ἀνέμων, σὺν δὲ νεφέεσσι κάλυψε
γαῖαν ὁμοῦ καὶ πόντον· ὀρώρει δ' οὐρανόθεν νύξ.
σὺν δ' Εὖρός τε Νότος τ' ἔπεσον Ζέφυρός τε δυσαὴς 295
καὶ Βορέης αἰθρηγενέτης, μέγα κῦμα κυλίνδων.
καὶ τότ' Ὀδυσσῆος λύτο γούνατα καὶ φίλον ἦτορ,
ὀχθήσας δ' ἄρα εἶπε πρὸς ὃν μεγαλήτορα θυμόν·
"ὤ μοι ἐγὼ δειλός, τί νύ μοι μήκιστα γένηται;
δείδω μὴ δὴ πάντα θεὰ νημερτέα εἶπεν, 300
ἥ μ' ἔφατ' ἐν πόντῳ, πρὶν πατρίδα γαῖαν ἱκέσθαι,
ἄλγε' ἀναπλήσειν· τὰ δὲ δὴ νῦν πάντα τελεῖται.
οἵοισιν νεφέεσσι περιστέφει οὐρανὸν εὐρὺν
Ζεύς, ἐτάραξε δὲ πόντον, ἐπισπέρχουσι δ' ἄελλαι
παντοίων ἀνέμων. νῦν μοι σῶς αἰπὺς ὄλεθρος. 305
τρὶς μάκαρες Δαναοὶ καὶ τετράκις, οἳ τότ' ὄλοντο
Τροίῃ ἐν εὐρείῃ χάριν Ἀτρεΐδῃσι φέροντες.
ὡς δὴ ἐγώ γ' ὄφελον θανέειν καὶ πότμον ἐπισπεῖν
ἤματι τῷ ὅτε μοι πλεῖστοι χαλκήρεα δοῦρα
Τρῶες ἐπέρριψαν περὶ Πηλεΐωνι θανόντι. 310
τῷ κ' ἔλαχον κτερέων, καί μευ κλέος ἦγον Ἀχαιοί·
νῦν δέ λευγαλέῳ θανάτῳ εἵμαρτο ἁλῶναι."
ὣς ἄρα μιν εἰπόντ' ἔλασεν μέγα κῦμα κατ' ἄκρης
δεινὸν ἐπεσσύμενον, περὶ δὲ σχεδίην ἐλέλιξε.
τῆλε δ' ἀπὸ σχεδίης αὐτὸς πέσε, πηδάλιον δὲ 315
ἐκ χειρῶν προέηκε· μέσον δέ οἱ ἱστὸν ἔαξεν
δεινὴ μισγομένων ἀνέμων ἐλθοῦσα θύελλα,
τηλοῦ δὲ σπεῖρον καὶ ἐπίκριον ἔμπεσε πόντῳ.
τὸν δ' ἄρ' ὑπόβρυχα θῆκε πολὺν χρόνον, οὐδ' ἐδυνάσθη
αἶψα μάλ' ἀνσχεθέειν μεγάλου ὑπὸ κύματος ὁρμῆς· 320
εἵματα γάρ ῥ' ἐβάρυνε, τά οἱ πόρε δῖα Καλυψώ.
ὀψὲ δὲ δή ῥ' ἀνέδυ, στόματος δ' ἐξέπτυσεν ἅλμην
πικρήν, ἥ οἱ πολλὴ ἀπὸ κρατὸς κελάρυζεν.
ἀλλ' οὐδ' ὣς σχεδίης ἐπελήθετο, τειρόμενός περ,
ἀλλὰ μεθορμηθεὶς ἐνὶ κύμασιν ἐλλάβετ' αὐτῆς, 325
ἐν μέσσῃ δὲ καθῖζε τέλος θανάτου ἀλεείνων.
τὴν δ' ἐφόρει μέγα κῦμα κατὰ ῥόον ἔνθα καὶ ἔνθα.

Falou e congregou o exército das nuvens. Tridente
em punho, agitou as águas.[6] Convocou ventos de
todos os cantos. Cobriu com um tapete trevoso
terra e mar. Tomba do céu o negro véu da noite.
Põem-se tempestuosos em marcha Euro e Noto, 295
Zéfiro e Bóreas.[7] Este levanta o dorso das ondas.
Odisseu cai de joelhos, o peito aos pulos. Sem
conselho, falou ao coração atribulado: "Mais
desgraça? Ainda não é o fim? Que será de mim?
Bem que a deusa me advertiu que eu deveria 300
sofrer antes de retornar à minha terra. Os
males estão aí. Cumpre-se o previsto. Com que
cadeia de nuvens coroa Zeus o céu! Raivoso está
o mar. Enfureceram-se os ventos de todas as
origens. Devo morrer assim? Três, quatro vezes 305
mais felizes foram os dânaos que findaram nos
campos de Troia no interesse dos Átridas. Quisera
ter alcançado meu destino na morte quando os
troianos me cercaram em massa com pontas de
bronze para arrebatar o corpo do pelida[8] Aquiles. 310
Eu teria sido sepultado com honras. Os aqueus[9]
cantariam minha glória. O que me espera agora?
Desaparecimento obscuro." Falava assim, quando
uma onda imensa se dobrou sobre ele, bateu atroz
na embarcação. Rodopiou a jangada. Perdendo o 315
controle, Odisseu foi arremessado para longe. O
mastro partiu-se ao meio no violento impacto de
intempestivas rajadas. Nas asas do vento sumiram vela
e verga. Ele próprio submergiu nas águas rebeldes,
sem forças para recuperar a superfície contra o golpe 320
das ondas. Encharcada pesava a veste, presente da
divina Calipso. Com denodo, emergiu, expelindo
o amargor da água que lhe desce em cascatas
do crânio. No entrevero, a jangada não lhe saiu da
cabeça. Abriu a braços o caminho à embarcação. 325
Salvo da morte, arrastou-se até ao meio da jangada,
jogada de cá para lá no balouço dos vagalhões. Já

ὡς δ' ὅτ' ὀπωρινὸς Βορέης φορέησιν ἀκάνθας
ἂμ πεδίον, πυκιναὶ δὲ πρὸς ἀλλήλῃσιν ἔχονται,
ὣς τὴν ἂμ πέλαγος ἄνεμοι φέρον ἔνθα καὶ ἔνθα· 330
ἄλλοτε μέν τε Νότος Βορέῃ προβάλεσκε φέρεσθαι,
ἄλλοτε δ' αὖτ' Εὖρος Ζεφύρῳ εἴξασκε διώκειν.
τὸν δὲ ἴδεν Κάδμου θυγάτηρ, καλλίσφυρος Ἰνώ,
Λευκοθέη, ἣ πρὶν μὲν ἔην βροτὸς αὐδήεσσα,
νῦν δ' ἁλὸς ἐν πελάγεσσι θεῶν ἒξ ἔμμορε τιμῆς. 335
ἥ ῥ' Ὀδυσῆ' ἐλέησεν ἀλώμενον, ἄλγε' ἔχοντα,
αἰθυίῃ δ' ἐικυῖα ποτῇ ἀνεδύσετο λίμνης,
ἷζε δ' ἐπὶ σχεδίης πολυδέσμου εἶπέ τε μῦθον·
"κάμμορε, τίπτε τοι ὧδε Ποσειδάων ἐνοσίχθων
ὠδύσατ' ἐκπάγλως, ὅτι τοι κακὰ πολλὰ φυτεύει; 340
οὐ μὲν δή σε καταφθίσει μάλα περ μενεαίνων.
ἀλλὰ μάλ' ὧδ' ἔρξαι, δοκέεις δέ μοι οὐκ ἀπινύσσειν·
εἵματα ταῦτ' ἀποδὺς σχεδίην ἀνέμοισι φέρεσθαι
κάλλιπ', ἀτὰρ χείρεσσι νέων ἐπιμαίεο νόστου
γαίης Φαιήκων, ὅθι τοι μοῖρ' ἐστὶν ἀλύξαι. 345
τῆ δέ, τόδε κρήδεμνον ὑπὸ στέρνοιο τανύσσαι
ἄμβροτον· οὐδέ τί τοι παθέειν δέος οὐδ' ἀπολέσθαι.
αὐτὰρ ἐπὴν χείρεσσιν ἐφάψεαι ἠπείροιο,
ἂψ ἀπολυσάμενος βαλέειν εἰς οἴνοπα πόντον
πολλὸν ἀπ' ἠπείρου, αὐτὸς δ' ἀπονόσφι τραπέσθαι." 350
ὣς ἄρα φωνήσασα θεὰ κρήδεμνον ἔδωκεν,
αὐτὴ δ' ἂψ ἐς πόντον ἐδύσετο κυμαίνοντα
αἰθυίῃ ἐικυῖα· μέλαν δέ ἑ κῦμα κάλυψεν.

αὐτὰρ ὁ μερμήριξε πολύτλας δῖος Ὀδυσσεύς,
ὀχθήσας δ' ἄρα εἶπε πρὸς ὃν μεγαλήτορα θυμόν· 355
"ὤ μοι ἐγώ, μή τίς μοι ὑφαίνῃσιν δόλον αὖτε
ἀθανάτων, ὅ τέ με σχεδίης ἀποβῆναι ἀνώγει.
ἀλλὰ μάλ' οὔ πω πείσομ', ἐπεὶ ἑκὰς ὀφθαλμοῖσιν
γαῖαν ἐγὼν ἰδόμην, ὅθι μοι φάτο φύξιμον εἶναι.
ἀλλὰ μάλ' ὧδ' ἔρξω, δοκέει δέ μοι εἶναι ἄριστον· 360
ὄφρ' ἂν μέν κεν δούρατ' ἐν ἁρμονίῃσιν ἀρήρῃ,
τόφρ' αὐτοῦ μενέω καὶ τλήσομαι ἄλγεα πάσχων·

viste o vento norte arrastar cardos pelas campinas
no outono, que amontoados se entrelaçam? Assim
voava a jangada pelas cristas das ondas bravias. 330
Noto a jogava a Bóreas, Euro a apanhava e a
arremessava a Zéfiro. Assim evoluía o certame.
Leucoteia, afamada pelos pés sedutores, assistiu ao
espetáculo. Esta filha de Cadmo, quando mortal,
arrebatava pela voz, mas recebia agora honras de 335
deusa marinha. Ela teve piedade de Odisseu, grande
sofredor. Emergindo das águas qual mergulhão,
a deusa subiu à jangada com fala amiga: "O que
houve? Por que Posidon te odeia tanto? Pelo que
percebo, ele floresce com pancadas em penca, se 340
bem que acabar contigo ele não pode. Ouve
o que te digo, pois de tolo tu não tens nada.
Arranca estes panos e larga a jangada ao vento.
Para navegar te bastam os braços. Tens que chegar
à terra dos feáceos. Lá estarás salvo. Teu destino 345
é esse. Toma. Cobre-te com este manto imortal.
Não tenhas medo. Morrer tu não vais. Quando
tuas mãos tiverem tocado terra firme, despe
o manto. Atira-o, o mais longe que puderes,
para dentro do mar violáceo e desvia o olhar." 350
Com estas palavras, a deusa passou-lhe o manto,
submergiu no mar ondulante como se fosse
uma ave marinha, envolta no pretume duma onda.

Odisseu, o notório sofredor, revolvia o sucedido na
mente. Isolado de tudo, falou ao próprio coração: 355
"Que fazer? Estarei sendo ludibriado outra vez por
um dos imortais? Abandonar a jangada, é isso que
devo fazer? Como obedecer se ainda está muito
longe a terra onde deverei encontrar, ao que ela me
diz, salvação? Melhor ficar onde estou, enquanto 360
os troncos que me sustentam estiverem unidos.
Aqui permaneço, aconteça o que acontecer. Se

αὐτὰρ ἐπὴν δή μοι σχεδίην διὰ κῦμα τινάξῃ,
νήξομ', ἐπεὶ οὐ μέν τι πάρα προνοῆσαι ἄμεινον."
ἧος ὁ ταῦθ' ὥρμαινε κατὰ φρένα καὶ κατὰ θυμόν, 365
ὦρσε δ' ἐπὶ μέγα κῦμα Ποσειδάων ἐνοσίχθων,
δεινόν τ' ἀργαλέον τε, κατηρεφές, ἤλασε δ' αὐτόν.
ὡς δ' ἄνεμος ζαῆς ἠίων θημῶνα τινάξῃ
καρφαλέων· τὰ μὲν ἄρ τε διεσκέδασ' ἄλλυδις ἄλλῃ·
ὣς τῆς δούρατα μακρὰ διεσκέδασ'. αὐτὰρ Ὀδυσσεὺς 370
ἀμφ' ἑνὶ δούρατι βαῖνε, κέληθ' ὡς ἵππον ἐλαύνων,
εἵματα δ' ἐξαπέδυνε, τά οἱ πόρε δῖα Καλυψώ.
αὐτίκα δὲ κρήδεμνον ὑπὸ στέρνοιο τάνυσσεν,
αὐτὸς δὲ πρηνὴς ἁλὶ κάππεσε, χεῖρε πετάσσας,
νηχέμεναι μεμαώς. ἴδε δὲ κρείων ἐνοσίχθων, 375
κινήσας δὲ κάρη προτὶ ὃν μυθήσατο θυμόν·
"οὕτω νῦν κακὰ πολλὰ παθὼν ἀλόω κατὰ πόντον,
εἰς ὅ κεν ἀνθρώποισι διοτρεφέεσσι μιγήῃς.
ἀλλ' οὐδ' ὥς σε ἔολπα ὀνόσσεσθαι κακότητος."
ὣς ἄρα φωνήσας ἵμασεν καλλίτριχας ἵππους, 380
ἵκετο δ' εἰς Αἰγάς, ὅθι οἱ κλυτὰ δώματ' ἔασιν.
αὐτὰρ Ἀθηναίη κούρη Διὸς ἄλλ' ἐνόησεν.
ἦ τοι τῶν ἄλλων ἀνέμων κατέδησε κελεύθους,
παύσασθαι δ' ἐκέλευσε καὶ εὐνηθῆναι ἅπαντας·
ὦρσε δ' ἐπὶ κραιπνὸν Βορέην, πρὸ δὲ κύματ' ἔαξεν, 385
ἧος ὁ Φαιήκεσσι φιληρέτμοισι μιγείη
διογενὴς Ὀδυσεὺς θάνατον καὶ κῆρας ἀλύξας.

ἔνθα δύω νύκτας δύο τ' ἤματα κύματι πηγῷ
πλάζετο, πολλὰ δέ οἱ κραδίη προτιόσσετ' ὄλεθρον.
ἀλλ' ὅτε δὴ τρίτον ἦμαρ ἐυπλόκαμος τέλεσ' Ἠώς, 390
καὶ τότ' ἔπειτ' ἄνεμος μὲν ἐπαύσατο ἠδὲ γαλήνη
ἔπλετο νηνεμίη· ὁ δ' ἄρα σχεδὸν εἴσιδε γαῖαν
ὀξὺ μάλα προϊδών, μεγάλου ὑπὸ κύματος ἀρθείς.
ὡς δ' ὅτ' ἂν ἀσπάσιος βίοτος παίδεσσι φανήῃ
πατρός, ὃς ἐν νούσῳ κεῖται κρατέρ' ἄλγεα πάσχων, 395
δηρὸν τηκόμενος, στυγερὸς δέ οἱ ἔχραε δαίμων,
ἀσπάσιον δ' ἄρα τόν γε θεοὶ κακότητος ἔλυσαν,

uma onda despedaçar minha embarcação, nado,
não me resta outro plano. Fazer o quê?" Essas
reflexões ainda lhe agitavam o peito, quando 365
Posidon levantou uma onda descomunal,
assustadora, assombrosa, uma torre aquática.
Imagina o ímpeto do vento derrubar uma pilha
de gravetos, arrastados ao léu. A intempérie
destroçou assim os barrotes da jangada. Odisseu 370
montou num deles. O barrote corcoveava feito
corcel. Arrancou a veste, presente de Calipso,
vestiu o manto, garantia contra a morte, lançou-se
nas águas. A navegação era agora só de braços.
O poderoso Treme-Terra percebeu a manobra. 375
Sacudindo a cabeça, falou a seu próprio coração:
"Seja! Já sofreste bastante. Dá braçadas até que
encontres gente nutrida por Zeus. Espero que nem
assim te largue a matilha de males." Dito isso,
fustigou os cavalos das crinas reluzentes e tomou 380
a direção de Egas, onde se ergue seu renomado
solar. Outros planos moveram os atos de Atena.
Fechou as veredas dos ventos restantes. A todos
ordenou que se aquietassem, que fossem dormir.
Despertou só o forte Bóreas. Este abriu uma rota 385
até à terra dos feáceos, amigos do remo. Lá o
divino Odisseu respiraria salvo da ruinosa morte.

Por duas noites e dois dias flutuou Odisseu no
mar encapelado. Cravou a cada instante o olhar
nos olhos da morte, mas quando a Aurora das 390
belas tranças iluminou o terceiro, o vento sereno
trouxe calmaria. Do alto de uma onda encorpada,
distinguiu, muito atento, a proximidade da terra.
Podes imaginar um pai, alegre com a recuperação
dos filhos, findas as preocupações causadas por 395
doença prolongada, fomentada por gênio funesto,
varrida por fim por favoráveis forças divinas?

ὣς Ὀδυσεῖ ἀσπαστὸν ἐείσατο γαῖα καὶ ὕλη,
νῆχε δ' ἐπειγόμενος ποσὶν ἠπείρου ἐπιβῆναι.
ἀλλ' ὅτε τόσσον ἀπῆν ὅσσον τε γέγωνε βοήσας, 400
καὶ δὴ δοῦπον ἄκουσε ποτὶ σπιλάδεσσι θαλάσσης·
ῥόχθει γὰρ μέγα κῦμα ποτὶ ξερὸν ἠπείροιο
δεινὸν ἐρευγόμενον, εἴλυτο δὲ πάνθ' ἁλὸς ἄχνη·
οὐ γὰρ ἔσαν λιμένες νηῶν ὄχοι, οὐδ' ἐπιωγαί,
ἀλλ' ἀκταὶ προβλῆτες ἔσαν σπιλάδες τε πάγοι τε· 405
καὶ τότ' Ὀδυσσῆος λύτο γούνατα καὶ φίλον ἦτορ,
ὀχθήσας δ' ἄρα εἶπε πρὸς ὃν μεγαλήτορα θυμόν·
"ὤ μοι, ἐπεὶ δὴ γαῖαν ἀελπέα δῶκεν ἰδέσθαι
Ζεύς, καὶ δὴ τόδε λαῖτμα διατμήξας ἐπέρησα,
ἔκβασις οὔ πῃ φαίνεθ' ἁλὸς πολιοῖο θύραζε· 410
ἔκτοσθεν μὲν γὰρ πάγοι ὀξέες, ἀμφὶ δὲ κῦμα
βέβρυχεν ῥόθιον, λισσὴ δ' ἀναδέδρομε πέτρη,
ἀγχιβαθὴς δὲ θάλασσα, καὶ οὔ πως ἔστι πόδεσσι
στήμεναι ἀμφοτέροισι καὶ ἐκφυγέειν κακότητα·
μή πώς μ' ἐκβαίνοντα βάλῃ λίθακι ποτὶ πέτρῃ 415
κῦμα μέγ' ἁρπάξαν· μελέη δέ μοι ἔσσεται ὁρμή.
εἰ δέ κ' ἔτι προτέρω παρανήξομαι, ἤν που ἐφεύρω
ἠιόνας τε παραπλῆγας λιμένας τε θαλάσσης,
δείδω μή μ' ἐξαῦτις ἀναρπάξασα θύελλα
πόντον ἐπ' ἰχθυόεντα φέρῃ βαρέα στενάχοντα, 420
ἠέ τί μοι καὶ κῆτος ἐπισσεύῃ μέγα δαίμων
ἐξ ἁλός, οἷά τε πολλὰ τρέφει κλυτὸς Ἀμφιτρίτη·
οἶδα γάρ, ὥς μοι ὀδώδυσται κλυτὸς ἐννοσίγαιος."
ἧος ὁ ταῦθ' ὥρμαινε κατὰ φρένα καὶ κατὰ θυμόν,
τόφρα δέ μιν μέγα κῦμα φέρε τρηχεῖαν ἐπ' ἀκτήν. 425
ἔνθα κ' ἀπὸ ῥινοὺς δρύφθη, σὺν δ' ὀστέ' ἀράχθη,
εἰ μὴ ἐπὶ φρεσὶ θῆκε θεά, γλαυκῶπις Ἀθήνη·
ἀμφοτέρῃσι δὲ χερσὶν ἐπεσσύμενος λάβε πέτρης,
τῆς ἔχετο στενάχων, ἧος μέγα κῦμα παρῆλθε.
καὶ τὸ μὲν ὣς ὑπάλυξε, παλιρρόθιον δέ μιν αὖτις 430
πλῆξεν ἐπεσσύμενον, τηλοῦ δέ μιν ἔμβαλε πόντῳ.
ὡς δ' ὅτε πουλύποδος θαλάμης ἐξελκομένοιο
πρὸς κοτυληδονόφιν πυκιναὶ λάιγγες ἔχονται,
ὣς τοῦ πρὸς πέτρῃσι θρασειάων ἀπὸ χειρῶν

O contentamento de Odisseu não foi menor ao ver
a terra e o bosque. Nadou valente rumo à terra.
A margem já se encontrava ao alcance do grito. 400
Soou-lhe aos ouvidos o embate do mar contra as
rochas, rugiam as ondas quebradas no solo,
alto salta a branca espuma para largo espanto.
Faltavam portos, enseadas, abrigos para naves.
Só promontórios, rochedos, alcantis e mais nada. 405
Fraquejaram-lhe os joelhos, cedeu a
coragem. Sem ânimo falou ao rebelde coração:
"Incrível! Zeus concedeu-me ver terra firme,
depois de vencer a voragem de abismos salinos
e não vejo como safar-me dessa salmoura 410
pardacenta. Ondas enfurecidas quebram-se
contra lâminas rochosas, torres pétreas brotam
das águas, profundidades que deixam os pés
sem apoio vetam o fim da desgraça. Se no
empenho de me evadir, uma onda me apanhar 415
e me atirar contra a rocha, estarei perdido. E se
eu ladear a costa nadando? Poderia encontrar
um porto, um lugar para sair. Ou a tempestade
me arrastará para me lançar longe aos cardumes
de peixes sem se comover com meus gemidos? 420
Uma força maligna poderá suscitar um monstro
contra mim, um desses que Anfitrite pastoreia aos
milhares. Não tenho dúvidas, Posidon me odeia."
Essas dúvidas rolavam-lhe no peito e na mente,
quando uma onda descomunal o lançou contra os 425
ásperos recifes. O impacto lhe teria rasgado a pele
e partido os ossos, se a sábia Atena não o tivesse
socorrido. Num relance, agarrou-se com ambas
as mãos às pedras. A dor não lhe abriu os dedos.
Aguardou o recuo da onda. Dessa ele escapou, 430
mas não de outra que o arrastou ao mar profundo.
Imagina um polvo violentamente arrancado do
esconderijo. Trará nas ventosas uma quantidade
de pedrinhas. A pele dos dedos fortes de Odisseu

ῥινοὶ ἀπέδρυφθεν· τὸν δὲ μέγα κῦμα κάλυψεν. 435
ἔνθα κε δὴ δύστηνος ὑπὲρ μόρον ὤλετ' Ὀδυσσεύς,
εἰ μὴ ἐπιφροσύνην δῶκε γλαυκῶπις Ἀθήνη.
κύματος ἐξαναδύς, τά τ' ἐρεύγεται ἤπειρόνδε,
νῆχε παρέξ, ἐς γαῖαν ὁρώμενος, εἴ που ἐφεύροι
ἠϊόνας τε παραπλῆγας λιμένας τε θαλάσσης. 440
ἀλλ' ὅτε δὴ ποταμοῖο κατὰ στόμα καλλιρόοιο
ἷξε νέων, τῇ δή οἱ ἐείσατο χῶρος ἄριστος,
λεῖος πετράων, καὶ ἐπὶ σκέπας ἦν ἀνέμοιο,
ἔγνω δὲ προρέοντα καὶ εὔξατο ὃν κατὰ θυμόν·
"κλῦθι, ἄναξ, ὅτις ἐσσί· πολύλλιστον δέ σ' ἱκάνω, 445
φεύγων ἐκ πόντοιο Ποσειδάωνος ἐνιπάς.
αἰδοῖος μέν τ' ἐστὶ καὶ ἀθανάτοισι θεοῖσιν
ἀνδρῶν ὅς τις ἵκηται ἀλώμενος, ὡς καὶ ἐγὼ νῦν
σόν τε ῥόον σά τε γούναθ' ἱκάνω πολλὰ μογήσας.
ἀλλ' ἐλέαιρε, ἄναξ· ἱκέτης δέ τοι εὔχομαι εἶναι." 450
ὣς φάθ', ὁ δ' αὐτίκα παῦσεν ἑὸν ῥόον, ἔσχε δὲ κῦμα,
πρόσθε δέ οἱ ποίησε γαλήνην, τὸν δ' ἐσάωσεν
ἐς ποταμοῦ προχοάς. ὁ δ' ἄρ' ἄμφω γούνατ' ἔκαμψε
χεῖράς τε στιβαράς· ἁλὶ γὰρ δέδμητο φίλον κῆρ.
ᾤδεε δὲ χρόα πάντα, θάλασσα δὲ κήκιε πολλὴ 455

ἂν στόμα τε ῥῖνάς θ'· ὁ δ' ἄρ' ἄπνευστος καὶ ἄναυδος
κεῖτ' ὀλιγηπελέων, κάματος δέ μιν αἰνὸς ἵκανεν.
ἀλλ' ὅτε δή ῥ' ἄμπνυτο καὶ ἐς φρένα θυμὸς ἀγέρθη,
καὶ τότε δὴ κρήδεμνον ἀπὸ ἕο λῦσε θεοῖο.
καὶ τὸ μὲν ἐς ποταμὸν ἁλιμυρήεντα μεθῆκεν, 460
ἂψ δ' ἔφερεν μέγα κῦμα κατὰ ῥόον, αἶψα δ' ἄρ' Ἰνὼ
δέξατο χερσὶ φίλῃσιν· ὁ δ' ἐκ ποταμοῖο λιασθεὶς
σχοίνῳ ὑπεκλίνθη, κύσε δὲ ζείδωρον ἄρουραν.
ὀχθήσας δ' ἄρα εἶπε πρὸς ὃν μεγαλήτορα θυμόν·
"ὤ μοι ἐγώ, τί πάθω; τί νύ μοι μήκιστα γένηται; 465
εἰ μέν κ' ἐν ποταμῷ δυσκηδέα νύκτα φυλάσσω,
μή μ' ἄμυδις στίβη τε κακὴ καὶ θῆλυς ἐέρση
ἐξ ὀλιγηπελίης δαμάσῃ κεκαφηότα θυμόν·
αὔρη δ' ἐκ ποταμοῦ ψυχρὴ πνέει ἠῶθι πρό.

ficou presa nas pedras, quando a onda o encobriu. 435
Odisseu teria morrido contra os decretos do
destino, não fosse a atenta Atena e seus oportunos
conselhos. O herói emergiu da onda que se movia à
terra. Nadou e nadou de olhos voltados à costa na
esperança de um porto, um lugar para firmar o pé. 440
A força dos braços o levou à embocadura de um
rio. Que espetáculo! Poderia surpreendê-lo imagem
melhor? Nada de margem rochosa, e longe zuniam
os ventos. Ao aproximar-se do rio, rogou-lhe
de coração: "Senhor, não sei teu nome, ouve-me 445
mesmo assim. Quem te invoca é um fugitivo dos
golpes de Posidon. Aos olhos dos imortais, merece
respeito o homem que errante, como eu agora,
carregado de aflições, se inclina a uma corrente do
teu porte. Misericórdia, Senhor! Rogo tua proteção." 450
Essas palavras serenaram o rio, detiveram as ondas.
Sobreveio a bonança. A redenção aconteceu na
embocadura. Dobrando os joelhos, Odisseu
estendeu-lhe os braços. Pulsava-lhe o coração,
salvo das ondas. A pele se levantava numa bolha só. 455

Expelia mar pela boca e pelas narinas, sem fala,
sem voz, sem perceber nada. Sobre-humano
cansaço o dobrou. Ao voltar a respirar e recuperar
os sentidos, desprende o manto que lhe dera a
deusa e o lança nas águas que demandam o mar. 460
A corrente o carregou e o depositou nas mãos
dadivosas de Ino. Distanciando-se do rio, Odisseu
penetrou num juncal e beijou o solo fecundo.
Conturbado, o herói falou ao coração incansável:
"E agora? O que me espera? Sofrimento ainda maior? 465
Se passo aqui, na beira do rio, a noite incerta, temo
geada severa ou até mesmo cerração fria. Estou tão
fraco que qualquer contrariedade poderá tomar-me
a última força. Funesto é o vento da madrugada que

εἰ δέ κεν ἐς κλιτὺν ἀναβὰς καὶ δάσκιον ὕλην 470
θάμνοις ἐν πυκινοῖσι καταδράθω, εἴ με μεθείη
ῥῖγος καὶ κάματος, γλυκερὸς δέ μοι ὕπνος ἐπέλθῃ,
δείδω, μὴ θήρεσσιν ἕλωρ καὶ κύρμα γένωμαι."
ὣς ἄρα οἱ φρονέοντι δοάσσατο κέρδιον εἶναι·
βῆ ῥ' ἴμεν εἰς ὕλην· τὴν δὲ σχεδὸν ὕδατος εὗρεν 475
ἐν περιφαινομένῳ· δοιοὺς δ' ἄρ' ὑπήλυθε θάμνους,
ἐξ ὁμόθεν πεφυῶτας· ὁ μὲν φυλίης, ὁ δ' ἐλαίης.
τοὺς μὲν ἄρ' οὔτ' ἀνέμων διάη μένος ὑγρὸν ἀέντων,
οὔτε ποτ' ἠέλιος φαέθων ἀκτῖσιν ἔβαλλεν,
οὔτ' ὄμβρος περάασκε διαμπερές· ὣς ἄρα πυκνοὶ 480
ἀλλήλοισιν ἔφυν ἐπαμοιβαδίς· οὓς ὑπ' Ὀδυσσεὺς
δύσετ'. ἄφαρ δ' εὐνὴν ἐπαμήσατο χερσὶ φίλῃσιν
εὐρεῖαν· φύλλων γὰρ ἔην χύσις ἤλιθα πολλή,
ὅσσον τ' ἠὲ δύω ἠὲ τρεῖς ἄνδρας ἔρυσθαι
ὥρῃ χειμερίῃ, εἰ καὶ μάλα περ χαλεπαίνοι. 485
τὴν μὲν ἰδὼν γήθησε πολύτλας δῖος Ὀδυσσεύς,
ἐν δ' ἄρα μέσσῃ λέκτο, χύσιν δ' ἐπεχεύατο φύλλων.
ὡς δ' ὅτε τις δαλὸν σποδιῇ ἐνέκρυψε μελαίνῃ
ἀγροῦ ἐπ' ἐσχατιῆς, ᾧ μὴ πάρα γείτονες ἄλλοι,
σπέρμα πυρὸς σῴζων, ἵνα μή ποθεν ἄλλοθεν αὕοι, 490
ὣς Ὀδυσεὺς φύλλοισι καλύψατο· τῷ δ' ἄρ' Ἀθήνη
ὕπνον ἐπ' ὄμμασι χεῦ', ἵνα μιν παύσειε τάχιστα
δυσπονέος καμάτοιο φίλα βλέφαρ' ἀμφικαλύψας.

sopra do rio. Subo o barranco? Abrigo-me na sombra 470
do bosque? Protegido por vegetação compacta, não
serei molestado pelo frio. Com um sono tranquilo,
vencerei o cansaço. E se for atacado por feras? Farão
de mim pasto?" Na dúvida, esta pareceu-lhe a melhor
opção. Subiu ao bosque nas proximidades do rio. 475
Delimitá-lo com os olhos, não foi difícil. Acomodou-
se debaixo duma copa formada por duas árvores,
um espinheiro e uma oliveira. Ventos úmidos não as
venciam, nem os raios do sol penetravam na folhagem.
Resistiam até à chuva. Tal era o emaranhado de uma 480
com a outra. Debaixo delas Odisseu se abrigou.
Arranjou, às pressas, um leito espaçoso. Valeram-
lhe as mãos, único instrumento. Tantas eram as
folhas que seriam suficientes para cobrir dois ou três
homens, mesmo que o frio fosse intenso. Grande foi 485
a alegria do divino Odisseu ao ver preparado o leito.
Estendido no centro, cobriu-se de folhas. Imaginemos
um tição escondido em cinza escura, no extremo
do campo, longe dos vizinhos, para conservar a
semente do fogo, sem necessidade de procurá-lo em 490
outra parte. Odisseu escondeu-se debaixo das folhas
assim. Atena borrifou-lhe sono nos olhos para
remover a canseira, cerradas as pálpebras.

ΟΔΥΣΣΕΙΑΣ Ζ

ὣς ὁ μὲν ἔνθα καθεῦδε πολύτλας δῖος Ὀδυσσεὺς
ὕπνῳ καὶ καμάτῳ ἀρημένος· αὐτὰρ Ἀθήνη
βῆ ῥ' ἐς Φαιήκων ἀνδρῶν δῆμόν τε πόλιν τε,
οἳ πρὶν μέν ποτ' ἔναιον ἐν εὐρυχόρῳ Ὑπερείῃ,
ἀγχοῦ Κυκλώπων ἀνδρῶν ὑπερηνορεόντων,   05
οἵ σφεας σινέσκοντο, βίηφι δὲ φέρτεροι ἦσαν.
ἔνθεν ἀναστήσας ἄγε Ναυσίθοος θεοειδής,
εἷσεν δὲ Σχερίῃ, ἑκὰς ἀνδρῶν ἀλφηστάων,
ἀμφὶ δὲ τεῖχος ἔλασσε πόλει, καὶ ἐδείματο οἴκους,
καὶ νηοὺς ποίησε θεῶν, καὶ ἐδάσσατ' ἀρούρας.   10
ἀλλ' ὁ μὲν ἤδη κηρὶ δαμεὶς Ἀϊδόσδε βεβήκει,
Ἀλκίνοος δὲ τότ' ἦρχε, θεῶν ἄπο μήδεα εἰδώς.
τοῦ μὲν ἔβη πρὸς δῶμα θεά, γλαυκῶπις Ἀθήνη,
νόστον Ὀδυσσῆι μεγαλήτορι μητιόωσα.
βῆ δ' ἴμεν ἐς θάλαμον πολυδαίδαλον, ᾧ ἔνι κούρη   15
κοιμᾶτ' ἀθανάτῃσι φυὴν καὶ εἶδος ὁμοίη,
Ναυσικάα, θυγάτηρ μεγαλήτορος Ἀλκινόοιο,
πὰρ δὲ δύ' ἀμφίπολοι, Χαρίτων ἄπο κάλλος ἔχουσαι,
σταθμοῖιν ἑκάτερθε· θύραι δ' ἐπέκειντο φαειναί.
ἡ δ' ἀνέμου ὡς πνοιὴ ἐπέσσυτο δέμνια κούρης,   20
στῆ δ' ἄρ' ὑπὲρ κεφαλῆς, καί μιν πρὸς μῦθον ἔειπεν,
εἰδομένη κούρῃ ναυσικλειτοῖο Δύμαντος,
ἥ οἱ ὁμηλικίη μὲν ἔην, κεχάριστο δὲ θυμῷ.
τῇ μιν ἐεισαμένη προσέφη γλαυκῶπις Ἀθήνη·
"Ναυσικάα, τί νύ σ' ὧδε μεθήμονα γείνατο μήτηρ;   25
εἵματα μέν τοι κεῖται ἀκηδέα σιγαλόεντα,
σοὶ δὲ γάμος σχεδόν ἐστιν, ἵνα χρὴ καλὰ μὲν αὐτὴν
ἕννυσθαι, τὰ δὲ τοῖσι παρασχεῖν, οἵ κέ σ' ἄγωνται.
ἐκ γάρ τοι τούτων φάτις ἀνθρώπους ἀναβαίνει
ἐσθλή, χαίρουσιν δὲ πατὴρ καὶ πότνια μήτηρ.   30
ἀλλ' ἴομεν πλυνέουσαι ἅμ' ἠοῖ φαινομένηφι·
καί τοι ἐγὼ συνέριθος ἅμ' ἕψομαι, ὄφρα τάχιστα
ἐντύνεαι, ἐπεὶ οὔ τοι ἔτι δὴν παρθένος ἔσσεαι·
ἤδη γάρ σε μνῶνται ἀριστῆες κατὰ δῆμον

Canto 6

Tranquilo dormia o divino e sofrido Odisseu aí,
vencido pelo sono, pelo cansaço. Mas Atena
procurou a populosa cidade dos feáceos, habitantes,
em outros tempos, da Hipéria dos largos tablados
de dança, vizinhos dos ciclopes sobre-humanos, 05
depredadores, dotados de força descomunal.
Nausítoo os persuadira a migrarem e os assentara
em Esquéria, longe de povos industriosos. Cercada
a cidade com uma muralha, pôs-se a construir casas,
levantar templos e dividir o solo. Dominado pela 10
morte, já há tempos partira para o Hades. Alcínoo,
de saber divino, estava no trono. A Deusa
dos Olhos de Coruja dirigiu-se ao palácio do rei
para preparar o regresso do persistente Odisseu.
Seus passos a levaram ao quarto de Nausícaa, 15
uma jovem, filha de Alcínoo, que na beleza e no porte
competia com deusas. Duas servas, em beleza
premiadas pelas Graças, dormiam no mesmo quarto,
junto às pilastras. A porta luzidia estava cerrada.
Atena, leve como o sopro da brisa, aproximou-se do 20
leito da jovem. A deusa lhe fala à cabeceira na
figura da filha de Dimanto, um nauta. Tinham a
mesma idade e eram muito amigas. Assumindo o
aspecto dela fala a Deusa: "Nausícaa, não me digas
que nasceste preguiçosa. Largaste descuidados teus 25
belos vestidos. Teu casamento não está próximo?
É imprescindível que apareças bem-vestida. Importa
que se apresentem bem os que te levarem ao noivo.
Conheces as línguas de tua gente. Não vais querer
que falem mal de teu pai e de tua mãe. Ao raiar 30
do dia iremos lavar roupa. O que te parece? Eu te
ajudo. Terminaremos rapidinho o serviço. Virgem
continuarás por pouco tempo. Pretendentes não te
faltam. Os rapazes mais distintos da nobreza querem

πάντων Φαιήκων, ὅθι τοι γένος ἐστὶ καὶ αὐτῇ.   35
ἀλλ' ἄγ' ἐπότρυνον πατέρα κλυτὸν ἠῶθι πρὸ
ἡμιόνους καὶ ἄμαξαν ἐφοπλίσαι, ἥ κεν ἄγῃσι
ζωστρά τε καὶ πέπλους καὶ ῥήγεα σιγαλόεντα.
καὶ δὲ σοὶ ὧδ' αὐτῇ πολὺ κάλλιον ἠὲ πόδεσσιν
ἔρχεσθαι· πολλὸν γὰρ ἀπὸ πλυνοί εἰσι πόληος."   40
ἡ μὲν ἄρ' ὣς εἰποῦσ' ἀπέβη γλαυκῶπις Ἀθήνη
Οὔλυμπόνδ', ὅθι φασὶ θεῶν ἕδος ἀσφαλὲς αἰεὶ
ἔμμεναι. οὔτ' ἀνέμοισι τινάσσεται οὔτε ποτ' ὄμβρῳ
δεύεται οὔτε χιὼν ἐπιπίλναται, ἀλλὰ μάλ' αἴθρη
πέπταται ἀνέφελος, λευκὴ δ' ἐπιδέδρομεν αἴγλη·   45
τῷ ἔνι τέρπονται μάκαρες θεοὶ ἤματα πάντα.
ἔνθ' ἀπέβη γλαυκῶπις, ἐπεὶ διεπέφραδε κούρῃ.

αὐτίκα δ' Ἠὼς ἦλθεν ἐΰθρονος, ἥ μιν ἔγειρε
Ναυσικάαν εὔπεπλον· ἄφαρ δ' ἀπεθαύμασ' ὄνειρον,
βῆ δ' ἰέναι διὰ δώμαθ', ἵν' ἀγγείλειε τοκεῦσιν,   50
πατρὶ φίλῳ καὶ μητρί· κιχήσατο δ' ἔνδον ἐόντας·
ἡ μὲν ἐπ' ἐσχάρῃ ἧστο σὺν ἀμφιπόλοισι γυναιξὶν
ἠλάκατα στρωφῶσ' ἁλιπόρφυρα· τῷ δὲ θύραζε
ἐρχομένῳ ξύμβλητο μετὰ κλειτοὺς βασιλῆας
ἐς βουλήν, ἵνα μιν κάλεον Φαίηκες ἀγαυοί.   55
ἡ δὲ μάλ' ἄγχι στᾶσα φίλον πατέρα προσέειπε·
"πάππα φίλ', οὐκ ἂν δή μοι ἐφοπλίσσειας ἀπήνην
ὑψηλὴν εὔκυκλον, ἵνα κλυτὰ εἵματ' ἄγωμαι
ἐς ποταμὸν πλυνέουσα, τά μοι ῥερυπωμένα κεῖται;
καὶ δὲ σοὶ αὐτῷ ἔοικε μετὰ πρώτοισιν ἐόντα   60
βουλὰς βουλεύειν καθαρὰ χροΐ εἵματ' ἔχοντα.
πέντε δέ τοι φίλοι υἷες ἐνὶ μεγάροις γεγάασιν,
οἱ δύ' ὀπυίοντες, τρεῖς δ' ἠίθεοι θαλέθοντες·
οἱ δ' αἰεὶ ἐθέλουσι νεόπλυτα εἵματ' ἔχοντες
ἐς χορὸν ἔρχεσθαι· τὰ δ' ἐμῇ φρενὶ πάντα μέμηλεν." 65
ὣς ἔφατ'· αἴδετο γὰρ θαλερὸν γάμον ἐξονομῆναι
πατρὶ φίλῳ. ὁ δὲ πάντα νόει καὶ ἀμείβετο μύθῳ·
"οὔτε τοι ἡμιόνων φθονέω, τέκος, οὔτε τευ ἄλλου.
ἔρχευ· ἀτάρ τοι δμῶες ἐφοπλίσσουσιν ἀπήνην

casar contigo, pertences à família mais ilustre. 35
Não há tempo a perder. Convém que peças a teu pai
carruagem e mulas. Preparada a condução, manda
carregar cintos, vestidos, cobertas. Não aconselho
que vás a pé. De carruagem é mais distinto, além
do mais, os lavadouros ficam longe." Dito isso, 40
a vigilante Atena subiu ao Olimpo, onde, como é
sabido, reinam imperiosos os deuses, não
molestados por ventos, nem por tempestades,
nem pelo frio do inverno. O Olimpo penetra no
Éter acima das nuvens. Lá a luz se difunde 45
clara. Lá os bem-aventurados folgam o dia todo.
Instruída a jovem, esse foi o destino da Corujosa.

Apareceu a Aurora, assentada em trono brilhante
e despertou a bem-vestida Nausícaa. Alertada pelo
sonho, ela atravessou o palácio para advertir os que 50
a geraram, o pai e a mãe. Nenhum dos dois tinha
saído. A mãe, com duas escravas, se aquecia junto
ao fogão. Fiava fios purpúreos. Nausícaa encontrou
o pai na soleira. Ele se dirigia ao conselho dos
príncipes. Os nobres aguardavam o rei. Nausícaa 55
aproximou-se do rei com estas palavras: "Paizinho
querido, estou aqui para te pedir um carro. Me
agradaria um que fosse alto e bom de rodas. Quero
ir ao rio para lavar roupa, providência que já devia
ter sido tomada há muito. Isso interessa também a ti. 60
Esperam que te mostres de roupa limpa. E não
esqueças teus cinco filhos. Dois estão casados,
mas os outros três, garotos robustos, ainda dependem
dos nossos cuidados. Quando saem para dançar,
querem roupa lavada. Penso em tudo isso." Com esse 65
circunlóquio, evitou, constrangida, falar de noivado
ao pai, mas ele percebeu o motivo: "Não te recuso
mulas, minha filha, nem nada do que me pedes.
Podes ir. Meus criados providenciarão carro alto,

ὑψηλὴν ἐύκυκλον, ὑπερτερίῃ ἀραρυῖαν." 70
ὣς εἰπὼν δμώεσσιν ἐκέκλετο, τοὶ δ' ἐπίθοντο.
οἱ μὲν ἄρ' ἐκτὸς ἄμαξαν ἐύτροχον ἡμιονείην

ὥπλεον, ἡμιόνους θ' ὕπαγον ζεῦξάν θ' ὑπ' ἀπήνῃ·
κούρη δ' ἐκ θαλάμοιο φέρεν ἐσθῆτα φαεινήν.
καὶ τὴν μὲν κατέθηκεν ἐυξέστῳ ἐπ' ἀπήνῃ, 75
μήτηρ δ' ἐν κίστῃ ἐτίθει μενοεικέ' ἐδωδὴν
παντοίην, ἐν δ' ὄψα τίθει, ἐν δ' οἶνον ἔχευεν
ἀσκῷ ἐν αἰγείῳ· κούρη δ' ἐπεβήσετ' ἀπήνης.
δῶκεν δὲ χρυσέῃ ἐν ληκύθῳ ὑγρὸν ἔλαιον,
ἧος χυτλώσαιτο σὺν ἀμφιπόλοισι γυναιξίν. 80
ἡ δ' ἔλαβεν μάστιγα καὶ ἡνία σιγαλόεντα,
μάστιξεν δ' ἐλάαν· καναχὴ δ' ἦν ἡμιόνοιιν.
αἱ δ' ἄμοτον τανύοντο, φέρον δ' ἐσθῆτα καὶ αὐτήν,
οὐκ οἴην, ἅμα τῇ γε καὶ ἀμφίπολοι κίον ἄλλαι.
αἱ δ' ὅτε δὴ ποταμοῖο ῥόον περικαλλέ' ἵκοντο, 85
ἔνθ' ἦ τοι πλυνοὶ ἦσαν ἐπηετανοί, πολὺ δ' ὕδωρ
καλὸν ὑπεκπρόρεεν μάλα περ ῥυπόωντα καθῆραι,
ἔνθ' αἵ γ' ἡμιόνους μὲν ὑπεκπροέλυσαν ἀπήνης.
καὶ τὰς μὲν σεῦαν ποταμὸν πάρα δινήεντα
τρώγειν ἄγρωστιν μελιηδέα· ταὶ δ' ἀπ' ἀπήνης 90
εἵματα χερσὶν ἕλοντο καὶ ἐσφόρεον μέλαν ὕδωρ,
στεῖβον δ' ἐν βόθροισι θοῶς ἔριδα προφέρουσαι.
αὐτὰρ ἐπεὶ πλῦνάν τε κάθηράν τε ῥύπα πάντα,
ἑξείης πέτασαν παρὰ θῖν' ἁλός, ἧχι μάλιστα
λάιγγας ποτὶ χέρσον ἀποπλύνεσκε θάλασσα. 95
αἱ δὲ λοεσσάμεναι καὶ χρισάμεναι λίπ' ἐλαίῳ
δεῖπνον ἔπειθ' εἵλοντο παρ' ὄχθῃσιν ποταμοῖο,
εἵματα δ' ἠελίοιο μένον τερσήμεναι αὐγῇ.
αὐτὰρ ἐπεὶ σίτου τάρφθεν δμῳαί τε καὶ αὐτή,
σφαίρῃ ταὶ δ' ἄρ' ἔπαιζον, ἀπὸ κρήδεμνα βαλοῦσαι· 100
τῇσι δὲ Ναυσικάα λευκώλενος ἤρχετο μολπῆς.
οἵη δ' Ἄρτεμις εἶσι κατ' οὔρεα ἰοχέαιρα,
ἢ κατὰ Τηΰγετον περιμήκετον ἢ Ἐρύμανθον,
τερπομένη κάπροισι καὶ ὠκείῃς ἐλάφοισι·

de boas rodas, além disso, coberto." 70
A promessa se converteu imediatamente em ordem.
Os criados se ativeram às determinações.

Preparado o carro solicitado e atreladas as mulas,
a jovem trouxe de seu quarto vestidos magníficos
e os acomodou na carruagem como convinha. A mãe 75
preparara um cesto de guloseimas, toda sorte de
iguarias, petiscos, vinho num odre de pele de
cabra. Nausícaa tomou assento no carro. Ela ainda
recebeu das mãos da mãe óleo fragrante num
frasco de ouro para as unções dela e das outras. 80
As rédeas luziam em suas mãos. A filha do rei
fustigou os animais. O carro arrancou ruidoso.
Os cascos se moviam velozes, conduzindo roupa
e princesa, acompanhada de um séquito fiel.
Quando alcançaram as límpidas correntes do rio, 85
alimentado por fontes antigas, as mais resistentes
manchas se rendiam à pureza do fluir cristalino –,
as criadas desatrelaram as mulas do carro e as
tocaram para a margem do rio revolto para se
alimentarem de apetitosa pastagem. Tiraram a 90
roupa do carro e a trouxeram à sombra prolongada
na água. Pisaram habilidosas os panos, rivalizavam
na destreza. Terminado o trabalho, removidas
todas as nódoas, estenderam as peças ao longo
da praia sobre seixos lavados pelas ondas do mar. 95
Vem, então, o banho e o óleo que embeleza todas.
Não faltou o lanche degustado à beira do rio
enquanto os panos secavam aos raios do sol.
Alimentadas as escravas e a princesa,
desvendam a cabeça para se divertirem com 100
a bola. Os alvos braços de Nausícaa presidem
a dança. Visualizem Ártemis a vagar pelos
montes nos cimos do Taígeto ou no Erimanto
ao encalço de javalis ou de cervos velozes,

τῇ δέ θ' ἅμα νύμφαι, κοῦραι Διὸς αἰγιόχοιο, 105
ἀγρονόμοι παίζουσι, γέγηθε δέ τε φρένα Λητώ·
πασάων δ' ὑπὲρ ἥ γε κάρη ἔχει ἠδὲ μέτωπα,
ῥεῖά τ' ἀριγνώτη πέλεται, καλαὶ δέ τε πᾶσαι·
ὣς ἥ γ' ἀμφιπόλοισι μετέπρεπε παρθένος ἀδμής.
ἀλλ' ὅτε δὴ ἄρ' ἔμελλε πάλιν οἶκόνδε νέεσθαι 110
ζεύξασ' ἡμιόνους πτύξασά τε εἵματα καλά,

ἔνθ' αὖτ' ἄλλ' ἐνόησε θεά, γλαυκῶπις Ἀθήνη,
ὡς Ὀδυσεὺς ἔγροιτο, ἴδοι τ' εὐώπιδα κούρην,
ἥ οἱ Φαιήκων ἀνδρῶν πόλιν ἡγήσαιτο.
σφαῖραν ἔπειτ' ἔρριψε μετ' ἀμφίπολον βασίλεια· 115
ἀμφιπόλου μὲν ἅμαρτε, βαθείῃ δ' ἔμβαλε δίνῃ·
αἱ δ' ἐπὶ μακρὸν ἄϋσαν· ὁ δ' ἔγρετο δῖος Ὀδυσσεύς,
ἑζόμενος δ' ὥρμαινε κατὰ φρένα καὶ κατὰ θυμόν·
"ὤ μοι ἐγώ, τέων αὖτε βροτῶν ἐς γαῖαν ἱκάνω;
ἦ ῥ' οἵ γ' ὑβρισταί τε καὶ ἄγριοι οὐδὲ δίκαιοι, 120
ἦε φιλόξεινοι καί σφιν νόος ἐστὶ θεουδής;
ὥς τέ με κουράων ἀμφήλυθε θῆλυς ἀϋτή·
νυμφάων, αἳ ἔχουσ' ὀρέων αἰπεινὰ κάρηνα
καὶ πηγὰς ποταμῶν καὶ πίσεα ποιήεντα.
ἦ νύ που ἀνθρώπων εἰμὶ σχεδὸν αὐδηέντων; 125
ἀλλ' ἄγ' ἐγὼν αὐτὸς πειρήσομαι ἠδὲ ἴδωμαι."
ὣς εἰπὼν θάμνων ὑπεδύσετο δῖος Ὀδυσσεύς,
ἐκ πυκινῆς δ' ὕλης πτόρθον κλάσε χειρὶ παχείῃ
φύλλων, ὡς ῥύσαιτο περὶ χροῒ μήδεα φωτός.
βῆ δ' ἴμεν ὥς τε λέων ὀρεσίτροφος ἀλκὶ πεποιθώς, 130
ὅς τ' εἶσ' ὑόμενος καὶ ἀήμενος, ἐν δέ οἱ ὄσσε
δαίεται· αὐτὰρ ὁ βουσὶ μετέρχεται ἢ ὀίεσσιν
ἠὲ μετ' ἀγροτέρας ἐλάφους· κέλεται δέ ἑ γαστὴρ
μήλων πειρήσοντα καὶ ἐς πυκινὸν δόμον ἐλθεῖν·
ὣς Ὀδυσεὺς κούρῃσιν ἐϋπλοκάμοισιν ἔμελλε 135
μίξεσθαι, γυμνός περ ἐών· χρειὼ γὰρ ἵκανε.
σμερδαλέος δ' αὐτῇσι φάνη κεκακωμένος ἅλμῃ,
τρέσσαν δ' ἄλλυδις ἄλλη ἐπ' ἠιόνας προὐχούσας·
οἴη δ' Ἀλκινόου θυγάτηρ μένε· τῇ γὰρ Ἀθήνη

folguedo acompanhado de Ninfas agrestes a 105
serviço de Zeus Porta-Escudo para júbilo de Leto;
sobranceira balouça a cabeça da virgem, em muito
a mais bela entre todas as belas: eis o retrato de
Nausícaa no festival das beldades. À hora de
voltar, Nausícaa deu ordens para atrelarem 110
as mulas e dobrar cuidadosamente os tecidos.

Os sábios olhos de Atena fixaram-se no plano que
ideara: acordar Odisseu para ver a bela jovem que
deveria conduzi-lo à cidade. A bola, arremessada
pela princesa a uma das servas, errou o alvo e foi 115
arrastada pela corrente ao fundo do rio. Os gritos
agudos despertaram Odisseu. Sentado no leito,
revolveu conjeturas no peito: "Que rumo tomar?
Em terras de que gente me encontro agora? São
agressivos? Hospitaleiros? Selvagens? Têm leis? 120
Sentimentos piedosos elevam-lhes a mente?
Soam aos meus ouvidos vozes femininas. São
Ninfas? Vivem nos cimos dos montes, nas fontes
dos rios, em prados verdejantes? Espero estar
próximo de gente com fala humana. Coragem! 125
Preciso conferi-lo com meus próprios olhos."
Pensando assim, Odisseu tratou de sair do bosque.
Ergueu o braço robusto, quebrou um galho das
árvores compactas para esconder o membro viril.
Avançou como um leão das montanhas, contra a 130
chuva e contra o vento. Ciente da força, cintilam-lhe
os olhos, no rastro de bois e de ovelhas, de corças
em cursos campestres, no ímpeto feroz da fome e
contra pacíficos rebanhos em domésticos cercados.
Sem roupa, carente de tudo, apareceu assim Odisseu 135
aos espantados olhos femininos emoldurados de
tranças. O corpo castigado pela salsugem espantou as
moças. Corriam de cá para lá em busca de abrigo,
menos a filha de Alcínoo. Nausícaa não se moveu.

θάρσος ἐνὶ φρεσὶ θῆκε καὶ ἐκ δέος εἵλετο γυίων. 140
στῆ δ' ἄντα σχομένη: ὁ δὲ μερμήριξεν Ὀδυσσεύς,
ἢ γούνων λίσσοιτο λαβὼν εὐώπιδα κούρην,
ἦ αὔτως ἐπέεσσιν ἀποσταδὰ μειλιχίοισι
λίσσοιτ', εἰ δείξειε πόλιν καὶ εἵματα δοίη.
ὣς ἄρα οἱ φρονέοντι δοάσσατο κέρδιον εἶναι, 145
λίσσεσθαι ἐπέεσσιν ἀποσταδὰ μειλιχίοισι,
μή οἱ γοῦνα λαβόντι χολώσαιτο φρένα κούρη.
αὐτίκα μειλίχιον καὶ κερδαλέον φάτο μῦθον.
"γουνοῦμαί σε, ἄνασσα: θεός νύ τις, ἦ βροτός ἐσσι;
εἰ μέν τις θεός ἐσσι, τοὶ οὐρανὸν εὐρὺν ἔχουσιν, 150
Ἀρτέμιδί σε ἐγώ γε, Διὸς κούρῃ μεγάλοιο,
εἶδός τε μέγεθός τε φυήν τ' ἄγχιστα ἐΐσκω:
εἰ δέ τίς ἐσσι βροτῶν, τοὶ ἐπὶ χθονὶ ναιετάουσιν,
τρὶς μάκαρες μὲν σοί γε πατὴρ καὶ πότνια μήτηρ,
τρὶς μάκαρες δὲ κασίγνητοι: μάλα πού σφισι θυμὸς 155
αἰὲν ἐϋφροσύνῃσιν ἰαίνεται εἵνεκα σεῖο,
λευσσόντων τοιόνδε θάλος χορὸν εἰσοιχνεῦσαν.
κεῖνος δ' αὖ περὶ κῆρι μακάρτατος ἔξοχον ἄλλων,
ὅς κέ σ' ἐέδνοισι βρίσας οἶκόνδ' ἀγάγηται.
οὐ γάρ πω τοιοῦτον ἴδον βροτὸν ὀφθαλμοῖσιν, 160
οὔτ' ἄνδρ' οὔτε γυναῖκα: σέβας μ' ἔχει εἰσορόωντα.
Δήλῳ δή ποτε τοῖον Ἀπόλλωνος παρὰ βωμῷ
φοίνικος νέον ἔρνος ἀνερχόμενον ἐνόησα:
ἦλθον γὰρ καὶ κεῖσε, πολὺς δέ μοι ἕσπετο λαός,
τὴν ὁδὸν ᾗ δὴ μέλλεν ἐμοὶ κακὰ κήδε' ἔσεσθαι. 165
ὣς δ' αὔτως καὶ κεῖνο ἰδὼν ἐτεθήπεα θυμῷ
δήν, ἐπεὶ οὔ πω τοῖον ἀνήλυθεν ἐκ δόρυ γαίης,
ὡς σέ, γύναι, ἄγαμαί τε τέθηπά τε, δείδια δ' αἰνῶς
γούνων ἅψασθαι: χαλεπὸν δέ με πένθος ἱκάνει.
χθιζὸς ἐεικοστῷ φύγον ἤματι οἴνοπα πόντον: 170
τόφρα δέ μ' αἰεὶ κῦμ' ἐφόρει κραιπναί τε θύελλαι
νήσου ἀπ' Ὠγυγίης. νῦν δ' ἐνθάδε κάββαλε δαίμων,
ὄφρ' ἔτι που καὶ τῇδε πάθω κακόν: οὐ γὰρ ὀΐω
παύσεσθ', ἀλλ' ἔτι πολλὰ θεοὶ τελέουσι πάροιθεν.
ἀλλά, ἄνασσ', ἐλέαιρε: σὲ γὰρ κακὰ πολλὰ μογήσας 175
ἐς πρώτην ἱκόμην, τῶν δ' ἄλλων οὔ τινα οἶδα

Atena lhe infundia coragem, removendo o tremor   140
das pernas. A princesa enfrentou-o de pé. Vacilou
Odisseu. Cairia diante da formosura, rogaria de
joelhos? Suplicaria de longe, afetuoso, na esperança
de lhe alcançar roupa e lhe indicar o caminho para a
cidade? Perturbado por pensamentos contrários,   145
pareceu-lhe melhor dirigir-se à jovem submisso, a
distância. A desconhecida poderia resistir ofendida.
Proferiu estas palavras afetuosas: "Prostro-me a teus
pés, Senhora, sem saber se és deusa ou mortal. Se és
uma das que dominam o céu imenso, quero crer   150
que sejas Ártemis, filha de Zeus, pois te assemelhas
a ela no porte, na postura e na beleza. Se me disseres
que pertences aos habitantes da terra, declaro três
vezes venturosos teu pai, tua nobre mãe e três
vezes venturosos teus irmãos. Tua presença deve   155
infundir júbilo constante em seus corações ao verem
teus braços se moverem nas evoluções da dança.
Mais que o de todos deverá pulsar o coração daquele
que tiver a ventura de conduzir-te ao lar, rica de dotes
nupciais. De homens e mulheres que vi, não lembro   160
ninguém que pudesse igualar-se a ti. Tens em mim um
devoto. Vi em Delos, junto ao altar de Apolo, erguer-
se uma palmeirinha. Eu não estava só. Fui até lá
com numerosa multidão, uma viagem que mais
tarde me causou aflições. Eu a mirava e admirava,   165
o coração batia forte. Nunca a terra tinha gerado
rebento igual. Só tu me inspiras devoção semelhante
àquela. Quero envolver-te os joelhos e recuo
temeroso, atormentado por dor recente. Só ontem,
depois de vinte dias, escapei do mar. Durante esse   170
tempo, evadido de Ogígia, fui açoitado por ondas e
tempestades arrasadoras. Uma divindade largou-me
aqui. Para que sofra ainda mais? Quando isso vai
acabar, não sei. Lá em cima, decerto, os deuses me
preparam outros males. Imploro, Senhora, ajuda-me.   175
Sofri muito. És a primeira pessoa que encontro. Dos

ἀνθρώπων, οἳ τήνδε πόλιν καὶ γαῖαν ἔχουσιν.
ἄστυ δέ μοι δεῖξον, δὸς δὲ ῥάκος ἀμφιβαλέσθαι,
εἴ τί που εἴλυμα σπείρων ἔχες ἐνθάδ' ἰοῦσα.
σοὶ δὲ θεοὶ τόσα δοῖεν ὅσα φρεσὶ σῇσι μενοινᾷς, 180
ἄνδρα τε καὶ οἶκον, καὶ ὁμοφροσύνην ὀπάσειαν
ἐσθλήν· οὐ μὲν γὰρ τοῦ γε κρεῖσσον καὶ ἄρειον,
ἢ ὅθ' ὁμοφρονέοντε νοήμασιν οἶκον ἔχητον
ἀνὴρ ἠδὲ γυνή· πόλλ' ἄλγεα δυσμενέεσσι,
χάρματα δ' εὐμενέτῃσι, μάλιστα δέ τ' ἔκλυον αὐτοί." 185
τὸν δ' αὖ Ναυσικάα λευκώλενος ἀντίον ηὔδα·
"ξεῖν', ἐπεὶ οὔτε κακῷ οὔτ' ἄφρονι φωτὶ ἔοικας·
Ζεὺς δ' αὐτὸς νέμει ὄλβον Ὀλύμπιος ἀνθρώποισιν,
ἐσθλοῖς ἠδὲ κακοῖσιν, ὅπως ἐθέλῃσιν, ἑκάστῳ·
καί που σοὶ τάδ' ἔδωκε, σὲ δὲ χρὴ τετλάμεν ἔμπης. 190
νῦν δ', ἐπεὶ ἡμετέρην τε πόλιν καὶ γαῖαν ἱκάνεις,
οὔτ' οὖν ἐσθῆτος δευήσεαι οὔτε τευ ἄλλου,
ὧν ἐπέοιχ' ἱκέτην ταλαπείριον ἀντιάσαντα.
ἄστυ δέ τοι δείξω, ἐρέω δέ τοι οὔνομα λαῶν.
Φαίηκες μὲν τήνδε πόλιν καὶ γαῖαν ἔχουσιν, 195
εἰμὶ δ' ἐγὼ θυγάτηρ μεγαλήτορος Ἀλκινόοιο,
τοῦ δ' ἐκ Φαιήκων ἔχεται κάρτος τε βίη τε."
ἦ ῥα καὶ ἀμφιπόλοισιν ἐϋπλοκάμοισι κέλευσε·
"στῆτέ μοι, ἀμφίπολοι· πόσε φεύγετε φῶτα ἰδοῦσαι;
ἦ μή πού τινα δυσμενέων φάσθ' ἔμμεναι ἀνδρῶν; 200
οὐκ ἔσθ' οὗτος ἀνὴρ διερὸς βροτὸς οὐδὲ γένηται,
ὅς κεν Φαιήκων ἀνδρῶν ἐς γαῖαν ἵκηται
δηϊοτῆτα φέρων· μάλα γὰρ φίλοι ἀθανάτοισιν.
οἰκέομεν δ' ἀπάνευθε πολυκλύστῳ ἐνὶ πόντῳ,
ἔσχατοι, οὐδέ τις ἄμμι βροτῶν ἐπιμίσγεται ἄλλος. 205
ἀλλ' ὅδε τις δύστηνος ἀλώμενος ἐνθάδ' ἱκάνει,
τὸν νῦν χρὴ κομέειν· πρὸς γὰρ Διός εἰσιν ἅπαντες
ξεῖνοί τε πτωχοί τε, δόσις δ' ὀλίγη τε φίλη τε.
ἀλλὰ δότ', ἀμφίπολοι, ξείνῳ βρῶσίν τε πόσιν τε,
λούσατέ τ' ἐν ποταμῷ, ὅθ' ἐπὶ σκέπας ἔστ' ἀνέμοιο." 210
ὣς ἔφαθ', αἱ δ' ἔσταν τε καὶ ἀλλήλῃσι κέλευσαν,
κὰδ δ' ἄρ' Ὀδυσσῆ' εἷσαν ἐπὶ σκέπας, ὡς ἐκέλευσεν
Ναυσικάα θυγάτηρ μεγαλήτορος Ἀλκινόοιο·

daqui não conheço ninguém. Não vi povoado nem
território. Poderias dizer-me onde fica a cidade? Me
arranjas um pano que me cubra, um saco qualquer?
Os deuses te concedam tudo o que desejas: marido, 180
casa, tranquilidade doméstica, conforto. Podes
imaginar coisa melhor: marido e mulher em vida
harmoniosa no lar, obra de seus esforços? A
felicidade conjugal causa inveja aos inimigos. Mas
jubilam os amigos, jubilam os dois, mais que 185
ninguém." Com um alvo movimento de braços,
respondeu-lhe ela: "Percebo delicadeza no que
dizes. Zeus, Senhor do Olimpo, retribui a
bons e maus, conforme sua soberana vontade.
Não suportas mais do que ele reservou para ti. 190
Visto que chegaste à nossa cidade, terás vestes
e tudo o que te for necessário. Do que suplicas,
não sentirás falta de nada. Eu te mostrarei nossa
cidade e te falarei sobre o meu povo. Estás entre
feáceos. Feácea é esta cidade, feácea é esta terra. 195
Falas com a filha do rei. O governo está em suas
poderosas mãos." Voltando-se a suas escravas,
Nausícaa falou com autoridade: "Comportem-se!
A visão de um homem as assusta? Vocês agem
como se ele fosse mal-intencionado. Não viverá 200
por muito tempo quem se aproxima da nossa
terra com maus propósitos. Saibam os mortais
que estamos sob a proteção dos que não morrem.
Vivemos isolados, cercados por ondas encapeladas.
Somos os derradeiros, vizinhos próximos não temos. 205
Este sofredor que nos visita é um desgarrado.
Temos o dever de acolhê-lo. Errantes e pobres são
enviados de Zeus. Oferecemos com gosto o pouco
que temos. Mãos à obra, minhas servas! Venha pão
e vinho! Deem-lhe banho no rio em lugar abrigado." 210
Esta foi a ordem. Instruções corriam de uma a outra.
Conduziram Odisseu a um sítio protegido do vento,
como lhes ordenara a princesa, a filha de Alcínoo.

πὰρ δ' ἄρα οἱ φᾶρός τε χιτῶνά τε εἵματ' ἔθηκαν,
δῶκαν δὲ χρυσέῃ ἐν ληκύθῳ ὑγρὸν ἔλαιον, 215
ἤνωγον δ' ἄρα μιν λοῦσθαι ποταμοῖο ῥοῇσιν.
δή ῥα τότ' ἀμφιπόλοισι μετηύδα δῖος Ὀδυσσεύς:
"ἀμφίπολοι, στῆθ' οὕτω ἀπόπροθεν, ὄφρ' ἐγὼ αὐτὸς
ἅλμην ὤμοιιν ἀπολούσομαι, ἀμφὶ δ' ἐλαίῳ
χρίσομαι: ἦ γὰρ δηρὸν ἀπὸ χροός ἐστιν ἀλοιφή. 220
ἄντην δ' οὐκ ἂν ἐγώ γε λοέσσομαι: αἰδέομαι γὰρ
γυμνοῦσθαι κούρῃσιν ἐϋπλοκάμοισι μετελθών."
ὣς ἔφαθ', αἱ δ' ἀπάνευθεν ἴσαν, εἶπον δ' ἄρα κούρῃ.
αὐτὰρ ὁ ἐκ ποταμοῦ χρόα νίζετο δῖος Ὀδυσσεὺς
ἅλμην, ἥ οἱ νῶτα καὶ εὐρέας ἄμπεχεν ὤμους, 225
ἐκ κεφαλῆς δ' ἔσμηχεν ἁλὸς χνόον ἀτρυγέτοιο.
αὐτὰρ ἐπεὶ δὴ πάντα λοέσσατο καὶ λίπ' ἄλειψεν,
ἀμφὶ δὲ εἵματα ἕσσαθ' ἅ οἱ πόρε παρθένος ἀδμής,
τὸν μὲν Ἀθηναίη θῆκεν Διὸς ἐκγεγαυῖα
μείζονά τ' εἰσιδέειν καὶ πάσσονα, κὰδ δὲ κάρητος 230
οὔλας ἧκε κόμας, ὑακινθίνῳ ἄνθει ὁμοίας.
ὡς δ' ὅτε τις χρυσὸν περιχεύεται ἀργύρῳ ἀνὴρ
ἴδρις, ὃν Ἥφαιστος δέδαεν καὶ Παλλὰς Ἀθήνη
τέχνην παντοίην, χαρίεντα δὲ ἔργα τελείει,
ὣς ἄρα τῷ κατέχευε χάριν κεφαλῇ τε καὶ ὤμοις. 235
ἕζετ' ἔπειτ' ἀπάνευθε κιὼν ἐπὶ θῖνα θαλάσσης,
κάλλεϊ καὶ χάρισι στίλβων: θηεῖτο δὲ κούρη.
δή ῥα τότ' ἀμφιπόλοισιν ἐϋπλοκάμοισι μετηύδα:
"κλῦτέ μευ, ἀμφίπολοι λευκώλενοι, ὄφρα τι εἴπω.
οὐ πάντων ἀέκητι θεῶν, οἳ Ὄλυμπον ἔχουσιν, 240
Φαιήκεσσ' ὅδ' ἀνὴρ ἐπιμίσγεται ἀντιθέοισι:
πρόσθεν μὲν γὰρ δή μοι ἀεικέλιος δέατ' εἶναι,
νῦν δὲ θεοῖσιν ἔοικε, τοὶ οὐρανὸν εὐρὺν ἔχουσιν.
αἲ γὰρ ἐμοὶ τοιόσδε πόσις κεκλημένος εἴη
ἐνθάδε ναιετάων, καὶ οἱ ἅδοι αὐτόθι μίμνειν. 245
ἀλλὰ δότ', ἀμφίπολοι, ξείνῳ βρῶσίν τε πόσιν τε."
ὣς ἔφαθ', αἱ δ' ἄρα τῆς μάλα μὲν κλύον ἠδ' ἐπίθοντο,
πὰρ δ' ἄρ' Ὀδυσσῆϊ ἔθεσαν βρῶσίν τε πόσιν τε.
ἦ τοι ὁ πῖνε καὶ ἦσθε πολύτλας δῖος Ὀδυσσεὺς
ἁρπαλέως: δηρὸν γὰρ ἐδητύος ἦεν ἄπαστος. 250

Alcançaram-lhe as roupas: uma túnica e um manto.
Veio a jarra de ouro, óleo era o conteúdo. Todas as   215
providências tomadas, convidaram-no a entrar no
rio. Odisseu falou, cheio de pudores, às escravas:
"Fiquem aqui mesmo, eu próprio quero tirar a
salsugem dos ombros e passar óleo em meu corpo.
Minha pele já há muito dispensa cuidados. Não   220
quero banhar-me na presença de vocês. O pudor me
impede de exibir minha nudez a jovens delicadas."
Afastando-se, comunicaram o pedido à princesa.
O rio recebeu o corpo do herói. Pôs-se a remover
a crosta que lhe cobria os ombros e as costas. A   225
corrente limpou-o da pasta salgada. O mar castigara-
lhe o cabelo. Banhado, cobriu a pele rejuvenescida
com as vestes, obséquio da bela virgem. Entrou
em ação Palas Atena. A arte divina robusteceu-lhe
os membros. Os cabelos encaracolados pareciam   230
jacintos. Tomemos um escultor, um que, discípulo de
Hefesto[10] e Atena, produz estátua de prata revestida
de ouro. Instruído nos segredos da arte saem-lhe
das mãos obras maravilhosas. Com a mesma sedução
revestiu a Deusa a cabeça e os ombros de Odisseu.   235
Deslumbrante, caminhou até à praia, sentou-se.
Resplandecia belo, sedutor. Nausícaa estava pasma.
Animou-se a falar, por fim, a suas criadas:
"Prestem atenção ao que lhes digo: reparem neste
homem. Nenhum dos deuses olímpicos teria razões   240
para opor-se à vinda dele à terra dos feáceos. Não
percebi nada de excepcional nele antes. Mas agora
me parece divino, em nada inferior a imortais. Sonho
com um homem assim para esposo. O que poderia eu
fazer para ele permanecer conosco? Quero que goste   245
daqui. Depressa, ele deverá provar do nosso pão,
do nosso vinho." As determinações da princesa foram
prontamente executadas. A refeição de Odisseu veio
acompanhada de vinho. Odisseu, o sofrido, macerado
por severas privações, comeu e bebeu. Novos planos   250

αὐτὰρ Ναυσικάα λευκώλενος ἄλλ' ἐνόησεν·
εἵματ' ἄρα πτύξασα τίθει καλῆς ἐπ' ἀπήνης,
ζεῦξεν δ' ἡμιόνους κρατερώνυχας, ἂν δ' ἔβη αὐτή,
ὤτρυνεν δ' Ὀδυσῆα, ἔπος τ' ἔφατ' ἔκ τ' ὀνόμαζεν·
"ὄρσεο δὴ νῦν, ξεῖνε, πόλινδ' ἴμεν ὄφρα σε πέμψω   255
πατρὸς ἐμοῦ πρὸς δῶμα δαΐφρονος, ἔνθα σέ φημι
πάντων Φαιήκων εἰδησέμεν ὅσσοι ἄριστοι.
ἀλλὰ μάλ' ὧδ' ἔρδειν, δοκέεις δέ μοι οὐκ ἀπινύσσειν·
ὄφρ' ἂν μέν κ' ἀγροὺς ἴομεν καὶ ἔργ' ἀνθρώπων,
τόφρα σὺν ἀμφιπόλοισι μεθ' ἡμιόνους καὶ ἄμαξαν   260
καρπαλίμως ἔρχεσθαι· ἐγὼ δ' ὁδὸν ἡγεμονεύσω.
αὐτὰρ ἐπὴν πόλιος ἐπιβήομεν, ἣν πέρι πύργος
ὑψηλός, καλὸς δὲ λιμὴν ἑκάτερθε πόληος,
λεπτὴ δ' εἰσίθμη· νῆες δ' ὁδὸν ἀμφιέλισσαι
εἰρύαται· πᾶσιν γὰρ ἐπίστιόν ἐστιν ἑκάστῳ.   265
ἔνθα δέ τέ σφ' ἀγορὴ καλὸν Ποσιδήιον ἀμφίς,
ῥυτοῖσιν λάεσσι κατωρυχέεσσ' ἀραρυῖα.
ἔνθα δὲ νηῶν ὅπλα μελαινάων ἀλέγουσι,
πείσματα καὶ σπεῖρα, καὶ ἀποξύνουσιν ἐρετμά.
οὐ γὰρ Φαιήκεσσι μέλει βιὸς οὐδὲ φαρέτρη,   270
ἀλλ' ἱστοὶ καὶ ἐρετμὰ νεῶν καὶ νῆες ἐῖσαι,
ᾗσιν ἀγαλλόμενοι πολιὴν περόωσι θάλασσαν.
τῶν ἀλεείνω φῆμιν ἀδευκέα, μή τις ὀπίσσω
μωμεύῃ· μάλα δ' εἰσὶν ὑπερφίαλοι κατὰ δῆμον·
καί νύ τις ὧδ' εἴπῃσι κακώτερος ἀντιβολήσας·   275
'τίς δ' ὅδε Ναυσικάᾳ ἕπεται καλός τε μέγας τε
ξεῖνος; ποῦ δέ μιν εὗρε; πόσις νύ οἱ ἔσσεται αὐτῇ.
ἦ τινά που πλαγχθέντα κομίσσατο ἧς ἀπὸ νηὸς
ἀνδρῶν τηλεδαπῶν, ἐπεὶ οὔ τινες ἐγγύθεν εἰσίν·
ἦ τίς οἱ εὐξαμένῃ πολυάρητος θεὸς ἦλθεν   280
οὐρανόθεν καταβάς, ἕξει δέ μιν ἤματα πάντα.
βέλτερον, εἰ καὐτή περ ἐποιχομένη πόσιν εὗρεν
ἄλλοθεν· ἦ γὰρ τούσδε γ' ἀτιμάζει κατὰ δῆμον
Φαίηκας, τοί μιν μνῶνται πολέες τε καὶ ἐσθλοί.'
ὣς ἐρέουσιν, ἐμοὶ δέ κ' ὀνείδεα ταῦτα γένοιτο.   285
καὶ δ' ἄλλῃ νεμεσῶ, ἥ τις τοιαῦτά γε ῥέζοι,
ἥ τ' ἀέκητι φίλων πατρὸς καὶ μητρὸς ἐόντων,

ocupavam a mente de Nausícaa enquanto dobrava
a roupa para guardá-la no carro. Atreladas as mulas,
ela ocupou o assento que lhe estava reservado. Falou
a Odisseu que, a mando dela, se aproximara:
"Convém retornar. Eu te indicarei o caminho ao 255
palácio. Lá conhecerás nossa gente, o que de melhor a
nobreza tem a mostrar. Deves compreender que essa
é a medida mais sensata. Enquanto percorrermos
os campos e as plantações, recomendo que me sigas
com minhas escravas. Apressa o passo no ritmo das 260
mulas. É só acompanhar minha condução. Lá
chegados, verás alta coroa de torres. O porto estende-
se de um lado a outro. O acesso é estreito. Naus
simétricas assinalam o caminho. Um ancoradouro
foi determinado para cada uma delas. A praça, 265
firmada por blocos de pedra fincadas no solo, abraça
o belo templo de Posidon. Ela fica um pouco mais
adiante. Lá se preparam todos os apetrechos das naus:
cordas, velame... Lá se limpam os lemes. Arcos e
flechas não entusiasmam os feáceos. Ocupam-se 270
com mastros, remos e navios bojudos, velozes.
Enfrentam festivos as ondas do mar pardacento.
Evitemos comentários maldosos. Não vá alguém
censurar-me. Maldizentes circulam por toda parte.
Pessoas mal-intencionadas poderiam comentar: 275
'Quem é o fortão atrás de Nausícaa? Onde encontrou
ela o cara? O escolhido é esse? A princesa tirou esse
vagabundo de algum navio? Deve ter vindo de longe,
nas vizinhanças desta ilha não mora ninguém. De
tanto rezar, não me digam que se trata de um deus 280
lá de cima para ficar juntinho dela. Ela poderia
desejar coisa melhor? Queria um homem de fora. Aos
rapazes daqui, vira a cara. Propostas não lhe faltam.
Quando os feáceos vêm com agrados, até aos ricos
ela torce o nariz.' Evitemos mexericos. Eu morreria 285
de vergonha. Não sou diferente: desagradam-me as
que não sabem comportar-se, metidas com homens,

ἀνδράσι μίσγηται, πρίν γ' ἀμφάδιον γάμον ἐλθεῖν.
ξεῖνε, σὺ δ' ὦκ' ἐμέθεν ξυνίει ἔπος, ὄφρα τάχιστα
πομπῆς καὶ νόστοιο τύχῃς παρὰ πατρὸς ἐμοῖο. 290
δήεις ἀγλαὸν ἄλσος Ἀθήνης ἄγχι κελεύθου
αἰγείρων· ἐν δὲ κρήνη νάει, ἀμφὶ δὲ λειμών·
ἔνθα δὲ πατρὸς ἐμοῦ τέμενος τεθαλυῖά τ' ἀλωή,
τόσσον ἀπὸ πτόλιος, ὅσσον τε γέγωνε βοήσας.
ἔνθα καθεζόμενος μεῖναι χρόνον, εἰς ὅ κεν ἡμεῖς 295
ἄστυδε ἔλθωμεν καὶ ἱκώμεθα δώματα πατρός.
αὐτὰρ ἐπὴν ἡμέας ἔλπῃ ποτὶ δώματ' ἀφῖχθαι,
καὶ τότε Φαιήκων ἴμεν ἐς πόλιν ἠδ' ἐρέεσθαι
δώματα πατρὸς ἐμοῦ μεγαλήτορος Ἀλκινόοιο.
ῥεῖα δ' ἀρίγνωτ' ἐστί, καὶ ἂν πάϊς ἡγήσαιτο 300
νήπιος· οὐ μὲν γάρ τι ἐοικότα τοῖσι τέτυκται
δώματα Φαιήκων, οἷος δόμος Ἀλκινόοιο
ἥρωος. ἀλλ' ὁπότ' ἄν σε δόμοι κεκύθωσι καὶ αὐλή,
ὦκα μάλα μεγάροιο διελθέμεν, ὄφρ' ἂν ἵκηαι
μητέρ' ἐμήν· ἡ δ' ἧσται ἐπ' ἐσχάρῃ ἐν πυρὸς αὐγῇ, 305
ἠλάκατα στρωφῶσ' ἁλιπόρφυρα, θαῦμα ἰδέσθαι,
κίονι κεκλιμένη· δμωαὶ δέ οἱ εἵατ' ὄπισθεν.
ἔνθα δὲ πατρὸς ἐμοῖο θρόνος ποτικέκλιται αὐτῇ,
τῷ ὅ γε οἰνοποτάζει ἐφήμενος ἀθάνατος ὥς.
τὸν παραμειψάμενος μητρὸς περὶ γούνασι χεῖρας 310
βάλλειν ἡμετέρης, ἵνα νόστιμον ἦμαρ ἴδηαι
χαίρων καρπαλίμως, εἰ καὶ μάλα τηλόθεν ἐσσί.
εἴ κέν τοι κείνη γε φίλα φρονέῃσ' ἐνὶ θυμῷ,
ἐλπωρή τοι ἔπειτα φίλους τ' ἰδέειν καὶ ἱκέσθαι
οἶκον ἐυκτίμενον καὶ σὴν ἐς πατρίδα γαῖαν." 315

ὣς ἄρα φωνήσασ' ἵμασεν μάστιγι φαεινῇ
ἡμιόνους· αἱ δ' ὦκα λίπον ποταμοῖο ῥέεθρα.
αἱ δ' ἐὺ μὲν τρώχων, ἐὺ δὲ πλίσσοντο πόδεσσιν·
ἡ δὲ μάλ' ἡνιόχευεν, ὅπως ἅμ' ἑποίατο πεζοὶ
ἀμφίπολοί τ' Ὀδυσεύς τε, νόῳ δ' ἐπέβαλλεν ἱμάσθλην. 320
δύσετό τ' ἠέλιος καὶ τοὶ κλυτὸν ἄλσος ἵκοντο
ἱρὸν Ἀθηναίης, ἵν' ἄρ' ἕζετο δῖος Ὀδυσσεύς.

escondidas dos pais, antes de cerimônia decente.
Já que não és daqui, presta atenção ao que vais ouvir.
Esperas, sem dúvida, que meu pai te ajude a voltar. 290
Queres navio, tripulação. Perto da estrada hás de ver um
bosque de Atena, repousante. Lá corre uma fonte
num prado. Dono do lugar é meu pai. A terra é boa,
produz de tudo. A um grito de lá fica a cidade. Te
recomendo que fiques lá o tempo necessário 295
para eu e as criadas voltarmos à casa de meu pai.
Quando nos julgares chegadas ao destino, entra na
cidade e pergunta pela residência do rei, o palácio
de Alcínoo, de quem me orgulho ser filha. Não
vais te perder. Até um menino saberá indicar-te o 300
caminho. Entre os feáceos não existe nada tão
imponente, nada é comparável à residência real de
Alcínoo. Atingindo o palácio, entra, atravessa o
salão. Dirige-te primeiro à minha mãe. Ela deverá
estar sentada contra a coluna junto à lareira para fiar 305
à luz do fogo, espetáculo de encher os olhos. Atrás
dela poderás ver o trabalho das criadas. Encostado
à mesma coluna encontra-se a poltrona de meu pai.
Acomodado nela com imponência divina deverá estar
ele a provar um cálice de vinho. Deverás passar por ele 310
e abraçar suplicante os joelhos de minha mãe a fim
de que te seja concedido ver o alegre dia do regresso
mesmo que vivas longe. Se ela te der acolhida cordial,
haverá muita probabilidade de veres teus queridos, tua
casa solidamente construída, tua pátria, tua terra." 315

Com essas instruções, o chicote da princesa zuniu no
lombo das mulas. Distanciaram-se das margens. O
carro movia-se ao ritmo robusto dos cascos. Nausícaa
conduzia a carruagem atenta aos que a seguiam a pé,
as escravas e Odisseu. Manejava com inteligência o 320
chicote. O sol se pôs ao chegarem ao renomado bosque
de Atena, sítio sagrado. Detendo os passos, o divino

αὐτίκ' ἔπειτ' ἠρᾶτο Διὸς κούρῃ μεγάλοιο·
"κλῦθί μευ, αἰγιόχοιο Διὸς τέκος, Ἀτρυτώνη·
νῦν δή πέρ μευ ἄκουσον, ἐπεὶ πάρος οὔ ποτ' ἄκουσας 325
ῥαιομένου, ὅτε μ' ἔρραιε κλυτὸς ἐννοσίγαιος.
δός μ' ἐς Φαίηκας φίλον ἐλθεῖν ἠδ' ἐλεεινόν."
ὣς ἔφατ' εὐχόμενος, τοῦ δ' ἔκλυε Παλλὰς Ἀθήνη.
αὐτῷ δ' οὔ πω φαίνετ' ἐναντίη· αἴδετο γάρ ῥα
πατροκασίγνητον· ὁ δ' ἐπιζαφελῶς μενέαινεν 330
ἀντιθέῳ Ὀδυσῆϊ πάρος ἣν γαῖαν ἱκέσθαι.

Odisseu dirigiu uma prece à filha do poderoso Zeus:
"Ouve-me, imbatível rebento do Zeus Porta-Escudo,
já que não deste atenção às minhas súplicas ao eu ser   325
açoitado pela conhecida inclemência do Abala-Terra.
Concede-me o favor dos feáceos, amistosa acolhida."
Palas Atena acolheu a súplica de Odisseu, embora
não se mostrasse a ele em pessoa, por temer a reação
do tio paterno dela[11], que nutria raiva implacável   330
contra o herói, antes de ele alcançar a costa.

ΟΔΥΣΣΕΙΑΣ Η

ὣς ὁ μὲν ἔνθ' ἠρᾶτο πολύτλας δῖος Ὀδυσσεύς,
κούρην δὲ προτὶ ἄστυ φέρεν μένος ἡμιόνοιιν.
ἡ δ' ὅτε δὴ οὗ πατρὸς ἀγακλυτὰ δώμαθ' ἵκανε,
στῆσεν ἄρ' ἐν προθύροισι, κασίγνητοι δέ μιν ἀμφὶς
ἵσταντ' ἀθανάτοις ἐναλίγκιοι, οἵ ῥ' ὑπ' ἀπήνης   05
ἡμιόνους ἔλυον ἐσθῆτά τε ἔσφερον εἴσω.
αὐτὴ δ' ἐς θάλαμον ἑὸν ἤιε: δαῖε δέ οἱ πῦρ
γρῆυς Ἀπειραίη, θαλαμηπόλος Εὐρυμέδουσα,
τήν ποτ' Ἀπείρηθεν νέες ἤγαγον ἀμφιέλισσαι:
Ἀλκινόῳ δ' αὐτὴν γέρας ἔξελον, οὕνεκα πᾶσιν   10
Φαιήκεσσιν ἄνασσε, θεοῦ δ' ὣς δῆμος ἄκουεν:
ἣ τρέφε Ναυσικάαν λευκώλενον ἐν μεγάροισιν.
ἥ οἱ πῦρ ἀνέκαιε καὶ εἴσω δόρπον ἐκόσμει.
καὶ τότ' Ὀδυσσεὺς ὦρτο πόλινδ' ἴμεν: ἀμφὶ δ' Ἀθήνη
πολλὴν ἠέρα χεῦε φίλα φρονέουσ' Ὀδυσῆι,   15
μή τις Φαιήκων μεγαθύμων ἀντιβολήσας
κερτομέοι τ' ἐπέεσσι καὶ ἐξερέοιθ' ὅτις εἴη.
ἀλλ' ὅτε δὴ ἄρ' ἔμελλε πόλιν δύσεσθαι ἐραννήν,
ἔνθα οἱ ἀντεβόλησε θεά, γλαυκῶπις Ἀθήνη,
παρθενικῇ εἰκυῖα νεήνιδι, κάλπιν ἐχούσῃ.   20
στῆ δὲ πρόσθ' αὐτοῦ, ὁ δ' ἀνείρετο δῖος Ὀδυσσεύς:
"ὦ τέκος, οὐκ ἄν μοι δόμον ἀνέρος ἡγήσαιο
Ἀλκινόου, ὃς τοῖσδε μετ' ἀνθρώποισι ἀνάσσει;
καὶ γὰρ ἐγὼ ξεῖνος ταλαπείριος ἐνθάδ' ἱκάνω
τηλόθεν ἐξ ἀπίης γαίης: τῷ οὔ τινα οἶδα   25
ἀνθρώπων, οἳ τήνδε πόλιν καὶ γαῖαν ἔχουσιν."
τὸν δ' αὖτε προσέειπε θεά, γλαυκῶπις Ἀθήνη:
"τοιγὰρ ἐγώ τοι, ξεῖνε πάτερ, δόμον, ὅν με κελεύεις,
δείξω, ἐπεί μοι πατρὸς ἀμύμονος ἐγγύθι ναίει.
ἀλλ' ἴθι σιγῇ τοῖον, ἐγὼ δ' ὁδὸν ἡγεμονεύσω,   30
μηδέ τιν' ἀνθρώπων προτιόσσεο μηδ' ἐρέεινε.
οὐ γὰρ ξείνους οἵδε μάλ' ἀνθρώπους ἀνέχονται,
οὐδ' ἀγαπαζόμενοι φιλέουσ' ὅς κ' ἄλλοθεν ἔλθῃ.
νηυσὶ θοῇσιν τοί γε πεποιθότες ὠκείῃσι

Canto 7

Enquanto o divino Odisseu, o sofredor, suplicava,
a força das mulas levou a jovem ao palácio. Tendo
chegado à louvada residência do pai, deteve os
animais no portal. Aproximaram-se os irmãos, no
porte comparáveis aos deuses. Desatrelaram as   05
mulas e levaram a roupa para dentro. Nausícaa
dirigiu-se a seus aposentos. Acendeu-lhe o lume
uma anciã, a camareira Eurimedusa. Trazida de
Apira em navios simétricos, fora oferecida a
Alcínoo, rei de todos os feáceos, cujas ordens   10
soavam como divinas aos ouvidos do povo. Essa
serviçal servia Nausícaa, a jovem dos alvos
braços. Iluminada a sala, preparou a ceia. Odisseu
rumou para a cidade. Para guardá-lo Palas Atena
o envolveu em névoa compacta. Ela temia que   15
alguém dos feáceos o abordasse com palavras
ofensivas ou lhe indagasse a origem. Ao alcançar
as cercanias da cidade, apareceram-lhe os olhos
providentes de Palas Atena. A deusa assumira a
forma de uma jovem que carregava um jarro. Ao   20
interromper a marcha, perguntou-lhe Odisseu:
"Poderias conduzir-me ao palácio de Alcínoo,
o rei de tua gente? Já sofri muito, cheguei de
longe. Sem conhecer pessoa, rogo proteção.
Todos me são estranhos, tanto os que moram   25
na cidade quanto os que labutam no campo."
A resposta de Atena não demorou: "Vou
mostrar-te a casa que procuras. Meu pai, que
prezo muito, mora bem perto. Segue-me confiante.
Eu te indicarei o caminho. Baixa a cabeça e não   30
fales a ninguém. Os feáceos não costumam
tratar com estrangeiros, nem se mostram receptivos
quando alguém chega de outra parte. Com naus
bojudas vencem as distâncias no mar profundo,

λαῖτμα μέγ' ἐκπερόωσιν, ἐπεί σφισι δῶκ' ἐνοσίχθων: 35
τῶν νέες ὠκεῖαι ὡς εἰ πτερὸν ἠὲ νόημα."
ὣς ἄρα φωνήσασ' ἡγήσατο Παλλὰς Ἀθήνη
καρπαλίμως: ὁ δ' ἔπειτα μετ' ἴχνια βαῖνε θεοῖο.
τὸν δ' ἄρα Φαίηκες ναυσικλυτοὶ οὐκ ἐνόησαν
ἐρχόμενον κατὰ ἄστυ διὰ σφέας: οὐ γὰρ Ἀθήνη 40
εἴα ἐυπλόκαμος, δεινὴ θεός, ἥ ῥά οἱ ἀχλὺν
θεσπεσίην κατέχευε φίλα φρονέουσ' ἐνὶ θυμῷ.
θαύμαζεν δ' Ὀδυσεὺς λιμένας καὶ νῆας ἐίσας
αὐτῶν θ' ἡρώων ἀγορὰς καὶ τείχεα μακρὰ
ὑψηλά, σκολόπεσσιν ἀρηρότα, θαῦμα ἰδέσθαι. 45
ἀλλ' ὅτε δὴ βασιλῆος ἀγακλυτὰ δώμαθ' ἵκοντο,
τοῖσι δὲ μύθων ἦρχε θεά, γλαυκῶπις Ἀθήνη:
"οὗτος δή τοι, ξεῖνε πάτερ, δόμος, ὅν με κελεύεις
πεφραδέμεν: δήεις δὲ διοτρεφέας βασιλῆας
δαίτην δαινυμένους: σὺ δ' ἔσω κίε, μηδέ τι θυμῷ 50
τάρβει: θαρσαλέος γὰρ ἀνὴρ ἐν πᾶσιν ἀμείνων
ἔργοισιν τελέθει, εἰ καί ποθεν ἄλλοθεν ἔλθοι.
δέσποιναν μὲν πρῶτα κιχήσεαι ἐν μεγάροισιν:
Ἀρήτη δ' ὄνομ' ἐστὶν ἐπώνυμον, ἐκ δὲ τοκήων
τῶν αὐτῶν οἵ περ τέκον Ἀλκίνοον βασιλῆα. 55
Ναυσίθοον μὲν πρῶτα Ποσειδάων ἐνοσίχθων
γείνατο καὶ Περίβοια, γυναικῶν εἶδος ἀρίστη,
ὁπλοτάτη θυγάτηρ μεγαλήτορος Εὐρυμέδοντος,
ὅς ποθ' ὑπερθύμοισι Γιγάντεσσιν βασίλευεν.
ἀλλ' ὁ μὲν ὤλεσε λαὸν ἀτάσθαλον, ὤλετο δ' αὐτός: 60
τῇ δὲ Ποσειδάων ἐμίγη καὶ ἐγείνατο παῖδα
Ναυσίθοον μεγάθυμον, ὃς ἐν Φαίηξιν ἄνασσε:
Ναυσίθοος δ' ἔτεκεν Ῥηξήνορά τ' Ἀλκίνοόν τε.
τὸν μὲν ἄκουρον ἐόντα βάλ' ἀργυρότοξος Ἀπόλλων
νυμφίον ἐν μεγάρῳ, μίαν οἴην παῖδα λιπόντα 65
Ἀρήτην: τὴν δ' Ἀλκίνοος ποιήσατ' ἄκοιτιν,
καί μιν ἔτισ', ὡς οὔ τις ἐπὶ χθονὶ τίεται ἄλλη,
ὅσσαι νῦν γε γυναῖκες ὑπ' ἀνδράσιν οἶκον ἔχουσιν.
ὣς κείνη περὶ κῆρι τετίμηταί τε καὶ ἔστιν
ἔκ τε φίλων παίδων ἔκ τ' αὐτοῦ Ἀλκινόοιο 70
καὶ λαῶν, οἵ μίν ῥα θεὸν ὣς εἰσορόωντες

abilidade que lhes vem do Abala-Terra. Os barcos   35
parecem alados. Voam como os pensamentos."
Com essas recomendações, Atena encetou a marcha.
Odisseu manteve-se firme nas pegadas da deusa.
Os renomados navegadores não o perceberam
atravessar a cidade. Atena, divindade severa, não   40
o consentiu. Ela o queria de coração. Envolveu-o
em neblina densa. Odisseu viu portos e barcos
céleres. De espantar! Viu praças onde se reuniam
os heróis. De espanto em espanto observou
muralhas imponentes, solidamente alicerçadas.   45
Seus passos se detiveram diante do muito falado
palácio. Quem aí quebrou o silêncio foi Atena:
"Meu Senhor, a casa que querias ver é esta.
Encontrarás inúmeros reis, protegidos de Zeus,
reunidos em torno da mesa. Não há razão para   50
entrares de coração abalado. Os decididos saem
bem em todas as empresas, ainda que venham de
longe. Ao entrares na sala, encontrarás a rainha.
Guarda o nome, ela se chama Arete, e é da
linhagem de Alcínoo. Posidon, o Abala-Terra,   55
gerou primeiro Nausítoo e Peribeia, sublime
em reuniões femininas. É, de longe, a mais bem-
dotada das filhas de Eurimedonte, o homem dos
grandes projetos, rei outrora entre altivos gigantes,
mas ele levou seu povo e a si mesmo à destruição.   60
Unindo-se a Peribeia, Posidon gerou Nausítoo,
Este foi o pai de Rexenor e de Alcínoo. Rexenor
não teve filho homem, morreu recém-casado,
fulminado por uma das prateadas flechas de
Apolo. Deixou no palácio uma única filha, Arete.   65
Alcínoo tomou-a por mulher e a honrou como
nunca ninguém honrou outra na face da terra, de
quantas sob o governo de homens administram
a casa. Afetuosamente respeitada por seu esposo,
ela vive com seus filhos e com Alcínoo. O povo   70
lhe tributa homenagem e a aclama com palavras

δειδέχαται μύθοισιν, ὅτε στείχησ' ἀνὰ ἄστυ.
οὐ μὲν γάρ τι νόου γε καὶ αὐτὴ δεύεται ἐσθλοῦ·
ᾗσι τ' ἐῢ φρονέῃσι καὶ ἀνδράσι νείκεα λύει.
εἴ κέν τοι κείνη γε φίλα φρονέῃσ' ἐνὶ θυμῷ, 75
ἐλπωρή τοι ἔπειτα φίλους τ' ἰδέειν καὶ ἱκέσθαι
οἶκον ἐς ὑψόροφον καὶ σὴν ἐς πατρίδα γαῖαν."
ὣς ἄρα φωνήσασ' ἀπέβη γλαυκῶπις Ἀθήνη
πόντον ἐπ' ἀτρύγετον, λίπε δὲ Σχερίην ἐρατεινήν,
ἵκετο δ' ἐς Μαραθῶνα καὶ εὐρυάγυιαν Ἀθήνην, 80
δῦνε δ' Ἐρεχθῆος πυκινὸν δόμον. αὐτὰρ Ὀδυσσεὺς
Ἀλκινόου πρὸς δώματ' ἴε κλυτά· πολλὰ δέ οἱ κῆρ
ὥρμαιν' ἱσταμένῳ, πρὶν χάλκεον οὐδὸν ἱκέσθαι.
ὥς τε γὰρ ἠελίου αἴγλη πέλεν ἠὲ σελήνης
δῶμα καθ' ὑψερεφὲς μεγαλήτορος Ἀλκινόοιο. 85
χάλκεοι μὲν γὰρ τοῖχοι ἐληλέδατ' ἔνθα καὶ ἔνθα,
ἐς μυχὸν ἐξ οὐδοῦ, περὶ δὲ θριγκὸς κυάνοιο·
χρύσειαι δὲ θύραι πυκινὸν δόμον ἐντὸς ἔεργον·
σταθμοὶ δ' ἀργύρεοι ἐν χαλκέῳ ἕστασαν οὐδῷ,
ἀργύρεον δ' ἐφ' ὑπερθύριον, χρυσέη δὲ κορώνη. 90
χρύσειοι δ' ἑκάτερθε καὶ ἀργύρεοι κύνες ἦσαν,
οὓς Ἥφαιστος ἔτευξεν ἰδυίῃσι πραπίδεσσι
δῶμα φυλασσέμεναι μεγαλήτορος Ἀλκινόοιο,
ἀθανάτους ὄντας καὶ ἀγήρως ἤματα πάντα.
ἐν δὲ θρόνοι περὶ τοῖχον ἐρηρέδατ' ἔνθα καὶ ἔνθα, 95
ἐς μυχὸν ἐξ οὐδοῖο διαμπερές, ἔνθ' ἐνὶ πέπλοι
λεπτοὶ ἐΰννητοι βεβλήατο, ἔργα γυναικῶν.
ἔνθα δὲ Φαιήκων ἡγήτορες ἑδριόωντο
πίνοντες καὶ ἔδοντες· ἐπηετανὸν γὰρ ἔχεσκον.
χρύσειοι δ' ἄρα κοῦροι ἐϋδμήτων ἐπὶ βωμῶν 100
ἕστασαν αἰθομένας δαΐδας μετὰ χερσὶν ἔχοντες,
φαίνοντες νύκτας κατὰ δώματα δαιτυμόνεσσι.
πεντήκοντα δέ οἱ δμωαὶ κατὰ δῶμα γυναῖκες
αἱ μὲν ἀλετρεύουσι μύλῃς ἔπι μήλοπα καρπόν,
αἱ δ' ἱστοὺς ὑφόωσι καὶ ἠλάκατα στρωφῶσιν 105
ἥμεναι, οἷά τε φύλλα μακεδνῆς αἰγείροιο·
καιρουσσέων δ' ὀθονέων ἀπολείβεται ὑγρὸν ἔλαιον.
ὅσσον Φαίηκες περὶ πάντων ἴδριες ἀνδρῶν

entusiásticas quando aparece na cidade.
Conhecida pelo seu bom-senso, concilia mulheres,
conhecidas suas. Resolve até conflitos de homens.
Se conquistares o coração da rainha, cresce a 75
esperança de reveres os que amas, tua casa e a
terra em que viste a luz do dia." Falando assim,
sumiram os olhos reflexivos de Atena. Pairando
sobre o mar, deixou Esquéria em direção a
Maratona e aos largos caminhos de Atenas, 80
onde se ergue o fortificado palácio de Erecteu.
Odisseu prosseguiu a marcha rumo ao palácio.
Batia-lhe o coração quando pousou o pé na
soleira de bronze. O brilho em torno da casa de
Alcínoo lembrava raios do sol e da lua. Bronze 85
revestia as paredes de ponta a ponta. No alto
corria um friso de pedras azuladas. Portas
guarnecidas de ouro cerravam o palácio. Colunas
de prata em piso de bronze sustentavam
a arquitrave prateada. De ouro era a cornija. 90
A porta era ladeada por cachorros feitos de ouro
– obra de Hefesto –, vigias do palácio do afável
Alcínoo. O artista os produzira para durarem
sempre sem serem molestados pelo peso dos anos.
Ao longo da parede enfileiravam-se poltronas, 95
de uma extremidade a outra, cobertas de tapetes
finíssimos, obra incomparável de mãos femininas.
Ali o rei se reunia com a nobreza feácea, oferecia-
lhes comida e bebida o ano inteiro. Áureas
estátuas de jovens ocupavam os altares. Eretos, 100
empunhavam tochas brilhantes, iluminavam
a noite dos convidados aos banquetes palacianos.
O palácio contava com o serviço de cinquenta
escravas. Umas trituravam espigas douradas,
outras produziam os panos. Moviam-se compactas 105
como a folhagem dos choupos. Pingavam gotas
de óleo do linho cuidadosamente tecido. Enquanto
os feáceos percorriam habilidosos os mares,

νῆα θοὴν ἐνὶ πόντῳ ἐλαυνέμεν, ὡς δὲ γυναῖκες
ἱστῶν τεχνῆσσαι· πέρι γάρ σφισι δῶκεν Ἀθήνη   110
ἔργα τ' ἐπίστασθαι περικαλλέα καὶ φρένας ἐσθλάς.
ἔκτοσθεν δ' αὐλῆς μέγας ὄρχατος ἄγχι θυράων
τετράγυος· περὶ δ' ἕρκος ἐλήλαται ἀμφοτέρωθεν.
ἔνθα δὲ δένδρεα μακρὰ πεφύκασι τηλεθόωντα,
ὄγχναι καὶ ῥοιαὶ καὶ μηλέαι ἀγλαόκαρποι   115
συκέαι τε γλυκεραὶ καὶ ἐλαῖαι τηλεθώοσαι.
τάων οὔ ποτε καρπὸς ἀπόλλυται οὐδ' ἀπολείπει
χείματος οὐδὲ θέρευς, ἐπετήσιος· ἀλλὰ μάλ' αἰεὶ
Ζεφυρίη πνείουσα τὰ μὲν φύει, ἄλλα δὲ πέσσει.
ὄγχνη ἐπ' ὄγχνῃ γηράσκει, μῆλον δ' ἐπὶ μήλῳ,   120
αὐτὰρ ἐπὶ σταφυλῇ σταφυλή, σῦκον δ' ἐπὶ σύκῳ.
ἔνθα δέ οἱ πολύκαρπος ἀλωὴ ἐρρίζωται,
τῆς ἕτερον μὲν θειλόπεδον λευρῷ ἐνὶ χώρῳ
τέρσεται ἠελίῳ, ἑτέρας δ' ἄρα τε τρυγόωσιν,
ἄλλας δὲ τραπέουσι· πάροιθε δέ τ' ὄμφακές εἰσιν   125
ἄνθος ἀφιεῖσαι, ἕτεραι δ' ὑποπερκάζουσιν.
ἔνθα δὲ κοσμηταὶ πρασιαὶ παρὰ νείατον ὄρχον
παντοῖαι πεφύασιν, ἐπηετανὸν γανόωσαι·
ἐν δὲ δύω κρῆναι ἡ μέν τ' ἀνὰ κῆπον ἅπαντα
σκίδναται, ἡ δ' ἑτέρωθεν ὑπ' αὐλῆς οὐδὸν ἵησι   130
πρὸς δόμον ὑψηλόν, ὅθεν ὑδρεύοντο πολῖται.
τοῖ' ἄρ' ἐν Ἀλκινόοιο θεῶν ἔσαν ἀγλαὰ δῶρα.
ἔνθα στὰς θηεῖτο πολύτλας δῖος Ὀδυσσεύς.
αὐτὰρ ἐπεὶ δὴ πάντα ἑῷ θηήσατο θυμῷ,
καρπαλίμως ὑπὲρ οὐδὸν ἐβήσετο δώματος εἴσω.   135
εὗρε δὲ Φαιήκων ἡγήτορας ἠδὲ μέδοντας
σπένδοντας δεπάεσσιν ἐυσκόπῳ ἀργεϊφόντῃ,
ᾧ πυμάτῳ σπένδεσκον, ὅτε μνησαίατο κοίτου.
αὐτὰρ ὁ βῆ διὰ δῶμα πολύτλας δῖος Ὀδυσσεὺς
πολλὴν ἠέρ' ἔων, ἥν οἱ περίχευεν Ἀθήνη,   140
ὄφρ' ἵκετ' Ἀρήτην τε καὶ Ἀλκίνοον βασιλῆα.
ἀμφὶ δ' ἄρ' Ἀρήτης βάλε γούνασι χεῖρας Ὀδυσσεύς,
καὶ τότε δή ῥ' αὐτοῖο πάλιν χύτο θέσφατος ἀήρ.
οἱ δ' ἄνεῳ ἐγένοντο, δόμον κάτα φῶτα ἰδόντες·
θαύμαζον δ' ὁρόωντες. ὁ δὲ λιτάνευεν Ὀδυσσεύς·   145

embarcados em naus velozes, as mulheres navegam
com perícia pela tecedura, assistidas por Palas, 110
de quem vêm projetos brilhantes e obras admiráveis.
Fora do pátio, abre-se um vasto jardim, de quatro
jeiras, bem perto dos portões, cercado de sebes.
Cultivam-se nele, em abundância, árvores viçosas:
pereiras, romeiras, macieiras. Os frutos esplendem. 115
Doces arredondam-se os figos, olivas verdejam.
Aí as frutas jamais escasseiam, abundam tanto no
inverno como na estação quente, sobejam ao longo
do ano. Ao sopro do zéfiro, crescem, maduram.
Avolumam-se peras e peras, maçãs e mais maçãs. 120
Uvas vão, uvas vêm; fenecem figos, figos fulguram.
Raízes enriquecem a planície. Numa extremidade,
abundantes secam os bagos suculentos, ao brilho do
sol; na outra segue a colheita, perto escorre o suco
ao impacto dos pés. Mais adiante cepas encetam 125
rebentos, a espaços uvas negrejam. Junto às últimas
carreiras verdejam canteiros com toda sorte de
verduras, o ano inteiro. Nas imediações borbulham
duas fontes, uma irriga a horta, a outra, passando
por baixo do pátio, atinge o imponente palácio. 130
Desta se abastece a cidade. Quanto a dádivas
divinas, Alcínoo não tem queixas. O espanto
imobilizou o paciente e divino Odisseu.
Despertando da fascinação do espetáculo, o herói
transpôs o vestíbulo e entrou no palácio no 135
momento em que os dirigentes e conselheiros
faziam libações a Hermes, o luminoso. Era
a última cerimônia do dia antes do repouso
noturno. Odisseu, ainda protegido pela névoa
de Atena, atravessou a sala imperturbável para 140
alcançar Arete, acompanhada de seu esposo.
Quando Odisseu envolveu os joelhos da rainha,
desfez-se a nuvem, proteção divina. O silêncio
foi geral. Havia um estranho no palácio para
surpresa de todos. Suplicou Odisseu: "Filha do 145

"Ἀρήτη, θύγατερ Ῥηξήνορος ἀντιθέοιο,
σόν τε πόσιν σά τε γούναθ' ἱκάνω πολλὰ μογήσας
τούσδε τε δαιτυμόνας: τοῖσιν θεοὶ ὄλβια δοῖεν
ζωέμεναι, καὶ παισὶν ἐπιτρέψειεν ἕκαστος
κτήματ' ἐνὶ μεγάροισι γέρας θ' ὅ τι δῆμος ἔδωκεν: 150
αὐτὰρ ἐμοὶ πομπὴν ὀτρύνετε πατρίδ' ἱκέσθαι
θᾶσσον, ἐπεὶ δὴ δηθὰ φίλων ἄπο πήματα πάσχω."
ὣς εἰπὼν κατ' ἄρ' ἕζετ' ἐπ' ἐσχάρῃ ἐν κονίῃσιν
πὰρ πυρί: οἱ δ' ἄρα πάντες ἀκὴν ἐγένοντο σιωπῇ.
ὀψὲ δὲ δὴ μετέειπε γέρων ἥρως Ἐχένηος,   155
ὃς δὴ Φαιήκων ἀνδρῶν προγενέστερος ἦεν
καὶ μύθοισι κέκαστο, παλαιά τε πολλά τε εἰδώς:
ὅ σφιν ἐὺ φρονέων ἀγορήσατο καὶ μετέειπεν:
"Ἀλκίνο', οὐ μέν τοι τόδε κάλλιον, οὐδὲ ἔοικε,
ξεῖνον μὲν χαμαὶ ἧσθαι ἐπ' ἐσχάρῃ ἐν κονίῃσιν,   160
οἵδε δὲ σὸν μῦθον ποτιδέγμενοι ἰσχανόωνται.
ἀλλ' ἄγε δὴ ξεῖνον μὲν ἐπὶ θρόνου ἀργυροήλου
εἷσον ἀναστήσας, σὺ δὲ κηρύκεσσι κέλευσον
οἶνον ἐπικρῆσαι, ἵνα καὶ Διὶ τερπικεραύνῳ
σπείσομεν, ὅς θ' ἱκέτῃσιν ἅμ' αἰδοίοισιν ὀπηδεῖ: 165
δόρπον δὲ ξείνῳ ταμίη δότω ἔνδον ἐόντων."

αὐτὰρ ἐπεὶ τό γ' ἄκουσ' ἱερὸν μένος Ἀλκινόοιο,
χειρὸς ἑλὼν Ὀδυσῆα δαΐφρονα ποικιλομήτην
ὦρσεν ἀπ' ἐσχαρόφιν καὶ ἐπὶ θρόνου εἷσε φαεινοῦ,
υἱὸν ἀναστήσας ἀγαπήνορα Λαοδάμαντα,   170
ὅς οἱ πλησίον ἷζε, μάλιστα δέ μιν φιλέεσκεν.
χέρνιβα δ' ἀμφίπολος προχόῳ ἐπέχευε φέρουσα
καλῇ χρυσείῃ ὑπὲρ ἀργυρέοιο λέβητος,
νίψασθαι: παρὰ δὲ ξεστὴν ἐτάνυσσε τράπεζαν.
σῖτον δ' αἰδοίη ταμίη παρέθηκε φέρουσα,   175
εἴδατα πόλλ' ἐπιθεῖσα, χαριζομένη παρεόντων.
αὐτὰρ ὁ πῖνε καὶ ἦσθε πολύτλας δῖος Ὀδυσσεύς.
καὶ τότε κήρυκα προσέφη μένος Ἀλκινόοιο:
"Ποντόνοε, κρητῆρα κερασσάμενος μέθυ νεῖμον
πᾶσιν ἀνὰ μέγαρον, ἵνα καὶ Διὶ τερπικεραύνῳ   180

sobre-humano Rexenor, digníssima Arete, sofri
muito. A teus pés, apresento-me a teu esposo e a
todos os convivas. Que os deuses vos sejam
propícios! Desejo que vossos bens e as dádivas
do povo enriqueçam vossos filhos. Rogo meios 150
para voltar, o mais depressa possível. Há quanto
tempo estou longe dos meus? Não aguento mais."
Com essas palavras sentou-se nas cinzas junto à
lareira. Todos calados. Ninguém quebrou o silêncio.
Depois de muito tempo, ouviu-se a voz de Equeneu, 155
avançado em anos, o mais antigo dos feáceos,
versado em mitos, o legado antigo lhe era familiar.
Como se discursasse na assembleia, declarou:
"Alcínoo, não considero decente admitir que um
estrangeiro permaneça sentado no chão, na cinza. 160
Os teus aguardam calados tua orientação. Anima-te!
Levanta o estrangeiro. Oferece-lhe uma poltrona
ornada de prata. Que teus arautos lhe preparem
vinho! É hora de libar ao Zeus fulminador, protetor
de todos os que respeitosos rogam abrigo. 165
Por que a responsável não lhe prepara já a mesa?"

O rei, ao perceber a força dessas palavras,
estendeu a mão ao Odisseu das rápidas decisões.
Erguendo-o da cinza, dirigiu-o a um assento bem
próximo de si. Ordenou que Laodamante, guapo 170
filho seu, lhe cedesse esse lugar de alta distinção.
Apresentou-se uma donzela com água lustral
numa jarra de ouro para a purificação ritual das
mãos em bacia de prata. Veio a mesa polida. A
serviçal bem-orientada apresentou-lhe variedade 175
de pães e de seletas iguarias, o que havia de melhor.
O experimentado Odisseu serviu-se de tudo. Com
autoridade real, dirigiu-se Alcínoo ao arauto:
"Pontônoo, prepara vinho e o oferece a todos.
Chegou o momento de homenagearmos Zeus 180

σπείσομεν, ὅς θ' ἱκέτῃσιν ἅμ' αἰδοίοισιν ὀπηδεῖ."
ὣς φάτο, Ποντόνοος δὲ μελίφρονα οἶνον ἐκίρνα,
νώμησεν δ' ἄρα πᾶσιν ἐπαρξάμενος δεπάεσσιν.
αὐτὰρ ἐπεὶ σπεῖσάν τ' ἔπιόν θ', ὅσον ἤθελε θυμός,
τοῖσιν δ' Ἀλκίνοος ἀγορήσατο καὶ μετέειπε: 185
"κέκλυτε, Φαιήκων ἡγήτορες ἠδὲ μέδοντες
ὄφρ' εἴπω τά με θυμὸς ἐνὶ στήθεσσι κελεύει.
νῦν μὲν δαισάμενοι κατακείετε οἴκαδ' ἰόντες:
ἠῶθεν δὲ γέροντας ἐπὶ πλέονας καλέσαντες
ξεῖνον ἐνὶ μεγάροις ξεινίσσομεν ἠδὲ θεοῖσιν   190
ῥέξομεν ἱερὰ καλά, ἔπειτα δὲ καὶ περὶ πομπῆς
μνησόμεθ', ὥς χ' ὁ ξεῖνος ἄνευθε πόνου καὶ ἀνίης
πομπῇ ὑφ' ἡμετέρῃ ἣν πατρίδα γαῖαν ἵκηται
χαίρων καρπαλίμως, εἰ καὶ μάλα τηλόθεν ἐστί,
μηδέ τι μεσσηγύς γε κακὸν καὶ πῆμα πάθῃσι,   195
πρίν γε τὸν ἧς γαίης ἐπιβήμεναι: ἔνθα δ' ἔπειτα
πείσεται, ἅσσα οἱ αἶσα κατὰ κλῶθές τε βαρεῖαι
γιγνομένῳ νήσαντο λίνῳ, ὅτε μιν τέκε μήτηρ.
εἰ δέ τις ἀθανάτων γε κατ' οὐρανοῦ εἰλήλουθεν,
ἄλλο τι δὴ τόδ' ἔπειτα θεοὶ περιμηχανόωνται.   200
αἰεὶ γὰρ τὸ πάρος γε θεοὶ φαίνονται ἐναργεῖς
ἡμῖν, εὖτ' ἔρδωμεν ἀγακλειτὰς ἑκατόμβας,
δαίνυνταί τε παρ' ἄμμι καθήμενοι ἔνθα περ ἡμεῖς.
εἰ δ' ἄρα τις καὶ μοῦνος ἰὼν ξύμβληται ὁδίτης,
οὔ τι κατακρύπτουσιν, ἐπεί σφισιν ἐγγύθεν εἰμέν,   205
ὥς περ Κύκλωπές τε καὶ ἄγρια φῦλα Γιγάντων."
τὸν δ' ἀπαμειβόμενος προσέφη πολύμητις Ὀδυσσεύς:
"Ἀλκίνο', ἄλλο τί τοι μελέτω φρεσίν: οὐ γὰρ ἐγώ γε
ἀθανάτοισιν ἔοικα, τοὶ οὐρανὸν εὐρὺν ἔχουσιν,
οὐ δέμας οὐδὲ φυήν, ἀλλὰ θνητοῖσι βροτοῖσιν.   210
οὕς τινας ὑμεῖς ἴστε μάλιστ' ὀχέοντας ὀιζὺν
ἀνθρώπων, τοῖσίν κεν ἐν ἄλγεσιν ἰσωσαίμην.
καὶ δ' ἔτι κεν καὶ μᾶλλον ἐγὼ κακὰ μυθησαίμην,
ὅσσα γε δὴ ξύμπαντα θεῶν ἰότητι μόγησα.
ἀλλ' ἐμὲ μὲν δορπῆσαι ἐάσατε κηδόμενόν περ: 215
οὐ γάρ τι στυγερῇ ἐπὶ γαστέρι κύντερον ἄλλο
ἔπλετο, ἥ τ' ἐκέλευσεν ἕο μνήσασθαι ἀνάγκῃ

fulminador, protetor dos que rogam abrigo." A essa
ordem, Pontônoo preparou um jarro de vinho,
uma delícia. Servidos todos, começou a cerimônia.
Feita a libação e provado o vinho ao gosto de cada
um, o rei proferiu estas palavras: "Meus caros 185
guias e conselheiros! Quero transmitir-vos de
coração a coração o que me rola no peito. Já é tarde.
Cada um irá à sua própria residência. Convoco os
anciãos para amanhã de manhã. Conto com todos
para recebermos o estrangeiro com sacrifícios aos 190
imortais e para deliberarmos sobre seu regresso.
Quero que meu convidado chegue à sua terra sem
contratempos com escolta feácea. Desejo-lhe volta
rápida e prazerosa, ainda que viva distante. Quero
evitar quaisquer dissabores, a mais leve sombra de 195
mal no caminho à terra em que nasceu. Lá ele
provará o que o destino, através das sombrias
fiandeiras, lhe proporcionou. Suponhamos
que ele seja um dos imortais, que proceda lá do
céu, nesse caso, diverso é o propósito divino. 200
Deuses costumam visitar-nos declaradamente,
quando lhes oferecemos ricas hecatombes.
Celebram conosco. Se alguém de nós os
encontra, só, no caminho, eles não se ocultam.
Somos vizinhos deles, como também os ciclopes 205
e a rústica raça dos gigantes." Declarou-lhe
o atilado Odisseu: "Alcínoo, não aflijas com
dúvidas tuas entranhas. Não posso vangloriar-me
de semelhanças com imortais assentados no
palácio celestial. Meu corpo e meu aspecto não 210
são celestes. Pertenço a frágeis, a mortais. Iguais
a mim conheceis muitos. Arrasto-me em miséria.
Pertenço aos que sofrem. Sou homem. Desfiaria
males, se vos contasse tudo o que o céu me fez
padecer. Para quê? Deixai-me comer. Esqueço 215
infortúnios. Tenho fome de cão. Minha barriga
é insaciável. Requer minha atenção mesmo

καὶ μάλα τειρόμενον καὶ ἐνὶ φρεσὶ πένθος ἔχοντα,
ὡς καὶ ἐγὼ πένθος μὲν ἔχω φρεσίν, ἡ δὲ μάλ' αἰεὶ
ἐσθέμεναι κέλεται καὶ πινέμεν, ἐκ δέ με πάντων   220
ληθάνει ὅσσ' ἔπαθον, καὶ ἐνιπλησθῆναι ἀνώγει.
ὑμεῖς δ' ὀτρύνεσθαι ἅμ' ἠοῖ φαινομένηφιν,
ὥς κ' ἐμὲ τὸν δύστηνον ἐμῆς ἐπιβήσετε πάτρης
καί περ πολλὰ παθόντα: ἰδόντα με καὶ λίποι αἰὼν
κτῆσιν ἐμήν, δμῶάς τε καὶ ὑψερεφὲς μέγα δῶμα."   225
ὣς ἔφαθ', οἱ δ' ἄρα πάντες ἐπῄνεον ἠδ' ἐκέλευον
πεμπέμεναι τὸν ξεῖνον, ἐπεὶ κατὰ μοῖραν ἔειπεν.
αὐτὰρ ἐπεὶ σπεῖσάν τ' ἔπιον θ' ὅσον ἤθελε θυμός,
οἱ μὲν κακκείοντες ἔβαν οἰκόνδε ἕκαστος,

αὐτὰρ ὁ ἐν μεγάρῳ ὑπελείπετο δῖος Ὀδυσσεύς,   230
πὰρ δέ οἱ Ἀρήτη τε καὶ Ἀλκίνοος θεοειδὴς
ἥσθην: ἀμφίπολοι δ' ἀπεκόσμεον ἔντεα δαιτός.
τοῖσιν δ' Ἀρήτη λευκώλενος ἤρχετο μύθων:
ἔγνω γὰρ φᾶρός τε χιτῶνά τε εἵματ' ἰδοῦσα
καλά, τά ῥ' αὐτὴ τεῦξε σὺν ἀμφιπόλοισι γυναιξί: 235
καί μιν φωνήσασ' ἔπεα πτερόεντα προσηύδα:
"ξεῖνε, τὸ μέν σε πρῶτον ἐγὼν εἰρήσομαι αὐτή:
τίς πόθεν εἰς ἀνδρῶν; τίς τοι τάδε εἵματ' ἔδωκεν;
οὐ δὴ φῇς ἐπὶ πόντον ἀλώμενος ἐνθάδ' ἱκέσθαι;"
τὴν δ' ἀπαμειβόμενος προσέφη πολύμητις Ὀδυσσεύς: 240
"ἀργαλέον, βασίλεια, διηνεκέως ἀγορεῦσαι
κήδε', ἐπεί μοι πολλὰ δόσαν θεοὶ Οὐρανίωνες:
τοῦτο δέ τοι ἐρέω ὅ μ' ἀνείρεαι ἠδὲ μεταλλᾷς.
Ὠγυγίη τις νῆσος ἀπόπροθεν εἰν ἁλὶ κεῖται:
ἔνθα μὲν Ἄτλαντος θυγάτηρ, δολόεσσα Καλυψὼ   245
ναίει ἐυπλόκαμος, δεινὴ θεός: οὐδέ τις αὐτῇ
μίσγεται οὔτε θεῶν οὔτε θνητῶν ἀνθρώπων.
ἀλλ' ἐμὲ τὸν δύστηνον ἐφέστιον ἤγαγε δαίμων
οἶον, ἐπεί μοι νῆα θοὴν ἀργῆτι κεραυνῷ
Ζεὺς ἔλσας ἐκέασσε μέσῳ ἐνὶ οἴνοπι πόντῳ.   250
ἔνθ' ἄλλοι μὲν πάντες ἀπέφθιθεν ἐσθλοὶ ἑταῖροι,
αὐτὰρ ἐγὼ τρόπιν ἀγκὰς ἑλὼν νεὸς ἀμφιελίσσης

quando exausto e atribulado. Não posso negar,
aflições me devastam o peito, mas meu ventre me
manda comer e beber. Ele apaga o que trago na 220
memória. Esqueço o que sofri. Tenho que forrar o
estômago. Por mim, partiria à primeira luz do dia.
Não aguento mais. Cansei de sofrer. Quero minha
terra. Depois de ver minhas propriedades, meus
escravos e minha casa, a vida que se vá." As 225
palavras do herói provocaram concordância total.
Que partisse! O que falara tinha sentido. Findas
as libações, provado o vinho ao gosto de cada um,
retiraram-se para as suas próprias residências.

O divino Odisseu permaneceu no palácio. 230
Arete e Alcínoo, com aspecto de deus, estavam
com ele. As criadas estavam atarefadas em tirar
a mesa. Arete, a rainha dos alvos braços, não se
conteve. Ela reparou a rica vestimenta de Odisseu,
a túnica e o manto. Era trabalho dela e de suas 235
escravas. As palavras dela romperam aladas
o silêncio: "Meu caro hóspede, deves-me, com
certeza, explicações. Quem é tua gente? Quem te
deu esta roupa? Ouvi-te falar que chegaste até aqui,
perdido no mar." Contestou-lhe Odisseu, o grande 240
sofredor: "Excelentíssima rainha, difícil seria
expor-te detalhadamente tudo. Os deuses celestes,
repito, fizeram-me sofrer muito. Do que desejas
saber, permite-me ficar no essencial. Há no mar
uma ilha remota, Ogígia. Lá reina Calipso, filha 245
ardilosa de Atlas, conhecida pelas tranças, é muito
perigosa. Vive sozinha, sem companhia divina nem
humana. Alguém dos celestes fez-me companheiro
dela. Um raio de Zeus partiu minha nau ao meio,
quando eu navegava perdido no mar cor de vinho. 250
Todos os meus companheiros sumiram. Por nove
dias arrastaram-me as ondas, agarrado à quilha da

ἐννῆμαρ φερόμην· δεκάτῃ δέ με νυκτὶ μελαίνῃ
νῆσον ἐς Ὠγυγίην πέλασαν θεοί, ἔνθα Καλυψὼ
ναίει ἐυπλόκαμος, δεινὴ θεός, ἥ με λαβοῦσα   255
ἐνδυκέως ἐφίλει τε καὶ ἔτρεφεν ἠδὲ ἔφασκε
θήσειν ἀθάνατον καὶ ἀγήραον ἤματα πάντα·
ἀλλ' ἐμὸν οὔ ποτε θυμὸν ἐνὶ στήθεσσιν ἔπειθεν.
ἔνθα μὲν ἑπτάετες μένον ἔμπεδον, εἵματα δ' αἰεὶ
δάκρυσι δεύεσκον, τά μοι ἄμβροτα δῶκε Καλυψώ·   260
ἀλλ' ὅτε δὴ ὀγδόατόν μοι ἐπιπλόμενον ἔτος ἦλθεν,
καὶ τότε δή μ' ἐκέλευσεν ἐποτρύνουσα νέεσθαι
Ζηνὸς ὑπ' ἀγγελίης, ἢ καὶ νόος ἐτράπετ' αὐτῆς.
πέμπε δ' ἐπὶ σχεδίης πολυδέσμου, πολλὰ δ' ἔδωκε,
σῖτον καὶ μέθυ ἡδύ, καὶ ἄμβροτα εἵματα ἕσσεν,   265
οὖρον δὲ προέηκεν ἀπήμονά τε λιαρόν τε.
ἑπτὰ δὲ καὶ δέκα μὲν πλέον ἤματα ποντοπορεύων,
ὀκτωκαιδεκάτῃ δ' ἐφάνη ὄρεα σκιόεντα
γαίης ὑμετέρης, γήθησε δέ μοι φίλον ἦτορ
δυσμόρῳ· ἦ γὰρ ἔμελλον ἔτι ξυνέσεσθαι ὀιζυῖ   270
πολλῇ, τήν μοι ἐπῶρσε Ποσειδάων ἐνοσίχθων,
ὅς μοι ἐφορμήσας ἀνέμους κατέδησε κέλευθον,
ὤρινεν δὲ θάλασσαν ἀθέσφατον, οὐδέ τι κῦμα
εἴα ἐπὶ σχεδίης ἁδινὰ στενάχοντα φέρεσθαι.
τὴν μὲν ἔπειτα θύελλα διεσκέδασ'· αὐτὰρ ἐγώ γε   275
νηχόμενος τόδε λαῖτμα διέτμαγον, ὄφρα με γαίῃ
ὑμετέρῃ ἐπέλασσε φέρων ἄνεμός τε καὶ ὕδωρ.
ἔνθα κέ μ' ἐκβαίνοντα βιήσατο κῦμ' ἐπὶ χέρσου,
πέτρῃς πρὸς μεγάλῃσι βαλὸν καὶ ἀτερπέι χώρῳ·
ἀλλ' ἀναχασσάμενος νῆχον πάλιν, ἧος ἐπῆλθον   280
ἐς ποταμόν, τῇ δή μοι ἐείσατο χῶρος ἄριστος,
λεῖος πετράων, καὶ ἐπὶ σκέπας ἦν ἀνέμοιο.
ἐκ δ' ἔπεσον θυμηγερέων, ἐπὶ δ' ἀμβροσίη νὺξ
ἤλυθ'· ἐγὼ δ' ἀπάνευθε διιπετέος ποταμοῖο
ἐκβὰς ἐν θάμνοισι κατέδραθον, ἀμφὶ δὲ φύλλα   285
ἠφυσάμην· ὕπνον δὲ θεὸς κατ' ἀπείρονα χεῦεν.
ἔνθα μὲν ἐν φύλλοισι φίλον τετιημένος ἦτορ
εὗδον παννύχιος καὶ ἐπ' ἠῶ καὶ μέσον ἦμαρ.
δείλετό τ' ἠέλιος καί με γλυκὺς ὕπνος ἀνῆκεν.

nave simétrica. No décimo dia, a noite era escura,
cheguei – os deuses me ajudaram – a Ogígia, morada
de Calipso, deusa tenebrosa, sedutora. Recebeu-me 255
com agrados, tratou-me com ternura, alimentou-me
com promessas de imortalidade e juventude
eternas. No meu peito o coração resistia. Vivi como
prisioneiro por sete longos anos. Eu molhava com
lágrimas as vestes imortais que ela me oferecia. Mas 260
na virada do oitavo ano, ela finalmente consentiu
na minha partida, se por ordem de Zeus ou por uma
repentina mudança de sentimentos, eu não sei.
Embarcando numa jangada, eu me despedi dela. Ela
não quis que eu sentisse falta de alimento, de bebida 265
nem de roupa imortal. Um vento sem riscos coroou
as dádivas. Minha viagem pelo mar prolongou-se por
dezoito dias. No décimo oitavo dia, vi as montanhas
sombrias desta vossa terra. Saltou de alegria este meu
coração sem sorte. Muitas penas ainda me estavam 270
reservadas, desencadeadas por Posidon. Atirou
ventos contra mim para meus tormentos. Como
narrar a fúria das águas? Eu gemia de medo. As
ondas me arrancaram da jangada. Pedaços voaram,
carregados pela força da tempestade. Venci a 275
intempérie a nado até alcançar a costa desta terra,
empurrado pela força das ondas bravias. A procela
ameaçou-me até ao fim. Eu poderia ter sido jogado
contra as rochas do litoral inclemente. Resisti com a
força dos braços. Cheguei à embocadura de um rio. 280
Não poderia esperar nada de melhor, livre, enfim, de
paredes rochosas e ventanias. Exausto desabei na
areia. Quando recuperei os sentidos, a terra se cobria
com o imperecível manto da noite. Deixando o rio de
nascentes celestes, arrastei-me ao bosque. Coberto 285
de folhas, um deus derramou sobre mim um sono sem
fronteiras. De coração aflito, adormeci na ramagem.
Dormindo, varei a noite, a manhã e a metade do dia.
O sol já se punha, quando o sono me deixou. Foi

ἀμφιπόλους δ' ἐπὶ θινὶ τεῇς ἐνόησα θυγατρὸς 290
παιζούσας, ἐν δ' αὐτὴ ἔην εἰκυῖα θεῇσι·
τὴν ἱκέτευσ'· ἡ δ' οὔ τι νοήματος ἤμβροτεν ἐσθλοῦ,
ὡς οὐκ ἂν ἔλποιο νεώτερον ἀντιάσαντα
ἐρξέμεν· αἰεὶ γάρ τε νεώτεροι ἀφραδέουσιν.
ἥ μοι σῖτον ἔδωκεν ἅλις ἠδ' αἴθοπα οἶνον 295
καὶ λοῦσ' ἐν ποταμῷ καί μοι τάδε εἵματ' ἔδωκε.
ταῦτά τοι ἀχνύμενός περ ἀληθείην κατέλεξα."
τὸν δ' αὖτ' Ἀλκίνοος ἀπαμείβετο φώνησέν τε·
"ξεῖν', ἦ τοι μὲν τοῦτό γ' ἐναίσιμον οὐκ ἐνόησε
παῖς ἐμή, οὕνεκά σ' οὔ τι μετ' ἀμφιπόλοισι γυναιξὶν 300
ἦγεν ἐς ἡμέτερον, σὺ δ' ἄρα πρώτην ἱκέτευσας."
τὸν δ' ἀπαμειβόμενος προσέφη πολύμητις Ὀδυσσεύς·
"ἥρως, μή τοι τοὔνεκ' ἀμύμονα νείκεε κούρην·
ἡ μὲν γάρ μ' ἐκέλευε σὺν ἀμφιπόλοισιν ἕπεσθαι,
ἀλλ' ἐγὼ οὐκ ἔθελον δείσας αἰσχυνόμενός τε, 305
μή πως καὶ σοὶ θυμὸς ἐπισκύσσαιτο ἰδόντι·
δύσζηλοι γάρ τ' εἰμὲν ἐπὶ χθονὶ φῦλ' ἀνθρώπων."
τὸν δ' αὖτ' Ἀλκίνοος ἀπαμείβετο φώνησέν τε·
"ξεῖν', οὔ μοι τοιοῦτον ἐνὶ στήθεσσι φίλον κῆρ
μαψιδίως κεχολῶσθαι· ἀμείνω δ' αἴσιμα πάντα. 310
αἲ γάρ, Ζεῦ τε πάτερ καὶ Ἀθηναίη καὶ Ἄπολλον,
τοῖος ἐὼν οἷός ἐσσι, τά τε φρονέων ἅ τ' ἐγώ περ,
παῖδά τ' ἐμὴν ἐχέμεν καὶ ἐμὸς γαμβρὸς καλέεσθαι
αὖθι μένων· οἶκον δέ κ' ἐγὼ καὶ κτήματα δοίην,
εἴ κ' ἐθέλων γε μένοις· ἀέκοντα δέ σ' οὔ τις ἐρύξει 315
Φαιήκων· μὴ τοῦτο φίλον Διὶ πατρὶ γένοιτο.
πομπὴν δ' ἐς τόδ' ἐγὼ τεκμαίρομαι, ὄφρ' ἐὺ εἰδῇς,
αὔριον ἔς· τῆμος δὲ σὺ μὲν δεδμημένος ὕπνῳ
λέξεαι, οἱ δ' ἐλόωσι γαλήνην, ὄφρ' ἂν ἵκηαι
πατρίδα σὴν καὶ δῶμα, καὶ εἴ πού τοι φίλον ἐστίν, 320
εἴ περ καὶ μάλα πολλὸν ἑκαστέρω ἔστ' Εὐβοίης,
τήν περ τηλοτάτω φάσ' ἔμμεναι, οἵ μιν ἴδοντο
λαῶν ἡμετέρων, ὅτε τε ξανθὸν Ῥαδάμανθυν
ἦγον ἐποψόμενον Τιτυὸν Γαιήιον υἱόν.
καὶ μὲν οἱ ἔνθ' ἦλθον καὶ ἄτερ καμάτοιο τέλεσσαν 325
ἤματι τῷ αὐτῷ καὶ ἀπήνυσαν οἴκαδ' ὀπίσσω.

Então que percebi os folguedos de tua filha e de tuas 290
criadas. Ela se movia entre as demais com porte de
deusa. Pedi-lhe ajuda. Ela tomou a decisão adequada,
o que é surpreendente. Moços desmiolados há muitos.
Jamais encontrarias jovem que agisse com mais juízo.
Ofereceu-me uma refeição regada a vinho. Propiciou- 295
me um banho no rio e ofereceu-me esta roupa. Esta
é a verdade. Tudo aconteceu como digo." Tomando
a palavra, dirigiu-se a ele o próprio rei: "Meu caro,
o procedimento da minha filha não foi correto. Ela
chegou em casa acompanhada das escravas e não te 300
trouxe consigo, embora lhe tivesses pedido ajuda."
A essa repreensão, reagiu cavalheirescamente Odisseu:
"Majestade, a princesa não merece incriminação. Ela
recomendou que eu a acompanhasse com as servas.
A cautela foi minha. Eu temia que reprovasses 305
minha presença no séquito dela. Eu poderia provocar
melindres. Nós, terrestres, somos muito sensíveis."
O rei respondeu-lhe afetuosamente: "Caríssimo, sabe
que meus sentimentos não se perturbam sem fortes
motivos. Ponderação é o melhor. Eu gostaria, por 310
Zeus Pai, por Atena, por Apolo, que alguém com tua
sensibilidade, que é também a minha, escolhesse
minha filha por esposa para ser meu genro. Eu te daria
casas, te daria propriedades, se tu resolvesses ficar
aqui. Se, no entanto, decidires o contrário, nenhum dos 315
feáceos te deterá. Zeus não o aprovaria. Determino
com precisão teu retorno. Para te tranquilizar, será
amanhã. Não quero que preocupações perturbem
teu sono. Meus marinheiros te conduzirão por águas
calmas. Voltarás à tua pátria, tua casa, o que mais 320
prezas, mesmo que teus domínios fiquem além de
Eubeia, o território mais distante, segundo remeiros
de minha confiança. Levaram Radamântis, desejoso
de ver Tício, filho de Gaia. Foram e voltaram num
só dia. Desembarcaram aqui, executada a tarefa, sem 325
nenhum sinal de cansaço. Na travessia, tu mesmo

εἰδήσεις δὲ καὶ αὐτὸς ἐνὶ φρεσὶν ὅσσον ἄρισται
νῆες ἐμαὶ καὶ κοῦροι ἀναρρίπτειν ἅλα πηδῷ."
ὣς φάτο, γήθησεν δὲ πολύτλας δῖος Ὀδυσσεύς,
εὐχόμενος δ' ἄρα εἶπεν, ἔπος τ' ἔφατ' ἔκ τ' ὀνόμαζεν: 330
"Ζεῦ πάτερ, αἴθ' ὅσα εἶπε τελευτήσειεν ἅπαντα
Ἀλκίνοος: τοῦ μέν κεν ἐπὶ ζείδωρον ἄρουραν
ἄσβεστον κλέος εἴη, ἐγὼ δέ κε πατρίδ' ἱκοίμην."

ὣς οἱ μὲν τοιαῦτα πρὸς ἀλλήλους ἀγόρευον:
κέκλετο δ' Ἀρήτη λευκώλενος ἀμφιπόλοισιν 335
δέμνι' ὑπ' αἰθούσῃ θέμεναι καὶ ῥήγεα καλὰ
πορφύρε' ἐμβαλέειν, στορέσαι τ' ἐφύπερθε τάπητας
χλαίνας τ' ἐνθέμεναι οὔλας καθύπερθεν ἕσασθαι.
αἱ δ' ἴσαν ἐκ μεγάροιο δάος μετὰ χερσὶν ἔχουσαι:
αὐτὰρ ἐπεὶ στόρεσαν πυκινὸν λέχος ἐγκονέουσαι, 340
ὤτρυνον δ' Ὀδυσῆα παριστάμεναι ἐπέεσσιν:
"ὄρσο κέων, ὦ ξεῖνε: πεποίηται δέ τοι εὐνή."
ὣς φάν, τῷ δ' ἀσπαστὸν ἐείσατο κοιμηθῆναι.
ὣς ὁ μὲν ἔνθα καθεῦδε πολύτλας δῖος Ὀδυσσεὺς
τρητοῖς ἐν λεχέεσσιν ὑπ' αἰθούσῃ ἐριδούπῳ: 345
Ἀλκίνοος δ' ἄρα λέκτο μυχῷ δόμου ὑψηλοῖο,
πὰρ δὲ γυνὴ δέσποινα λέχος πόρσυνε καὶ εὐνήν.

vais experimentar a qualidade dos meus navios e a
habilidade dos meus remeiros." A declaração
do rei alegrou o sofrido coração do divino Odisseu.
O rei ouviu, então, estas palavras suplicantes: 330
"Zeus Pai, rogo-te que se cumpra tudo o que Alcínoo
disse. Grande seja o renome dele na superfície
do solo fecundo e que eu, enfim, reveja minha terra!"

Enquanto os dois trocavam essas palavras, a rainha
dos alvos braços dava instruções às mulheres que a 335
serviam: que lhe armassem o leito sob o pórtico com
os melhores travesseiros, os de púrpura. Mandou
trazer tapetes e cobertores de lã para envolver o
corpo. Deixaram a sala empunhando tochas para
iluminar o caminho. Preparado o leito aconchegante, 340
aproximaram-se de Odisseu com palavras afáveis:
"Preparado está o leito, senhor, para o repouso".
Depois de tantos trabalhos, grato lhe soou o convite.
Repousa, enfim, de seus muitos sofrimentos o divino
Odisseu num leito confortável em sala ressonante. 345
Recolhe-se Alcínoo aos seus aposentos no alto.
A seu lado acomoda-se a senhora, esposa do rei.

ΟΔΥΣΣΕΙΑΣ Θ

ἦμος δ' ἠριγένεια φάνη ῥοδοδάκτυλος Ἠώς,
ὤρνυτ' ἄρ' ἐξ εὐνῆς ἱερὸν μένος Ἀλκινόοιο,
ἂν δ' ἄρα διογενὴς ὦρτο πτολίπορθος Ὀδυσσεύς.
τοῖσιν δ' ἡγεμόνευ' ἱερὸν μένος Ἀλκινόοιο
Φαιήκων ἀγορήνδ', ἥ σφιν παρὰ νηυσὶ τέτυκτο.   05
ἐλθόντες δὲ καθῖζον ἐπὶ ξεστοῖσι λίθοισι
πλησίον. ἡ δ' ἀνὰ ἄστυ μετῴχετο Παλλὰς Ἀθήνη
εἰδομένη κήρυκι δαΐφρονος Ἀλκινόοιο,
νόστον Ὀδυσσῆι μεγαλήτορι μητιόωσα,
καί ῥα ἑκάστῳ φωτὶ παρισταμένη φάτο μῦθον: 10
"δεῦτ' ἄγε, Φαιήκων ἡγήτορες ἠδὲ μέδοντες,
εἰς ἀγορὴν ἰέναι, ὄφρα ξείνοιο πύθησθε,
ὃς νέον Ἀλκινόοιο δαΐφρονος ἵκετο δῶμα
πόντον ἐπιπλαγχθείς, δέμας ἀθανάτοισιν ὁμοῖος."
ὣς εἰποῦσ' ὤτρυνε μένος καὶ θυμὸν ἑκάστου.   15
καρπαλίμως δ' ἔμπληντο βροτῶν ἀγοραί τε καὶ ἕδραι
ἀγρομένων: πολλοὶ δ' ἄρ' ἐθηήσαντο ἰδόντες
υἱὸν Λαέρταο δαΐφρονα: τῷ δ' ἄρ' Ἀθήνη
θεσπεσίην κατέχευε χάριν κεφαλῇ τε καὶ ὤμοις
καί μιν μακρότερον καὶ πάσσονα θῆκεν ἰδέσθαι,   20
ὥς κεν Φαιήκεσσι φίλος πάντεσσι γένοιτο
δεινός τ' αἰδοῖός τε καὶ ἐκτελέσειεν ἀέθλους
πολλούς, τοὺς Φαίηκες ἐπειρήσαντ' Ὀδυσῆος.
αὐτὰρ ἐπεί ῥ' ἤγερθεν ὁμηγερέες τ' ἐγένοντο,
τοῖσιν δ' Ἀλκίνοος ἀγορήσατο καὶ μετέειπε: 25
"κέκλυτε, Φαιήκων ἡγήτορες ἠδὲ μέδοντες,
ὄφρ' εἴπω τά με θυμὸς ἐνὶ στήθεσσι κελεύει.
ξεῖνος ὅδ', οὐκ οἶδ' ὅς τις, ἀλώμενος ἵκετ' ἐμὸν δῶ,
ἠὲ πρὸς ἠοίων ἦ ἑσπερίων ἀνθρώπων:
πομπὴν δ' ὀτρύνει, καὶ λίσσεται ἔμπεδον εἶναι.   30
ἡμεῖς δ', ὡς τὸ πάρος περ, ἐποτρυνώμεθα πομπήν.
οὐδὲ γὰρ οὐδέ τις ἄλλος, ὅτις κ' ἐμὰ δώμαθ' ἵκηται,
ἐνθάδ' ὀδυρόμενος δηρὸν μένει εἵνεκα πομπῆς.
ἀλλ' ἄγε νῆα μέλαιναν ἐρύσσομεν εἰς ἅλα δῖαν

Canto 8

Quando a Aurora levantou os róseos dedos, a força
restaurada de Alcínoo ergueu-o do leito. Ergueu-se
também banhado de divino esplendor o Arrasa-
Cidades, Odisseu. Ambos foram à assembleia dos
feáceos. A autoridade de Alcínoo abria caminho ao   05
longo das naus. Chegados à reunião, tomaram juntos
assento em pedras polidas. Na forma de arauto do
rei, Palas Atena percorria as ruas da cidade.
Pensando nos planos para o regresso de Odisseu,
dirigiu-se pessoalmente a cada um dos nobres: 10
"Chefes e conselheiros feáceos, o rei vos convoca
para uma assembleia urgente. Como sabeis, às portas
do palácio do nosso sábio rei um estrangeiro bateu
há pouco. As agruras da viagem em nada lhe afetaram
o brilho divino." As palavras da deusa inflamaram o   15
ardor e o desejo de cada um. Lotou-se o espaço. Os
convocados tomaram assento. O porte do sábio filho
de Laertes enchia de admiração olhares espantados.
Cabeça e ombros esplendiam ao toque dos dedos
graciosos de Atena. Maior e mais robusto erguia-se   20
entre todos o corpo de Odisseu. A imagem dele
deveria impressionar todos os feáceos, admirado,
respeitado, capaz de destacar-se em todas as provas
a que os feáceos viessem a submetê-lo. Encontrando-
se todos reunidos, Alcínoo dirigiu-lhes a palavra: 25
"Caros feáceos, dirigentes e conselheiros do meu
reino, prestai atenção às minhas deliberações.
Este estrangeiro, ainda não sei quem seja, eu nem
saberia informar donde veio, se do oriente ou do
ocidente, roga-me providências e garantias de   30
regresso. Obedecendo a nossos costumes, penso
que devemos atendê-lo. De quantos me procuram,
ninguém se cansa de esperar aflito garantia de
auxílio. Vamos, lancemos uma nau negra ao divino

πρωτόπλοον, κούρω δὲ δύω καὶ πεντήκοντα 35
κρινάσθων κατὰ δῆμον, ὅσοι πάρος εἰσὶν ἄριστοι.
δησάμενοι δ' εὖ πάντες ἐπὶ κληῖσιν ἐρετμὰ
ἔκβητ': αὐτὰρ ἔπειτα θοὴν ἀλεγύνετε δαῖτα
ἡμέτερόνδ' ἐλθόντες: ἐγὼ δ' εὖ πᾶσι παρέξω.
κούροισιν μὲν ταῦτ' ἐπιτέλλομαι: αὐτὰρ οἱ ἄλλοι 40
σκηπτοῦχοι βασιλῆες ἐμὰ πρὸς δώματα καλὰ
ἔρχεσθ', ὄφρα ξεῖνον ἐνὶ μεγάροισι φιλέωμεν,
μηδέ τις ἀρνείσθω. καλέσασθε δὲ θεῖον ἀοιδὸν
Δημόδοκον: τῷ γάρ ῥα θεὸς πέρι δῶκεν ἀοιδὴν
τέρπειν, ὅππῃ θυμὸς ἐποτρύνῃσιν ἀείδειν." 45

ὣς ἄρα φωνήσας ἡγήσατο, τοὶ δ' ἅμ' ἕποντο
σκηπτοῦχοι: κῆρυξ δὲ μετῴχετο θεῖον ἀοιδόν.
κούρω δὲ κρινθέντε δύω καὶ πεντήκοντα
βήτην, ὡς ἐκέλευσ', ἐπὶ θῖν' ἁλὸς ἀτρυγέτοιο.
αὐτὰρ ἐπεί ῥ' ἐπὶ νῆα κατήλυθον ἠδὲ θάλασσαν, 50
νῆα μὲν οἵ γε μέλαιναν ἁλὸς βένθοσδε ἔρυσσαν,
ἐν δ' ἱστόν τ' ἐτίθεντο καὶ ἱστία νηὶ μελαίνῃ,
ἠρτύναντο δ' ἐρετμὰ τροποῖς ἐν δερματίνοισι,
πάντα κατὰ μοῖραν, ἀνά θ' ἱστία λευκὰ πέτασσαν.
ὑψοῦ δ' ἐν νοτίῳ τήν γ' ὥρμισαν: αὐτὰρ ἔπειτα 55
βάν ῥ' ἴμεν Ἀλκινόοιο δαΐφρονος ἐς μέγα δῶμα.
πλῆντο δ' ἄρ' αἴθουσαί τε καὶ ἕρκεα καὶ δόμοι ἀνδρῶν
ἀγρομένων: πολλοὶ δ' ἄρ' ἔσαν, νέοι ἠδὲ παλαιοί.
τοῖσιν δ' Ἀλκίνοος δυοκαίδεκα μῆλ' ἱέρευσεν,
ὀκτὼ δ' ἀργιόδοντας ὗας, δύο δ' εἰλίποδας βοῦς: 60
τοὺς δέρον ἀμφί θ' ἕπον, τετύκοντό τε δαῖτ' ἐρατεινήν.
κῆρυξ δ' ἐγγύθεν ἦλθεν ἄγων ἐρίηρον ἀοιδόν,
τὸν πέρι μοῦσ' ἐφίλησε, δίδου δ' ἀγαθόν τε κακόν τε:
ὀφθαλμῶν μὲν ἄμερσε, δίδου δ' ἡδεῖαν ἀοιδήν.
τῷ δ' ἄρα Ποντόνοος θῆκε θρόνον ἀργυρόηλον 65
μέσσῳ δαιτυμόνων, πρὸς κίονα μακρὸν ἐρείσας:
κὰδ δ' ἐκ πασσαλόφι κρέμασεν φόρμιγγα λίγειαν
αὐτοῦ ὑπὲρ κεφαλῆς καὶ ἐπέφραδε χερσὶν ἑλέσθαι
κῆρυξ: πὰρ δ' ἐτίθει κάνεον καλήν τε τράπεζαν,

mar salgado, nova e sem uso. Escolham-se dois e 35
mais cinquenta entre o povo que, embora jovens, se
distingam na arte de navegar. Logo que tiverdes
atado os remos quero-vos aqui. Preparada a nau,
quero que vos ocupeis do banquete que oferecerei
a todos. Estas são minhas ordens aos jovens. Os 40
demais, os cetrados, quero que me acompanhem
ao palácio. Ofereçamos ao hóspede um banquete de
reis. Não admito 'não'. Demódoco nos deliciará
com voz divina, dom dos deuses. Os impulsos
de seu coração determinarão a rota do canto." 45

Dadas as ordens, ergueu-se o monarca para conduzir
o régio cortejo. Partiu o arauto em busca do divino
cantor. Dirigiram-se às bordas do mar os cinquenta
mais dois escolhidos, obedientes às ordens do rei.
Chegados ao porto e ao mar, puseram-se a trabalhar. 50
Arrastaram a nau para dentro das águas profundas.
A alvura da vela, presa ao mastro, contrastou o negro
da nau. Seguindo determinações precisas, prenderam
os remos com tiras de couro. A alvura da vela fulgurou
no mastro. Baixaram a âncora longe da praia e 55
tomaram o caminho que leva ao palácio de Alcínoo.
As alas, os pátios, as salas abriam-se espaçosos à
multidão dos convivas. Idosos conviviam com jovens.
Doze ovelhas sacrificou Alcínoo, além de oito
suínos de alvos dentes, mais dois bois, lerdos no passo. 60
Aproximou-se o arauto acompanhado do cantor
aplaudido. Enredos tétricos e triunfais infundia-lhe a
Musa. Concedeu-lhe a doçura da voz em troca da luz
dos olhos. Achando-se entre os convivas, Pontônoo
conduziu-o a uma poltrona cujos pregos argênteos 65
luziam junto à grande coluna. Pendurou
a sonora lira num gancho sobre sua cabeça, onde o
cantor podia alcançá-la com a mão. Ao seu lado
ofereceu-lhe um vistoso cestinho de pão, acompanhado

πὰρ δὲ δέπας οἴνοιο, πιεῖν ὅτε θυμὸς ἀνώγοι.   70
οἱ δ' ἐπ' ὀνείαθ' ἑτοῖμα προκείμενα χεῖρας ἴαλλον.
αὐτὰρ ἐπεὶ πόσιος καὶ ἐδητύος ἐξ ἔρον ἕντο,
μοῦσ' ἄρ' ἀοιδὸν ἀνῆκεν ἀειδέμεναι κλέα ἀνδρῶν,
οἴμης τῆς τότ' ἄρα κλέος οὐρανὸν εὐρὺν ἵκανε,
νεῖκος Ὀδυσσῆος καὶ Πηλείδεω Ἀχιλῆος,   75
ὥς ποτε δηρίσαντο θεῶν ἐν δαιτὶ θαλείῃ
ἐκπάγλοις ἐπέεσσιν, ἄναξ δ' ἀνδρῶν Ἀγαμέμνων
χαῖρε νόῳ, ὅ τ' ἄριστοι Ἀχαιῶν δηριόωντο.
ὣς γάρ οἱ χρείων μυθήσατο Φοῖβος Ἀπόλλων
Πυθοῖ ἐν ἠγαθέῃ, ὅθ' ὑπέρβη λάινον οὐδὸν   80
χρησόμενος· τότε γάρ ῥα κυλίνδετο πήματος ἀρχὴ
Τρωσί τε καὶ Δαναοῖσι Διὸς μεγάλου διὰ βουλάς.
ταῦτ' ἄρ' ἀοιδὸς ἄειδε περικλυτός· αὐτὰρ Ὀδυσσεὺς
πορφύρεον μέγα φᾶρος ἑλὼν χερσὶ στιβαρῇσι
κὰκ κεφαλῆς εἴρυσσε, κάλυψε δὲ καλὰ πρόσωπα·   85
αἴδετο γὰρ Φαίηκας ὑπ' ὀφρύσι δάκρυα λείβων.
ἦ τοι ὅτε λήξειεν ἀείδων θεῖος ἀοιδός,
δάκρυ ὀμορξάμενος κεφαλῆς ἄπο φᾶρος ἕλεσκε
καὶ δέπας ἀμφικύπελλον ἑλὼν σπείσασκε θεοῖσι·
αὐτὰρ ὅτ' ἂψ ἄρχοιτο καὶ ὀτρύνειαν ἀείδειν   90
Φαιήκων οἱ ἄριστοι, ἐπεὶ τέρπον τ' ἐπέεσσιν,
ἂψ Ὀδυσεὺς κατὰ κρᾶτα καλυψάμενος γοάσκεν.
ἔνθ' ἄλλους μὲν πάντας ἐλάνθανε δάκρυα λείβων,
Ἀλκίνοος δέ μιν οἶος ἐπεφράσατ' ἠδ' ἐνόησεν
ἥμενος ἄγχ' αὐτοῦ, βαρὺ δὲ στενάχοντος ἄκουσεν.   95
αἶψα δὲ Φαιήκεσσι φιληρέτμοισι μετηύδα·
"κέκλυτε, Φαιήκων ἡγήτορες ἠδὲ μέδοντες.
ἤδη μὲν δαιτὸς κεκορήμεθα θυμὸν ἐίσης
φόρμιγγός θ', ἣ δαιτὶ συνήορός ἐστι θαλείῃ·
νῦν δ' ἐξέλθωμεν καὶ ἀέθλων πειρηθῶμεν   100
πάντων, ὥς χ' ὁ ξεῖνος ἐνίσπῃ οἷσι φίλοισιν
οἴκαδε νοστήσας, ὅσσον περιγιγνόμεθ' ἄλλων
πύξ τε παλαιμοσύνῃ τε καὶ ἅλμασιν ἠδὲ πόδεσσιν."
ὣς ἄρα φωνήσας ἡγήσατο, τοὶ δ' ἅμ' ἕποντο.
κὰδ δ' ἐκ πασσαλόφι κρέμασεν φόρμιγγα λίγειαν,   105
Δημοδόκου δ' ἕλε χεῖρα καὶ ἔξαγεν ἐκ μεγάροιο

de uma jarra de vinho ao gosto do cantor. Os convivas 70
serviram-se das iguarias oferecidas. Concluído o
lauto banquete, apreciado por todos, a Musa incitou
o aedo a cantar os feitos dos heróis, narrativa cuja
ressonância vibra no imenso céu, o conflito em que se
confrontaram Odisseu e Aquiles. Desentenderam-se 75
com palavras ásperas por ocasião de um memorável
banquete dos deuses. O conflito dos mais destacados
entre os aqueus não desagradou Agamênon, o chefe
das tropas, pois isso lhe tinha predito Febo Apolo
ao transpor a soleira do seu templo na sagrada Pito. 80
Começaram aí as aflições que rolaram sobre
troianos e dânaos por decreto do grande Zeus.
Assim desenvolveu-se o canto do famoso aedo.
Mas Odisseu tomou nas mãos robustas um amplo
pano de púrpura para esconder a cabeça e os traços 85
atraentes da face. Apresentar-se aos feáceos com
os olhos úmidos de lágrimas? Constrangia-se.
Silenciada a voz divina do aedo, enxugou o rosto
e retirou o pano que lhe escondia as faces. Tomou
a taça pelas duas alças para fazer oferendas aos 90
deuses. Mas ao recomeçar o canto por insistência
da nobreza feácea, reacenderam-se os gemidos
sob o pano que cobria a cabeça de Odisseu. O herói
conseguiu ocultar as lágrimas a todos, menos a
Alcínoo, sentado a seu lado, pois o pranto o sacudia 95
forte. Falou o soberano aos destros remeiros:
"Dirigentes e conselheiros feáceos, quero vossa
atenção. Enquanto convivíamos, deliciou-nos
a lira. Banquete e canto formam uma unidade.
Convido-vos agora a participar de provas esportivas. 100
Quero que o estrangeiro, quando reencontrar os
seus, diga o quanto excedemos outros no pugilato,
na luta, no salto e na corrida." Com estas palavras,
o rei deixou a mesa, os outros o seguiram. O
arauto pendurou a lira sonora no gancho, tomou 105
o aedo pela mão e o conduziu para fora. Tomou o

κῆρυξ: ἦρχε δὲ τῷ αὐτὴν ὁδὸν ἥν περ οἱ ἄλλοι
Φαιήκων οἱ ἄριστοι, ἀέθλια θαυμανέοντες.

βὰν δ' ἴμεν εἰς ἀγορήν, ἅμα δ' ἕσπετο πουλὺς ὅμιλος,
μυρίοι: ἂν δ' ἵσταντο νέοι πολλοί τε καὶ ἐσθλοί.   110
ὦρτο μὲν Ἀκρόνεώς τε καὶ Ὠκύαλος καὶ Ἐλατρεύς,
Ναυτεύς τε Πρυμνεύς τε καὶ Ἀγχίαλος καὶ Ἐρετμεύς,
Ποντεύς τε Πρωρεύς τε, Θόων Ἀναβησίνεώς τε
Ἀμφίαλός θ', υἱὸς Πολυνήου Τεκτονίδαο:
ἂν δὲ καὶ Εὐρύαλος, βροτολοιγῷ ἶσος Ἄρηϊ,   115
Ναυβολίδης, ὃς ἄριστος ἔην εἶδός τε δέμας τε
πάντων Φαιήκων μετ' ἀμύμονα Λαοδάμαντα.
ἂν δ' ἔσταν τρεῖς παῖδες ἀμύμονος Ἀλκινόοιο,
Λαοδάμας θ' Ἅλιός τε καὶ ἀντίθεος Κλυτόνηος.
οἱ δ' ἤ τοι πρῶτον μὲν ἐπειρήσαντο πόδεσσι.   120
τοῖσι δ' ἀπὸ νύσσης τέτατο δρόμος: οἱ δ' ἅμα πάντες
καρπαλίμως ἐπέτοντο κονίοντες πεδίοιο:
τῶν δὲ θέειν ὄχ' ἄριστος ἔην Κλυτόνηος ἀμύμων:
ὅσσον τ' ἐν νειῷ οὖρον πέλει ἡμιόνοιιν,
τόσσον ὑπεκπροθέων λαοὺς ἵκεθ', οἱ δ' ἐλίποντο.   125
οἱ δὲ παλαιμοσύνης ἀλεγεινῆς πειρήσαντο:
τῇ δ' αὖτ' Εὐρύαλος ἀπεκαίνυτο πάντας ἀρίστους.
ἅλματι δ' Ἀμφίαλος πάντων προφερέστατος ἦεν:
δίσκῳ δ' αὖ πάντων πολὺ φέρτατος ἦεν Ἐλατρεύς,
πὺξ δ' αὖ Λαοδάμας, ἀγαθὸς πάϊς Ἀλκινόοιο.   130
αὐτὰρ ἐπεὶ δὴ πάντες ἐτέρφθησαν φρέν' ἀέθλοις,
τοῖς ἄρα Λαοδάμας μετέφη πάϊς Ἀλκινόοιο:
"δεῦτε, φίλοι, τὸν ξεῖνον ἐρώμεθα εἴ τιν' ἄεθλον
οἶδέ τε καὶ δεδάηκε. φυήν γε μὲν οὐ κακός ἐστι,
μηρούς τε κνήμας τε καὶ ἄμφω χεῖρας ὕπερθεν   135
αὐχένα τε στιβαρὸν μέγα τε σθένος: οὐδέ τι ἥβης
δεύεται, ἀλλὰ κακοῖσι συνέρρηκται πολέεσσιν:
οὐ γὰρ ἐγώ γέ τί φημι κακώτερον ἄλλο θαλάσσης
ἄνδρα γε συγχεῦαι, εἰ καὶ μάλα καρτερὸς εἴη."
τὸν δ' αὖτ' Εὐρύαλος ἀπαμείβετο φώνησέν τε: 140
"Λαοδάμα, μάλα τοῦτο ἔπος κατὰ μοῖραν ἔειπες.

caminho dos outros feáceos, pois todos estavam
interessados nas competições anunciadas.

Dirigiram-se à praça, seguidos de compacta multidão,
milhares. Jovens da nobreza preparavam-se para   110
competir. Ergueu-se Acrôneo, Ocíalo e Elatreu,
Nauteu, Primneu, Anquíalo e Eretmeu, Ponteu,
Proreu, Toon, Anabesíneo e Anfíalo, filho de
Políneo, filho de Tectonídado, além de Euríalo,
filho de Naubólides, Euríalo, o mais distinto   115
dos feáceos tanto na estatura quanto na feição,
comparável a Ares[12], o matador, superado só por
Laodamas. Ergueram-se três filhos do ilustre
Alcínoo: Laodamas, Hálio e o divino Clitoneu.
A prova de velocidade foi a primeira. Fixa-se-lhes   120
desde o princípio a meta do curso. Partem prontos,
compactos os competidores no pó do percurso.
Aclamam Clitôneo, de muitos o mais distinto. Quanto
no arado mulas superam em velocidade touros,
tanto prima o herói entre os demais competidores.   125
No penoso pugilato outros travam combate. Euríalo
foi aí melhor entre os melhores. Sublime brilha
no salto Amfíalo entre soltos saltantes. De Elatreu
é o trono no lance ligeiro do disco. Na ponta do
punho desponta Laodamas, um portento.   130
Já brilhara o talento de todos no dileto deleite.
Pronunciou-se Laodamas, distinto rebento do rei:
"Não se constranja o estrangeiro de dizer em que
jogos lampeja. Sabe saltar? Mau de corpo não é:
garboso nas coxas, forte nas pernas, bravo nos   135
braços, possante no pescoço, perfeito no peito.
Ainda na flor da idade, mas já roído de males.
Males há muitos, mas mal algum supera os males
do mar. Carcomem o homem, mesmo que forte."
Falou-lhe Euríalo, bravo no brado: 140
"Laodamas, louvo-te as oportunas palavras.

αὐτὸς νῦν προκάλεσσαι ἰὼν καὶ πέφραδε μῦθον."
αὐτὰρ ἐπεὶ τό γ' ἄκουσ' ἀγαθὸς πάϊς Ἀλκινόοιο,
στῆ ῥ' ἐς μέσσον ἰὼν καὶ Ὀδυσσῆα προσέειπε·
"δεῦρ' ἄγε καὶ σύ, ξεῖνε πάτερ, πείρησαι ἀέθλων, 145
εἴ τινά που δεδάηκας· ἔοικε δέ σ' ἴδμεν ἀέθλους·
οὐ μὲν γὰρ μεῖζον κλέος ἀνέρος ὄφρα κ' ἔῃσιν,
ἤ ὅ τι ποσσίν τε ῥέξῃ καὶ χερσὶν ἑῇσιν.
ἀλλ' ἄγε πείρησαι, σκέδασον δ' ἀπὸ κήδεα θυμοῦ.
σοὶ δ' ὁδὸς οὐκέτι δηρὸν ἀπέσσεται, ἀλλά τοι ἤδη 150
νηῦς τε κατείρυσται καὶ ἐπαρτέες εἰσὶν ἑταῖροι."
τὸν δ' ἀπαμειβόμενος προσέφη πολύμητις Ὀδυσσεύς·
"Λαοδάμα, τί με ταῦτα κελεύετε κερτομέοντες;
κήδεά μοι καὶ μᾶλλον ἐνὶ φρεσὶν ἤ περ ἄεθλοι,
ὃς πρὶν μὲν μάλα πολλὰ πάθον καὶ πολλὰ μόγησα, 155
νῦν δὲ μεθ' ὑμετέρῃ ἀγορῇ νόστοιο χατίζων
ἧμαι, λισσόμενος βασιλῆά τε πάντα τε δῆμον."
τὸν δ' αὖτ' Εὐρύαλος ἀπαμείβετο νείκεσέ τ' ἄντην·
"οὐ γάρ σ' οὐδέ, ξεῖνε, δαήμονι φωτὶ ἐΐσκω
ἄθλων, οἷά τε πολλὰ μετ' ἀνθρώποισι πέλονται, 160
ἀλλὰ τῷ, ὅς θ' ἅμα νηῒ πολυκληῒδι θαμίζων,
ἀρχὸς ναυτάων οἵ τε πρηκτῆρες ἔασιν,
φόρτου τε μνήμων καὶ ἐπίσκοπος ᾖσιν ὁδαίων
κερδέων θ' ἁρπαλέων· οὐδ' ἀθλητῆρι ἔοικας."
τὸν δ' ἄρ' ὑπόδρα ἰδὼν προσέφη πολύμητις Ὀδυσσεύς· 165
"ξεῖν', οὐ καλὸν ἔειπες· ἀτασθάλῳ ἀνδρὶ ἔοικας.
οὕτως οὐ πάντεσσι θεοὶ χαρίεντα διδοῦσιν
ἀνδράσιν, οὔτε φυὴν οὔτ' ἂρ φρένας οὔτ' ἀγορητύν.
ἄλλος μὲν γάρ τ' εἶδος ἀκιδνότερος πέλει ἀνήρ,
ἀλλὰ θεὸς μορφὴν ἔπεσι στέφει, οἱ δέ τ' ἐς αὐτὸν 170
τερπόμενοι λεύσσουσιν· ὁ δ' ἀσφαλέως ἀγορεύει
αἰδοῖ μειλιχίῃ, μετὰ δὲ πρέπει ἀγρομένοισιν,
ἐρχόμενον δ' ἀνὰ ἄστυ θεὸν ὣς εἰσορόωσιν.
ἄλλος δ' αὖ εἶδος μὲν ἀλίγκιος ἀθανάτοισιν,
ἀλλ' οὔ οἱ χάρις ἀμφιπεριστέφεται ἐπέεσσιν, 175
ὡς καὶ σοὶ εἶδος μὲν ἀριπρεπές, οὐδέ κεν ἄλλως
οὐδὲ θεὸς τεύξειε, νόον δ' ἀποφώλιός ἐσσι.
ὤρινάς μοι θυμὸν ἐνὶ στήθεσσι φίλοισιν

Arrasta o estranho às provas. Vai, fala forte!"
Acossado por tão poderoso apoio, foi o atleta,
pôs-se no centro e valente provocou Odisseu:
"Queremos-te aqui, pai de outra gente, mostra o 145
que sabes, se aprendeste algo. Forma de atleta
tens. Há glória maior para o vivente do que a
obtida na agilidade dos pés ou na força do braço?
Desce! Tenta! Varre amarguras do peito. Partirás
sem demora. A nau já está preparada. A postos 150
já se encontra a tripulação." Respondeu-lhe
Odisseu com sábia ponderação: "Meu caro
Laodamas, és rude. Insultas-me. Por quê? Meus
sofrimentos me afastam destes divertimentos. E
não é de agora. Afligem-me males antigos. Sofri 155
muito. Sentado aqui com vocês, só penso no
regresso. O rei e todos os feáceos o sabem." A
resposta, em tom de provocação, veio de Euríalo:
"Escuta aqui, estrangeiro, parece que de jogos não
entendes nada, embora cada povo tenha os seus. Ao 160
que parece, não passas de um dono de navio, desses
que volta e meia aparecem por aqui. Teus remos
se movimentam para comerciar. Carga, frete, lucro,
teus interesses são esses. Não tens jeito de atleta."
Odisseu baixou a cabeça e falou atilado: "Não me 165
agrada esse tom, meu rapaz. Falas atrevido. Pelo
que vejo, porte, inteligência, cortesia não são
qualidades que os deuses ofereçam indistintamente
a todos. Um discurso de forma divina pode provir
de um homem de aspecto chinfrim. Os ouvintes 170
acompanham com agrado seus pronunciamentos.
Falando com recato, com brandura, brilha na
assembleia. Anda pela cidade, admirado como um
deus. Outros, divinos na aparência, quando abrem
a boca, proferem palavras sem graça nenhuma. Tu, 175
na aparência, és insuperável. Deus algum poderia
ter-te construído melhor, mas, no intelecto, deixas
muito a desejar. Disseste coisas inconvenientes, tuas

εἰπὼν οὐ κατὰ κόσμον. ἐγὼ δ' οὐ νῆις ἀέθλων,
ὡς σύ γε μυθεῖαι, ἀλλ' ἐν πρώτοισιν ὀίω 180
ἔμμεναι, ὄφρ' ἥβῃ τε πεποίθεα χερσί τ' ἐμῇσι.
νῦν δ' ἔχομαι κακότητι καὶ ἄλγεσι· πολλὰ γὰρ ἔτλην
ἀνδρῶν τε πτολέμους ἀλεγεινά τε κύματα πείρων.
ἀλλὰ καὶ ὥς, κακὰ πολλὰ παθών, πειρήσομ' ἀέθλων·
θυμοδακὴς γὰρ μῦθος, ἐπώτρυνας δέ με εἰπών." 185
ἦ ῥα καὶ αὐτῷ φάρει ἀναΐξας λάβε δίσκον
μείζονα καὶ πάχετον, στιβαρώτερον οὐκ ὀλίγον περ
ἢ οἵῳ Φαίηκες ἐδίσκεον ἀλλήλοισι.
τόν ῥα περιστρέψας ἧκε στιβαρῆς ἀπὸ χειρός,
βόμβησεν δὲ λίθος· κατὰ δ' ἔπτηξαν ποτὶ γαίῃ 190
Φαίηκες δολιχήρετμοι, ναυσίκλυτοι ἄνδρες,
λᾶος ὑπὸ ῥιπῆς· ὁ δ' ὑπέρπτατο σήματα πάντων
ῥίμφα θέων ἀπὸ χειρός. ἔθηκε δὲ τέρματ' Ἀθήνη
ἀνδρὶ δέμας ἐικυῖα, ἔπος τ' ἔφατ' ἔκ τ' ὀνόμαζεν·
"καί κ' ἀλαός τοι, ξεῖνε, διακρίνειε τὸ σῆμα 195
ἀμφαφόων, ἐπεὶ οὔ τι μεμιγμένον ἐστὶν ὁμίλῳ,
ἀλλὰ πολὺ πρῶτον. σὺ δὲ θάρσει τόνδε γ' ἄεθλον·
οὔ τις Φαιήκων τόδε γ' ἵξεται, οὐδ' ὑπερήσει."
ὣς φάτο, γήθησεν δὲ πολύτλας δῖος Ὀδυσσεύς,
χαίρων, οὕνεχ' ἑταῖρον ἐνηέα λεῦσσ' ἐν ἀγῶνι. 200
καὶ τότε κουφότερον μετεφώνεε Φαιήκεσσιν·
"τοῦτον νῦν ἀφίκεσθε, νέοι. τάχα δ' ὕστερον ἄλλον
ἥσειν ἢ τοσσοῦτον ὀίομαι ἢ ἔτι μᾶσσον.
τῶν δ' ἄλλων ὅτινα κραδίη θυμός τε κελεύει,
δεῦρ' ἄγε πειρηθήτω, ἐπεί μ' ἐχολώσατε λίην, 205
ἢ πὺξ ἠὲ πάλῃ ἢ καὶ ποσίν, οὔ τι μεγαίρω,
πάντων Φαιήκων, πλήν γ' αὐτοῦ Λαοδάμαντος.
ξεῖνος γάρ μοι ὅδ' ἐστί· τίς ἂν φιλέοντι μάχοιτο;
ἄφρων δὴ κεῖνός γε καὶ οὐτιδανὸς πέλει ἀνήρ,
ὅς τις ξεινοδόκῳ ἔριδα προφέρηται ἀέθλων 210
δήμῳ ἐν ἀλλοδαπῷ· ἕο δ' αὐτοῦ πάντα κολούει.
τῶν δ' ἄλλων οὔ πέρ τιν' ἀναίνομαι οὐδ' ἀθερίζω,
ἀλλ' ἐθέλω ἴδμεν καὶ πειρηθήμεναι ἄντην.
πάντα γὰρ οὐ κακός εἰμι, μετ' ἀνδράσιν ὅσσοι ἄεθλοι·
εὖ μὲν τόξον οἶδα ἐΰξοον ἀμφαφάασθαι· 215

palavras me irritaram. Em exercícios atléticos não sou incompetente, como acabas de afirmar. Fica sabendo que sou um dos primeiros. Minha força e meus braços me orgulham, mesmo nas terríveis privações de agora. Padeci. Enfrentei inimigos, trabalhos, ondas. Mesmo em grande desvantagem, competirei. Tuas palavras mordentes me mandam agir." Levantou-se e, mesmo vestido, agarrou um disco: grande, compacto, muito mais pesado do que os arremessados pelos outros atletas. O disco saltou em giros da mão poderosa. A pedra zuniu. Espantados, abaixaram-se até ao chão os mestres dos longos remos, famosos no mar, assustados do lance que atingiu as marcas mais distantes, metas fixadas por Palas Atena. Na forma de homem, falou soberana a Deusa: "Amigo, até um cego acharia, às apalpadelas, o buraco, distante das marcas mais avançadas. És o primeiríssimo. Está decidido, o campeão és tu. Ninguém te supera." Essa declaração alegrou o sofredor, o divino Odisseu. Entre tantos competidores encontrara um companheiro. Aliviado, dirigiu-se aos feáceos: "Rapazes, aproximem-se! Querem ver outro lance igual ou um ainda mais forte que este? Se alguém tem coragem para competir comigo, venha! Experimentem! Quem me desafiou foram vocês. Boxe, pugilato, corrida, não importa. Enfrento qualquer um, menos Laodamas. Este é meu hospedeiro. Com amigos não se compete. Só um desmiolado chamaria ao combate quem o hospeda, ainda mais em território estranho. Poria tudo a perder. Quanto aos demais, não fujo de ninguém, nem desprezo. Quero conhecer o adversário, olho no olho. Venha! Se é esporte de macho, não me considero inferior em nenhum. Em manejo de arco, dos bons, sou entendido.

πρῶτός κ' ἄνδρα βάλοιμι ὀιστεύσας ἐν ὁμίλῳ
ἀνδρῶν δυσμενέων, εἰ καὶ μάλα πολλοὶ ἑταῖροι
ἄγχι παρασταῖεν καὶ τοξαζοίατο φωτῶν.
οἶος δή με Φιλοκτήτης ἀπεκαίνυτο τόξῳ
δήμῳ ἔνι Τρώων, ὅτε τοξαζοίμεθ' Ἀχαιοί. 220
τῶν δ' ἄλλων ἐμέ φημι πολὺ προφερέστερον εἶναι,
ὅσσοι νῦν βροτοί εἰσιν ἐπὶ χθονὶ σῖτον ἔδοντες.
ἀνδράσι δὲ προτέροισιν ἐριζέμεν οὐκ ἐθελήσω,
οὔθ' Ἡρακλῆι οὔτ' Εὐρύτῳ Οἰχαλιῆι,
οἵ ῥα καὶ ἀθανάτοισιν ἐρίζεσκον περὶ τόξων. 225
τῷ ῥα καὶ αἶψ' ἔθανεν μέγας Εὔρυτος, οὐδ' ἐπὶ γῆρας
ἵκετ' ἐνὶ μεγάροισι: χολωσάμενος γὰρ Ἀπόλλων
ἔκτανεν, οὕνεκά μιν προκαλίζετο τοξάζεσθαι.
δουρὶ δ' ἀκοντίζω ὅσον οὐκ ἄλλος τις ὀιστῷ.
οἴοισιν δείδοικα ποσὶν μή τίς με παρέλθῃ 230
Φαιήκων: λίην γὰρ ἀεικελίως ἐδαμάσθην
κύμασιν ἐν πολλοῖς, ἐπεὶ οὐ κομιδὴ κατὰ νῆα
ἦεν ἐπηετανός: τῷ μοι φίλα γυῖα λέλυνται."
ὣς ἔφαθ', οἱ δ' ἄρα πάντες ἀκὴν ἐγένοντο σιωπῇ.
Ἀλκίνοος δέ μιν οἶος ἀμειβόμενος προσέειπεν: 235
"ξεῖν', ἐπεὶ οὐκ ἀχάριστα μεθ' ἡμῖν ταῦτ' ἀγορεύεις,
ἀλλ' ἐθέλεις ἀρετὴν σὴν φαινέμεν, ἥ τοι ὀπηδεῖ,
χωόμενος ὅτι σ' οὗτος ἀνὴρ ἐν ἀγῶνι παραστὰς
νείκεσεν, ὡς ἂν σὴν ἀρετὴν βροτὸς οὔ τις ὄνοιτο,
ὅς τις ἐπίσταιτο ᾗσι φρεσὶν ἄρτια βάζειν: 240
ἀλλ' ἄγε νῦν ἐμέθεν ξυνίει ἔπος, ὄφρα καὶ ἄλλῳ
εἴπῃς ἡρώων, ὅτε κεν σοῖς ἐν μεγάροισι
δαινύῃ παρὰ σῇ τ' ἀλόχῳ καὶ σοῖσι τέκεσσιν,
ἡμετέρης ἀρετῆς μεμνημένος, οἷα καὶ ἡμῖν
Ζεὺς ἐπὶ ἔργα τίθησι διαμπερὲς ἐξ ἔτι πατρῶν. 245
οὐ γὰρ πυγμάχοι εἰμὲν ἀμύμονες οὐδὲ παλαισταί,
ἀλλὰ ποσὶ κραιπνῶς θέομεν καὶ νηυσὶν ἄριστοι,
αἰεὶ δ' ἡμῖν δαίς τε φίλη κίθαρίς τε χοροί τε
εἵματά τ' ἐξημοιβὰ λοετρά τε θερμὰ καὶ εὐναί.
ἀλλ' ἄγε, Φαιήκων βητάρμονες ὅσσοι ἄριστοι, 250
παίσατε, ὥς χ' ὁ ξεῖνος ἐνίσπῃ οἷσι φίλοισιν
οἴκαδε νοστήσας, ὅσσον περιγιγνόμεθ' ἄλλων

Sou o primeiro dos seteiros a alvejar valentes nas
tropas inimigas, ainda que rodeado de atiradores
guapos, companheiros empenhados em derrubar
adversários. Dos aqueus, só Filoctetes me superava
na mestria do arco quando combatíamos em Troia.   220
Hoje em dia, mortal nenhum se atreva a competir
comigo. Não conheço comedor de pão igual a mim.
Não me refiro a gerações passadas. Não quero me
igualar a Héracles nem a Eurito da Ecália. Esses
tinham a coragem de desafiar até imortais. Eurito   225
pereceu prematuramente. Não chegou a conhecer
a velhice em seu palácio. Morreu abatido pela
cólera de Apolo. Eurito o tinha desafiado. No
arremesso do dardo ninguém me supera. Os pés
são meu único receio. Em velocidade, alguém   230
poderá vencer-me. Ondas e ondas me abateram
severas no mar. Anos arrastaram-se sem exercícios
no barco. Os idolatrados membros se afrouxaram."
As palavras de Odisseu fecharam a boca de todos.
Só a voz de Alcínoo quebrou o silêncio: "Meu caro   235
hóspede, não penses que nos sentimos ofendidos.
Queres mostrar as habilidades que te distinguem,
contrariado, porque foste provocado por um dos
nossos competidores. Pensas que alguém com um
pingo de juízo na cabeça poderia negar teu valor?   240
Vem cá! Guarda bem o que tenho a te dizer para
que possas transmiti-lo a heróis que frequentam teu
palácio quando estiveres à mesa com tua esposa e
filhos, lembrado das excelências com que fomos
dotados por Zeus e que cultivamos desde os tempos   245
de nossos pais. Não nos distinguimos no pugilato, mas
em velocidade e na condução de navios ninguém
nos supera. Também prezamos banquetes, cítara e
dança, vestes vistosas, banho quente, cama macia.
À obra, feáceos. Convoco os bailarinos, os melhores. 250
Música! Que nosso hóspede possa contar aos seus,
quando chegar em casa, o quanto sois melhores na

ναυτιλίη καὶ ποσσὶ καὶ ὀρχηστυῖ καὶ ἀοιδῇ.
Δημοδόκῳ δέ τις αἶψα κιὼν φόρμιγγα λίγειαν
οἰσέτω, ἥ που κεῖται ἐν ἡμετέροισι δόμοισιν." 255
ὣς ἔφατ' Ἀλκίνοος θεοείκελος, ὦρτο δὲ κῆρυξ

οἴσων φόρμιγγα γλαφυρὴν δόμου ἐκ βασιλῆος.
αἰσυμνῆται δὲ κριτοὶ ἐννέα πάντες ἀνέσταν
δήμιοι, οἳ κατ' ἀγῶνας ἐὺ πρήσσεσκον ἕκαστα,
λείηναν δὲ χορόν, καλὸν δ' εὔρυναν ἀγῶνα. 260
κῆρυξ δ' ἐγγύθεν ἦλθε φέρων φόρμιγγα λίγειαν
Δημοδόκῳ: ὁ δ' ἔπειτα κί' ἐς μέσον: ἀμφὶ δὲ κοῦροι
πρωθῆβαι ἵσταντο, δαήμονες ὀρχηθμοῖο,
πέπληγον δὲ χορὸν θεῖον ποσίν. αὐτὰρ Ὀδυσσεὺς
μαρμαρυγὰς θηεῖτο ποδῶν, θαύμαζε δὲ θυμῷ. 265
αὐτὰρ ὁ φορμίζων ἀνεβάλλετο καλὸν ἀείδειν
ἀμφ' Ἄρεος φιλότητος εὐστεφάνου τ' Ἀφροδίτης,
ὡς τὰ πρῶτα μίγησαν ἐν Ἡφαίστοιο δόμοισι
λάθρῃ, πολλὰ δ' ἔδωκε, λέχος δ' ᾔσχυνε καὶ εὐνὴν
Ἡφαίστοιο ἄνακτος. ἄφαρ δέ οἱ ἄγγελος ἦλθεν 270
Ἥλιος, ὅ σφ' ἐνόησε μιγαζομένους φιλότητι.
Ἥφαιστος δ' ὡς οὖν θυμαλγέα μῦθον ἄκουσε,
βῆ ῥ' ἴμεν ἐς χαλκεῶνα κακὰ φρεσὶ βυσσοδομεύων,
ἐν δ' ἔθετ' ἀκμοθέτῳ μέγαν ἄκμονα, κόπτε δὲ δεσμοὺς
ἀρρήκτους ἀλύτους, ὄφρ' ἔμπεδον αὖθι μένοιεν. 275
αὐτὰρ ἐπεὶ δὴ τεῦξε δόλον κεχολωμένος Ἄρει,
βῆ ῥ' ἴμεν ἐς θάλαμον, ὅθι οἱ φίλα δέμνι' ἔκειτο,
ἀμφὶ δ' ἄρ' ἑρμῖσιν χέε δέσματα κύκλῳ ἀπάντῃ:
πολλὰ δὲ καὶ καθύπερθε μελαθρόφιν ἐξεκέχυντο,
ἠύτ' ἀράχνια λεπτά, τά γ' οὔ κέ τις οὐδὲ ἴδοιτο, 280
οὐδὲ θεῶν μακάρων: πέρι γὰρ δολόεντα τέτυκτο.
αὐτὰρ ἐπεὶ δὴ πάντα δόλον περὶ δέμνια χεῦεν,
εἴσατ' ἴμεν ἐς Λῆμνον, ἐυκτίμενον πτολίεθρον,
ἥ οἱ γαιάων πολὺ φιλτάτη ἐστὶν ἁπασέων.
οὐδ' ἀλαοσκοπιὴν εἶχε χρυσήνιος Ἄρης, 285
ὡς ἴδεν Ἥφαιστον κλυτοτέχνην νόσφι κιόντα:
βῆ δ' ἰέναι πρὸς δῶμα περικλυτοῦ Ἡφαίστοιο

arte de navegar, na agilidade dos pés, na dança
e no canto. Que os doces dedos de Demódoco
arranquem sons da lira já! Quero vê-la aqui!" O rei, 255
ao dar as ordens, esplendia como um deus.

Levantou-se o arauto de um salto para procurar a
lira que fulgurava no palácio real. Ergueram-se nove
juízes, eleitos entre o povo, para ordenar a preceito
o certame. Aplainaram o chão e abriram espaço para 260
a competição. Aproximou-se o arauto e depositou o
instrumento sonoro nas mãos de Demódoco. O aedo
dirigiu-se ao centro. Bailarinos, jovens instruídos na
arte, o contornavam. O solo ressoou divino ao ritmo dos
pés. Compassos e passos tocaram o peito encantado 265
de Odisseu. A lira na mão do cantor acompanhou
a saga dos amores de Ares com a formosa Afrodite.
"O amante procurou a companheira, às escondidas,
na própria casa de Hefesto. O sedutor veio com ricos
presentes macular o leito do Ferreiro, o marido. 270
Veio a denúncia. Hélio surpreendera os pombinhos
no ninho. A notícia bateu como um soco no peito
de Hefesto. Correu, arrasado, para a ferraria. Firmou
no cepo a potente bigorna. Malhou infraturáveis
cadeias. Prenderia os insolentes com argolas de ferro. 275
Louco de ciúme, forjou uma armadilha para Ares.
Entrou no quarto, lugar em que se encontrava a cama
cobiçada, cercou-a inteira de laços. Laços pendiam
também de cima, do teto, moventes. Mexiam-se como
fios de uma teia de aranha, finíssimos, invisíveis. 280
Nem um bem-aventurado, um deus, os perceberia, tal
era o dolo. Preparado ardilosamente o leito, Hefesto
pretextou uma viagem a Lemnos, fortaleza soberba,
o mais amado de todos os seus sítios terrestres.
Ares não montava guarda de cego. Mal percebeu 285
Hefesto afastar-se dos seus aposentos, pôs-se a
caminho da casa do renomado artista, ardendo em

ἰσχανόων φιλότητος ἐϋστεφάνου Κυθερείης.
ἡ δὲ νέον παρὰ πατρὸς ἐρισθενέος Κρονίωνος
ἐρχομένη κατ' ἄρ' ἕζεθ'· ὁ δ' εἴσω δώματος ᾔει, 290
ἔν τ' ἄρα οἱ φῦ χειρί, ἔπος τ' ἔφατ' ἔκ τ' ὀνόμαζε·
"δεῦρο, φίλη, λέκτρονδε τραπείομεν εὐνηθέντες·
οὐ γὰρ ἔθ' Ἥφαιστος μεταδήμιος, ἀλλά που ἤδη
οἴχεται ἐς Λῆμνον μετὰ Σίντιας ἀγριοφώνους."
ὣς φάτο, τῇ δ' ἀσπαστὸν ἐείσατο κοιμηθῆναι. 295
τὼ δ' ἐς δέμνια βάντε κατέδραθον· ἀμφὶ δὲ δεσμοὶ
τεχνήεντες ἔχυντο πολύφρονος Ἡφαίστοιο,
οὐδέ τι κινῆσαι μελέων ἦν οὐδ' ἀναεῖραι.
καὶ τότε δὴ γίγνωσκον, ὅ τ' οὐκέτι φυκτὰ πέλοντο.
ἀγχίμολον δέ σφ' ἦλθε περικλυτὸς ἀμφιγυήεις, 300
αὖτις ὑποστρέψας πρὶν Λήμνου γαῖαν ἱκέσθαι·
Ἠέλιος γάρ οἱ σκοπιὴν ἔχεν εἶπέ τε μῦθον.
βῆ δ' ἴμεναι πρὸς δῶμα φίλον τετιημένος ἦτορ·
ἔστη δ' ἐν προθύροισι, χόλος δέ μιν ἄγριος ᾕρει·
σμερδαλέον δ' ἐβόησε, γέγωνέ τε πᾶσι θεοῖσιν· 305
"Ζεῦ πάτερ ἠδ' ἄλλοι μάκαρες θεοὶ αἰὲν ἐόντες,
δεῦθ', ἵνα ἔργα γελαστὰ καὶ οὐκ ἐπιεικτὰ ἴδησθε,
ὡς ἐμὲ χωλὸν ἐόντα Διὸς θυγάτηρ Ἀφροδίτη
αἰὲν ἀτιμάζει, φιλέει δ' ἀΐδηλον Ἄρηα,
οὕνεχ' ὁ μὲν καλός τε καὶ ἀρτίπος, αὐτὰρ ἐγώ γε 310
ἠπεδανὸς γενόμην. ἀτὰρ οὔ τί μοι αἴτιος ἄλλος,
ἀλλὰ τοκῆε δύω, τὼ μὴ γείνασθαι ὄφελλον.
ἀλλ' ὄψεσθ', ἵνα τώ γε καθεύδετον ἐν φιλότητι
εἰς ἐμὰ δέμνια βάντες, ἐγὼ δ' ὁρόων ἀκάχημαι.
οὐ μέν σφεας ἔτ' ἔολπα μίνυνθά γε κειέμεν οὕτως 315
καὶ μάλα περ φιλέοντε· τάχ' οὐκ ἐθελήσετον ἄμφω
εὕδειν· ἀλλά σφωε δόλος καὶ δεσμὸς ἐρύξει,
εἰς ὅ κέ μοι μάλα πάντα πατὴρ ἀποδῷσιν ἔεδνα,
ὅσσα οἱ ἐγγυάλιξα κυνώπιδος εἵνεκα κούρης,
οὕνεκά οἱ καλὴ θυγάτηρ, ἀτὰρ οὐκ ἐχέθυμος." 320
ὣς ἔφαθ', οἱ δ' ἀγέροντο θεοὶ ποτὶ χαλκοβατὲς δῶ·
ἦλθε Ποσειδάων γαιήοχος, ἦλθ' ἐριούνης
Ἑρμείας, ἦλθεν δὲ ἄναξ ἑκάεργος Ἀπόλλων.
θηλύτεραι δὲ θεαὶ μένον αἰδοῖ οἴκοι ἑκάστη.

desejo. A coroada cabeça de Citereia[13] o inflamava.
Ela acabava de voltar do palácio do forte Cronida.
Assentada, recebeu a visita do companheiro. Este, 290
tomando-lhe a mão, acariciou-a com palavras:
'Acompanha-me, querida. Vamos para a cama. A
delícia nos fará repousar. Hefesto já está longe.
Encontra-se em algum recanto da terra dos síntios,
gente de língua rude.' A deusa sonhava com a 295
folgança. Havia hora mais propícia? Adormeceram
abraçados. Presos nas malhas de Hefesto, impossível
lhes era mover os membros, o peso do ferro vencia
a força dos braços. Tinham que reconhecê-lo, não
havia como fugir. Nesse impasse surge o renomado 300
Coxo, interrompida a pretensa viagem ao território
de Lemnos. Hélio, de vigia, lhe tinha dado a notícia.
Advertido, Hefesto voltou para casa de coração
pesado. Deteve-se no vestíbulo, tomado de cólera
atroz. O louco berreiro do Ferreiro abalou os deuses: 305
'Vem, Zeus, meu pai! Chama todos os sempre-
felizes. Entrem, entrem! Quem convida sou eu.
Querem ver a indecência? É de rir! Não passo de
aleijado. Afrodite me insulta sempre que pode. Ama
Ares, sujeito sombrio, malandro de pernas perfeitas. 310
Bonitão! E eu? Sou torto desde criança. Quem são os
culpados? Meus pais. Por que me puseram no mundo
deste jeito? Que espetáculo! Os dois abraçadinhos...
Aqui, na minha cama! Fervo de raiva. Garanto que
essa alegria não vai durar muito. Eles se querem? 315
Não esperem que essa vontade de dormir dure
muito. Escapar dessa armadilha não me vão! Quero
que o pai dela me devolva o que eu paguei por essa
sem-vergonha. Reparem nos seus olhos de cadela!
É moça bonita? Está bem! Mas de fogo no rabo!' 320
Assim vociferou Hefesto diante dos deuses reunidos
no vestíbulo de bronze. Posidon, o Abala-Terra, estava
lá. Lá estava Hermes, o ardiloso. Lá estava o flecheiro
Apolo. As deusas, envergonhadas, ficaram em casa.

ἔσταν δ' ἐν προθύροισι θεοί, δωτῆρες ἑάων· 325
ἄσβεστος δ' ἄρ' ἐνῶρτο γέλως μακάρεσσι θεοῖσι
τέχνας εἰσορόωσι πολύφρονος Ἡφαίστοιο.
ὧδε δέ τις εἴπεσκεν ἰδὼν ἐς πλησίον ἄλλον·
"οὐκ ἀρετᾷ κακὰ ἔργα· κιχάνει τοι βραδὺς ὠκύν,
ὡς καὶ νῦν Ἥφαιστος ἐὼν βραδὺς εἷλεν Ἄρηα 330
ὠκύτατόν περ ἐόντα θεῶν οἳ Ὄλυμπον ἔχουσιν,
χωλὸς ἐὼν τέχνῃσι· τὸ καὶ μοιχάγρι' ὀφέλλει."
ὣς οἱ μὲν τοιαῦτα πρὸς ἀλλήλους ἀγόρευον·
Ἑρμῆν δὲ προσέειπεν ἄναξ Διὸς υἱὸς Ἀπόλλων·
"Ἑρμεία, Διὸς υἱέ, διάκτορε, δῶτορ ἑάων, 335
ἦ ῥά κεν ἐν δεσμοῖς ἐθέλοις κρατεροῖσι πιεσθεὶς
εὕδειν ἐν λέκτροισι παρὰ χρυσέῃ Ἀφροδίτῃ;"
τὸν δ' ἠμείβετ' ἔπειτα διάκτορος ἀργειφόντης·
"αἲ γὰρ τοῦτο γένοιτο, ἄναξ ἑκατηβόλ' Ἄπολλον·
δεσμοὶ μὲν τρὶς τόσσοι ἀπείρονες ἀμφὶς ἔχοιεν, 340
ὑμεῖς δ' εἰσορόῳτε θεοὶ πᾶσαί τε θέαιναι,
αὐτὰρ ἐγὼν εὕδοιμι παρὰ χρυσέῃ Ἀφροδίτῃ."
ὣς ἔφατ', ἐν δὲ γέλως ὦρτ' ἀθανάτοισι θεοῖσιν.
οὐδὲ Ποσειδάωνα γέλως ἔχε, λίσσετο δ' αἰεὶ
Ἥφαιστον κλυτοεργὸν ὅπως λύσειεν Ἄρηα. 345
καί μιν φωνήσας ἔπεα πτερόεντα προσηύδα·
"λῦσον· ἐγὼ δέ τοι αὐτὸν ὑπίσχομαι, ὡς σὺ κελεύεις,
τίσειν αἴσιμα πάντα μετ' ἀθανάτοισι θεοῖσιν."
τὸν δ' αὖτε προσέειπε περικλυτὸς ἀμφιγυήεις·
"μή με, Ποσείδαον γαιήοχε, ταῦτα κέλευε· 350
δειλαί τοι δειλῶν γε καὶ ἐγγύαι ἐγγυάασθαι.
πῶς ἂν ἐγώ σε δέοιμι μετ' ἀθανάτοισι θεοῖσιν,
εἴ κεν Ἄρης οἴχοιτο χρέος καὶ δεσμὸν ἀλύξας;"
τὸν δ' αὖτε προσέειπε Ποσειδάων ἐνοσίχθων·
"Ἥφαιστ', εἴ περ γάρ κεν Ἄρης χρεῖος ὑπαλύξας 355
οἴχηται φεύγων, αὐτός τοι ἐγὼ τάδε τίσω."
τὸν δ' ἠμείβετ' ἔπειτα περικλυτὸς ἀμφιγυήεις·
"οὐκ ἔστ' οὐδὲ ἔοικε τεὸν ἔπος ἀρνήσασθαι."
ὣς εἰπὼν δεσμὸν ἀνίει μένος Ἡφαίστοιο.
τὼ δ' ἐπεὶ ἐκ δεσμοῖο λύθεν, κρατεροῦ περ ἐόντος, 360
αὐτίκ' ἀναΐξαντε ὁ μὲν Θρῄκηνδε βεβήκει,

Mas a soleira estava apinhada de machos. Os 325
venturosos não se contiveram. O riso lhes veio farto.
A astúcia de Hefesto os levou ao delírio. Um olhava
para o outro. Ditos maliciosos não faltaram: 'O mal
tem pernas curtas. O capenga alcançou o corredor.
Comparado a Hefesto, Ares é lerdo. Não é mesmo? 330
Viva o Coxo, o artista! O canalha que se dane!'
Os comentários corriam soltos mais ou menos assim.
O tom da conversa dos imortais era esse. Apolo,
filho de Zeus, chamou Hermes para uma conversa:
'Hermes, meu irmão, sei que és guia, benévolo. 335
Gostarias que isso acontecesse contigo, acordar
algemado nos braços de Afrodite?' Hermes moveu
os lábios de rosto iluminado: 'Caro Apolo, Senhor
do tiro certeiro, se uma coisa dessas acontecesse
comigo, os laços poderiam ser ainda mais fortes. 340
Mesmo debaixo dos olhos dos deuses, eu adoraria
dormir algemado nos áureos braços de Afrodite.' As
palavras de Hermes arrancaram gargalhadas dos
imortais. Quem não riu foi Posidon. Não parava de
pedir a Hefesto, o soberbo artista, que soltasse Ares. 345
Falando com o amigo, voaram-lhe dos lábios estas
palavras: 'Liberta-o! Ele vai pagar no centavo tudo
o que te deve, como é uso entre deuses. Te dou
garantia plena.' A resposta do famoso mutilado
veio sofrida: 'Pede-me tudo, Posidon, menos isso. 350
Garantia de salafrário é garantia de salafrário.
Achas que eu teria coragem de cobrar a dívida de ti,
se esse sem-vergonha me fugir, livre das cadeias?'
Posidon tentou tranquilizá-lo com palavras serenas:
'Hefesto, escuta. Se Ares der no pé, depois de solto, 355
a dívida será minha. Eu pago tudinho.' Sustentado
em seus pés mutilados, respondeu-lhe Hefesto: 'Não
seria justo duvidar de tuas palavras.' Dito isso, a
força de Hefesto abriu as cadeias. Soltos dos grilhões
inquebráveis, ambos saltaram do leito. Ares se mandou 360
para a Trácia. Afrodite, com sorrisos nos lábios,

ἡ δ' ἄρα Κύπρον ἵκανε φιλομμειδὴς Ἀφροδίτη,
ἐς Πάφον: ἔνθα δέ οἱ τέμενος βωμός τε θυήεις.
ἔνθα δέ μιν Χάριτες λοῦσαν καὶ χρῖσαν ἐλαίῳ
ἀμβρότῳ, οἷα θεοὺς ἐπενήνοθεν αἰὲν ἐόντας, 365
ἀμφὶ δὲ εἵματα ἕσσαν ἐπήρατα, θαῦμα ἰδέσθαι.
ταῦτ' ἄρ' ἀοιδὸς ἄειδε περικλυτός: αὐτὰρ Ὀδυσσεὺς
τέρπετ' ἐνὶ φρεσὶν ᾗσιν ἀκούων ἠδὲ καὶ ἄλλοι
Φαίηκες δολιχήρετμοι, ναυσίκλυτοι ἄνδρες.
Ἀλκίνοος δ' Ἅλιον καὶ Λαοδάμαντα κέλευσεν 370
μουνὰξ ὀρχήσασθαι, ἐπεί σφισιν οὔ τις ἔριζεν.
οἱ δ' ἐπεὶ οὖν σφαῖραν καλὴν μετὰ χερσὶν ἕλοντο,
πορφυρέην, τήν σφιν Πόλυβος ποίησε δαΐφρων,
τὴν ἕτερος ῥίπτασκε ποτὶ νέφεα σκιόεντα
ἰδνωθεὶς ὀπίσω, ὁ δ' ἀπὸ χθονὸς ὑψόσ' ἀερθεὶς 375
ῥηιδίως μεθέλεσκε, πάρος ποσὶν οὖδας ἱκέσθαι.
αὐτὰρ ἐπεὶ δὴ σφαίρῃ ἀν' ἰθὺν πειρήσαντο,
ὠρχείσθην δὴ ἔπειτα ποτὶ χθονὶ πουλυβοτείρῃ
ταρφέ' ἀμειβομένω: κοῦροι δ' ἐπελήκεον ἄλλοι
ἑσταότες κατ' ἀγῶνα, πολὺς δ' ὑπὸ κόμπος ὀρώρει. 380
δὴ τότ' ἄρ' Ἀλκίνοον προσεφώνεε δῖος Ὀδυσσεύς:
"Ἀλκίνοε κρεῖον, πάντων ἀριδείκετε λαῶν,
ἠμὲν ἀπείλησας βητάρμονας εἶναι ἀρίστους,
ἠδ' ἄρ' ἑτοῖμα τέτυκτο: σέβας μ' ἔχει εἰσορόωντα."

ὣς φάτο, γήθησεν δ' ἱερὸν μένος Ἀλκινόοιο, 385
αἶψα δὲ Φαιήκεσσι φιληρέτμοισι μετηύδα:
"κέκλυτε, Φαιήκων ἡγήτορες ἠδὲ μέδοντες.
ὁ ξεῖνος μάλα μοι δοκέει πεπνυμένος εἶναι.
ἀλλ' ἄγε οἱ δῶμεν ξεινήιον, ὡς ἐπιεικές.
δώδεκα γὰρ κατὰ δῆμον ἀριπρεπέες βασιλῆες 390
ἀρχοὶ κραίνουσι, τρισκαιδέκατος δ' ἐγὼ αὐτός:
τῶν οἱ ἕκαστος φᾶρος ἐυπλυνὲς ἠδὲ χιτῶνα
καὶ χρυσοῖο τάλαντον ἐνείκατε τιμήεντος.
αἶψα δὲ πάντα φέρωμεν ἀολλέα, ὄφρ' ἐνὶ χερσὶν
ξεῖνος ἔχων ἐπὶ δόρπον ἴῃ χαίρων ἐνὶ θυμῷ. 395
Εὐρύαλος δέ ἑ αὐτὸν ἀρεσσάσθω ἐπέεσσι

apareceu em Chipre, aliás, em Pafos, onde lhe tinham
erguido um templo num bosque sagrado. As Cárites a
banharam e lhe trataram a pele com óleo imortal, o
mesmo que costuma evolar de corpos que não morrem.   365
Sedutoras eram as vestes que lhe cobriam os ombros,
festa para os olhos." Notável foi o canto do aedo. A
aventura verteu alegria no peito de Odisseu, animou
os que a escutaram, navegadores adestrados no manejo
de remos. Alcínoo chamou Hálio e Laodamas para   370
bailarem sozinhos, porque para competir com eles não
havia ninguém. Eles tomaram nas mãos a bela bola
purpurina, obra de Pólibo, renomado artista. A bola,
lançada por um dos bailarinos, que se inclina para
trás, eleva-se às sombrias alturas das nuvens. Apanha-a   375
o outro, num salto, em comprovada perícia, antes
de os pés tocarem o chão. Finda a prova da bola
e do arremesso às alturas, progridem as evoluções da
dança no solo feraz, alternando posições. Rítmica
batida de jovens acompanhava os movimentos. Vozes   380
agitavam a multidão. Dirigiu-se, então, a Alcínoo
Odisseu: "Poderoso Alcínoo, modelo para todos,
afirmaste que ninguém supera os feáceos na dança,
o que foi confirmado. Espanta-me o que vi."

A observação iluminou o sagrado poder de Alcínoo.   385
Falou, então, o soberano a seus ilustres remeiros:
"Rogo a atenção dos guias e dos conselheiros. Tenho
a impressão de que nosso visitante é dos mais sensatos.
Os costumes determinam que demonstremos com
presentes nossa hospitalidade. Nosso povo é regido   390
por doze reis escolhidos, eu mesmo tenho a honra de
ser o décimo terceiro. Ofereça-lhe cada um de nós uma
túnica e manto impoluto. Acrescentemos a isso um
talento de ouro, metal que prestigia. Reunamos tudo
sem demora e o depositemos nas mãos do estrangeiro.   395
Ele deverá acompanhar-nos radiante ao banquete.

καὶ δώρῳ, ἐπεὶ οὔ τι ἔπος κατὰ μοῖραν ἔειπεν."
ὣς ἔφαθ', οἱ δ' ἄρα πάντες ἐπῄνεον ἠδ' ἐκέλευον,
δῶρα δ' ἄρ' οἰσέμεναι πρόεσαν κήρυκα ἕκαστος.
τὸν δ' αὖτ' Εὐρύαλος ἀπαμείβετο φώνησέν τε· 400
"Ἀλκίνοε κρεῖον, πάντων ἀριδείκετε λαῶν,
τοιγὰρ ἐγὼ τὸν ξεῖνον ἀρέσσομαι, ὡς σὺ κελεύεις.
δώσω οἱ τόδ' ἄορ παγχάλκεον, ᾧ ἔπι κώπη
ἀργυρέη, κολεὸν δὲ νεοπρίστου ἐλέφαντος
ἀμφιδεδίνηται· πολέος δέ οἱ ἄξιον ἔσται." 405
ὣς εἰπὼν ἐν χερσὶ τίθει ξίφος ἀργυρόηλον
καί μιν φωνήσας ἔπεα πτερόεντα προσηύδα·
"χαῖρε, πάτερ ὦ ξεῖνε· ἔπος δ' εἴ πέρ τι βέβακται
δεινόν, ἄφαρ τὸ φέροιεν ἀναρπάξασαι ἄελλαι.
σοὶ δὲ θεοὶ ἄλοχόν τ' ἰδέειν καὶ πατρίδ' ἱκέσθαι 410
δοῖεν, ἐπεὶ δὴ δηθὰ φίλων ἄπο πήματα πάσχεις."
τὸν δ' ἀπαμειβόμενος προσέφη πολύμητις Ὀδυσσεύς·
"καὶ σὺ φίλος μάλα χαῖρε, θεοὶ δέ τοι ὄλβια δοῖεν.
μηδέ τί τοι ξιφεός γε ποθὴ μετόπισθε γένοιτο
τούτου, ὃ δή μοι δῶκας ἀρεσσάμενος ἐπέεσσιν." 415
ἦ ῥα καὶ ἀμφ' ὤμοισι θέτο ξίφος ἀργυρόηλον.
δύσετό τ' ἠέλιος, καὶ τῷ κλυτὰ δῶρα παρῆεν.
καὶ τά γ' ἐς Ἀλκινόοιο φέρον κήρυκες ἀγαυοί·
δεξάμενοι δ' ἄρα παῖδες ἀμύμονος Ἀλκινόοιο
μητρὶ παρ' αἰδοίῃ ἔθεσαν περικαλλέα δῶρα. 420

τοῖσιν δ' ἡγεμόνευ' ἱερὸν μένος Ἀλκινόοιο,
ἐλθόντες δὲ καθῖζον ἐν ὑψηλοῖσι θρόνοισι.
δὴ ῥα τότ' Ἀρήτην προσέφη μένος Ἀλκινόοιο·
"δεῦρο, γύναι, φέρε χηλὸν ἀριπρεπέ', ἥ τις ἀρίστη·
ἐν δ' αὐτὴ θὲς φᾶρος ἐϋπλυνὲς ἠδὲ χιτῶνα. 425
ἀμφὶ δέ οἱ πυρὶ χαλκὸν ἰήνατε, θέρμετε δ' ὕδωρ,
ὄφρα λοεσσάμενός τε ἰδών τ' ἐῢ κείμενα πάντα
δῶρα, τά οἱ Φαίηκες ἀμύμονες ἐνθάδ' ἔνεικαν,
δαιτί τε τέρπηται καὶ ἀοιδῆς ὕμνον ἀκούων.
καί οἱ ἐγὼ τόδ' ἄλεισον ἐμὸν περικαλλὲς ὀπάσσω, 430
χρύσεον, ὄφρ' ἐμέθεν μεμνημένος ἤματα πάντα

Palavras e dons selarão a reconciliação de Euríalo, visto
que excedeu-se no que disse." As palavras do soberano
foram aplaudidas. Todos autorizaram o arauto a reunir
os presentes. A manifestação de Euríalo não demorou: 400
"Poderoso Alcínoo, exemplo para todos os povos. Por
determinação tua, reconcilio-me com o estrangeiro.
Ofereço-lhe esta lâmina de bronze com punho de prata,
que descansa numa bainha de marfim, obra recente de
exímio artista. Ela com certeza lhe trará benefícios sem 405
conta." Depositando a espada cravejada de prata nas
mãos do hóspede, acrescentou: "Pai estrangeiro, se
ouviste dos meus lábios alguma palavra ferina, os
ventos a dissolvam no ar. Concedam-te os deuses
rever tua esposa e pátria, superados os contratempos 410
que te afastam de tua terra e de teus amigos." Sábio
pronunciou-se assim Odisseu em reposta: "Que os
deuses te sejam propícios! Não desejo que te faça
falta a espada com que agora me presenteias. Tua
generosidade e tuas palavras me comoveram." Os 415
cravos de prata passaram a luzir nos ombros de
Odisseu. O sol declina. Presentes acumulavam-se
a seus pés. Os arautos os recolheram para guardá-
los no palácio e os confiaram à guarda dos filhos
do rei. As dádivas esplendiam agora junto à rainha. 420

O poder de Alcínoo conduzia os convivas, que,
reunidos, se acomodaram nas elevadas poltronas.
O poderoso dirigiu-se, então, a Arete: "Querida,
providencia um cofre adequado, que seja o melhor,
provido de um manto sem mácula e de uma túnica. 425
Levem, então, a caldeira ao fogo, aqueçam a água.
Depois do banho, o estrangeiro poderá apreciar as
dádivas que os feáceos voluntariamente reuniram.
Participe do banquete e aprecie o canto. Quero
oferecer-lhe, ainda, este cálice, obra de mérito, 430
todo de ouro. Ele deverá lembrar-te de mim sempre

σπένδῃ ἐνὶ μεγάρῳ Διί τ' ἄλλοισίν τε θεοῖσιν."
ὣς ἔφατ', Ἀρήτη δὲ μετὰ δμῳῇσιν ἔειπεν
ἀμφὶ πυρὶ στῆσαι τρίποδα μέγαν ὅττι τάχιστα.
αἱ δὲ λοετροχόον τρίποδ' ἵστασαν ἐν πυρὶ κηλέῳ, 435
ἐν δ' ἄρ' ὕδωρ ἔχεαν, ὑπὸ δὲ ξύλα δαῖον ἑλοῦσαι.
γάστρην μὲν τρίποδος πῦρ ἄμφεπε, θέρμετο δ' ὕδωρ·
τόφρα δ' ἄρ' Ἀρήτη ξείνῳ περικαλλέα χηλὸν
ἐξέφερεν θαλάμοιο, τίθει δ' ἐνὶ κάλλιμα δῶρα,
ἐσθῆτα χρυσόν τε, τά οἱ Φαίηκες ἔδωκαν· 440
ἐν δ' αὐτή φᾶρος θῆκεν καλόν τε χιτῶνα,
καί μιν φωνήσασ' ἔπεα πτερόεντα προσηύδα·
"αὐτὸς νῦν ἴδε πῶμα, θοῶς δ' ἐπὶ δεσμὸν ἴηλον,
μή τίς τοι καθ' ὁδὸν δηλήσεται, ὁππότ' ἂν αὖτε
εὕδησθα γλυκὺν ὕπνον ἰὼν ἐν νηὶ μελαίνῃ." 445
αὐτὰρ ἐπεὶ τό γ' ἄκουσε πολύτλας δῖος Ὀδυσσεύς,
αὐτίκ' ἐπήρτυε πῶμα, θοῶς δ' ἐπὶ δεσμὸν ἴηλεν
ποικίλον, ὅν ποτέ μιν δέδαε φρεσὶ πότνια Κίρκη·
αὐτόδιον δ' ἄρα μιν ταμίη λούσασθαι ἀνώγει
ἔς ῥ' ἀσάμινθον βάνθ'· ὁ δ' ἄρ ἀσπασίως ἴδε θυμῷ 450
θερμὰ λοέτρ', ἐπεὶ οὔ τι κομιζόμενός γε θάμιζεν,
ἐπεὶ δὴ λίπε δῶμα Καλυψοῦς ἠυκόμοιο.
τόφρα δέ οἱ κομιδή γε θεῷ ὣς ἔμπεδος ἦεν.
τὸν δ' ἐπεὶ οὖν δμῳαὶ λοῦσαν καὶ χρῖσαν ἐλαίῳ,
ἀμφὶ δέ μιν χλαῖναν καλὴν βάλον ἠδὲ χιτῶνα, 455
ἔκ ῥ' ἀσαμίνθου βὰς ἄνδρας μέτα οἰνοποτῆρας
ἤιε· Ναυσικάα δὲ θεῶν ἄπο κάλλος ἔχουσα
στῆ ῥα παρὰ σταθμὸν τέγεος πύκα ποιητοῖο,
θαύμαζεν δ' Ὀδυσῆα ἐν ὀφθαλμοῖσιν ὁρῶσα,
καί μιν φωνήσασ' ἔπεα πτερόεντα προσηύδα· 460
"χαῖρε, ξεῖν', ἵνα καί ποτ' ἐὼν ἐν πατρίδι γαίῃ
μνήσῃ ἐμεῦ, ὅτι μοι πρώτῃ ζωάγρι' ὀφέλλεις."
τὴν δ' ἀπαμειβόμενος προσέφη πολύμητις Ὀδυσσεύς·
"Ναυσικάα θύγατερ μεγαλήτορος Ἀλκινόοιο,
οὕτω νῦν Ζεὺς θείη, ἐρίγδουπος πόσις Ἥρης, 465
οἴκαδέ τ' ἐλθέμεναι καὶ νόστιμον ἦμαρ ἰδέσθαι·
τῷ κέν τοι καὶ κεῖθι θεῷ ὣς εὐχετοῴμην

por ocasião das libações a Zeus e aos outros deuses."
Com essas instruções, Arete orientou as escravas. A
grande trípode deveria ser levada imediatamente ao
fogo. Conduziram ao braseiro a caldeira de banho   435
e encheram-na de água. Achas de lenha avivaram as
chamas que lambiam o ventre do panelão. A água
borbulhava. Arete dirigiu-se aos seus aposentos para
buscar um baú, destinado aos esplêndidos presentes,
vestes e ouro que os feáceos tinham oferecido ao   440
estrangeiro. Depositou nela uma túnica e um manto
vistoso. Soou a voz da rainha, palavras bateram
asas: "Observa tu mesmo a qualidade da tampa e
firma-lhe o nó. Protege-te contra fraudes durante a
viagem, rendido ao sono repousante na negra nau."   445
A tal recomendação, Odisseu não se demorou
em firmar a tampa com um nó de entendido,
semelhante ao que lhe tinha ensinado a Circe
senhorial. Convidou-o a empregada para servir-se
da banheira. Experimentou animado o líquido   450
aquecido. Não recebia cuidados delicados desde
que deixara a caverna da Calipso. Lá usufruía de
tratos próprios a um deus. Banharam-no as servas
e ungiram-lhe a pele, revestindo-lhe o corpo com
uma túnica e um manto de lã. Dirigiu-se, então,   455
ao grupo dos senhores em que circulavam cálices.
Junto ao pórtico, encontrou Nausícaa cuja beleza
a elevava à categoria das deusas. Quando a imagem
de Odisseu penetrou-lhe nos olhos, estas palavras
alçaram voo dos lábios da jovem espantada: "Quando   460
estiveres em tua terra, meu caro forasteiro, não te
esqueças de mim. Deves-me o primeiro socorro."
Respondeu-lhe o refinado Odisseu: "Nausícaa, filha
de Alcínoo, rei de coração acolhedor, se, com o favor
de Zeus, o esposo trovejante de Hera, me for dado ver   465
o dia do regresso, mesmo longe daqui eu te renderei
culto como a uma deusa, estarás todos os dias em

αἰεὶ ἤματα πάντα: σὺ γάρ μ' ἐβιώσαο, κούρη."
ἦ ῥα καὶ ἐς θρόνον ἷζε παρ' Ἀλκίνοον βασιλῆα:
οἱ δ' ἤδη μοίρας τ' ἔνεμον κερόωντό τε οἶνον.   470

κῆρυξ δ' ἐγγύθεν ἦλθεν ἄγων ἐρίηρον ἀοιδόν,
Δημόδοκον λαοῖσι τετιμένον: εἷσε δ' ἄρ' αὐτὸν
μέσσῳ δαιτυμόνων, πρὸς κίονα μακρὸν ἐρείσας.
δὴ τότε κήρυκα προσέφη πολύμητις Ὀδυσσεύς,
νώτου ἀποπροταμών, ἐπὶ δὲ πλεῖον ἐλέλειπτο,   475
ἀργιόδοντος ὑός, θαλερὴ δ' ἦν ἀμφὶς ἀλοιφή:
"κῆρυξ, τῆ δή, τοῦτο πόρε κρέας, ὄφρα φάγῃσιν,
Δημοδόκῳ: καί μιν προσπτύξομαι ἀχνύμενός περ:
πᾶσι γὰρ ἀνθρώποισιν ἐπιχθονίοισιν ἀοιδοὶ
τιμῆς ἔμμοροί εἰσι καὶ αἰδοῦς, οὕνεκ' ἄρα σφέας   480
οἴμας μοῦσ' ἐδίδαξε, φίλησε δὲ φῦλον ἀοιδῶν."
ὣς ἄρ' ἔφη, κῆρυξ δὲ φέρων ἐν χερσὶν ἔθηκεν
ἥρῳ Δημοδόκῳ: ὁ δ' ἐδέξατο, χαῖρε δὲ θυμῷ.
οἱ δ' ἐπ' ὀνείαθ' ἑτοῖμα προκείμενα χεῖρας ἴαλλον.
αὐτὰρ ἐπεὶ πόσιος καὶ ἐδητύος ἐξ ἔρον ἕντο,   485
δὴ τότε Δημόδοκον προσέφη πολύμητις Ὀδυσσεύς:
"Δημόδοκ', ἔξοχα δή σε βροτῶν αἰνίζομ' ἁπάντων.
ἢ σέ γε μοῦσ' ἐδίδαξε, Διὸς πάϊς, ἢ σέ γ' Ἀπόλλων:
λίην γὰρ κατὰ κόσμον Ἀχαιῶν οἶτον ἀείδεις,
ὅσσ' ἔρξαν τ' ἔπαθόν τε καὶ ὅσσ' ἐμόγησαν Ἀχαιοί,   490
ὥς τέ που ἢ αὐτὸς παρεὼν ἢ ἄλλου ἀκούσας.
ἀλλ' ἄγε δὴ μετάβηθι καὶ ἵππου κόσμον ἄεισον
δουρατέου, τὸν Ἐπειὸς ἐποίησεν σὺν Ἀθήνῃ,
ὅν ποτ' ἐς ἀκρόπολιν δόλον ἤγαγε δῖος Ὀδυσσεὺς
ἀνδρῶν ἐμπλήσας οἵ ῥ' Ἴλιον ἐξαλάπαξαν.   495
αἴ κεν δή μοι ταῦτα κατὰ μοῖραν καταλέξῃς,
αὐτίκ' ἐγὼ πᾶσιν μυθήσομαι ἀνθρώποισιν,
ὡς ἄρα τοι πρόφρων θεὸς ὤπασε θέσπιν ἀοιδήν."
ὣς φάθ', ὁ δ' ὁρμηθεὶς θεοῦ ἤρχετο, φαῖνε δ' ἀοιδήν,
ἔνθεν ἑλὼν ὡς οἱ μὲν ἐϋσσέλμων ἐπὶ νηῶν   500
βάντες ἀπέπλειον, πῦρ ἐν κλισίῃσι βαλόντες,
Ἀργεῖοι, τοὶ δ' ἤδη ἀγακλυτὸν ἀμφ' Ὀδυσῆα

minha lembrança. Graças a ti, jovem, estou vivo."
Falou e ocupou assento ao lado do rei Alcínoo.
Entrementes, distribuíam porções e ofereciam vinho. 470

Já bem próximo encontrava-se Demódoco, aplaudido
por todos, conduzido por um arauto. Este reservara-lhe
lugar central, junto a uma imponente coluna. O atilado
Odisseu dirigiu-se ao arauto, cortou um pedaço do
lombo do porco de alvos dentes, provido de gordura, 475
reservando, entretanto, a parte maior para si mesmo:
"Oferece, meu caro, esta porção a Demódoco, quero
que a prove. Apresenta-lhe meu apreço, embora eu
esteja perturbado. Quem pisa a superfície terrestre
deve reverência aos cantores, pois o que sabem vem 480
da Musa. Ela ampara os versos dos aedos." Assim
instruído, o arauto depositou a homenagem nas mãos
de Demódoco. Ele a recebeu com profunda gratidão.
Os demais levaram os dedos às iguarias oferecidas.
Saciados de porções regadas a vinho, dirigiu 485
Odisseu estas palavras a Demódoco: "Reconheço
que de todos o mais destacado és tu. O que sabes
vem da Musa, filha de Zeus ou de Apolo. Cantas
preciso o universo dos cometimentos aqueus: atos,
infortúnios, padecimentos, como se tivesses sido 490
testemunha ou bem-informado por outro. Adiante!
Canta a beleza do cavalo, construído por Épio,
guiado pelo saber de Palas Atena, engodo repleto
de guerreiros, conduzido por Odisseu contra a
acrópole inimiga, causa da queda de Troia. Se 495
narrares isso com arte, não terei dúvidas em
proclamar que pelo favor de divindade propícia
chegaste a produzir um canto divino." Assistido
por um deus, o aedo iluminou o canto, desde
quando os guerreiros subiram aos barcos em 500
fuga fingida, as barracas em chamas, e outros,
congregados em torno de Odisseu, comprimiam-se,

ἥατ' ἐνὶ Τρώων ἀγορῇ κεκαλυμμένοι ἵππῳ·
αὐτοὶ γάρ μιν Τρῶες ἐς ἀκρόπολιν ἐρύσαντο.
ὣς ὁ μὲν ἑστήκει, τοὶ δ' ἄκριτα πόλλ' ἀγόρευον   505
ἥμενοι ἀμφ' αὐτόν· τρίχα δέ σφισιν ἥνδανε βουλή,
ἠὲ διαπλῆξαι κοῖλον δόρυ νηλέϊ χαλκῷ,
ἢ κατὰ πετράων βαλέειν ἐρύσαντας ἐπ' ἄκρης,
ἢ ἐάαν μέγ' ἄγαλμα θεῶν θελκτήριον εἶναι,
τῇ περ δὴ καὶ ἔπειτα τελευτήσεσθαι ἔμελλεν·   510
αἶσα γὰρ ἦν ἀπολέσθαι, ἐπὴν πόλις ἀμφικαλύψῃ
δουράτεον μέγαν ἵππον, ὅθ' ἥατο πάντες ἄριστοι
Ἀργείων Τρώεσσι φόνον καὶ κῆρα φέροντες.
ἤειδεν δ' ὡς ἄστυ διέπραθον υἷες Ἀχαιῶν
ἱππόθεν ἐκχύμενοι, κοῖλον λόχον ἐκπρολιπόντες.   515
ἄλλον δ' ἄλλῃ ἄειδε πόλιν κεραϊζέμεν αἰπήν,
αὐτὰρ Ὀδυσσῆα προτὶ δώματα Δηϊφόβοιο
βήμεναι, ἠΰτ' Ἄρηα σὺν ἀντιθέῳ Μενελάῳ.
κεῖθι δὴ αἰνότατον πόλεμον φάτο τολμήσαντα
νικῆσαι καὶ ἔπειτα διὰ μεγάθυμον Ἀθήνην.   520
ταῦτ' ἄρ' ἀοιδὸς ἄειδε περικλυτός· αὐτὰρ Ὀδυσσεὺς
τήκετο, δάκρυ δ' ἔδευεν ὑπὸ βλεφάροισι παρειάς.
ὡς δὲ γυνὴ κλαίῃσι φίλον πόσιν ἀμφιπεσοῦσα,
ὅς τε ἑῆς πρόσθεν πόλιος λαῶν τε πέσῃσιν,
ἄστεϊ καὶ τεκέεσσιν ἀμύνων νηλεὲς ἦμαρ·   525
ἡ μὲν τὸν θνήσκοντα καὶ ἀσπαίροντα ἰδοῦσα
ἀμφ' αὐτῷ χυμένη λίγα κωκύει· οἱ δέ τ' ὄπισθε
κόπτοντες δούρεσσι μετάφρενον ἠδὲ καὶ ὤμους
εἴρερον εἰσανάγουσι, πόνον τ' ἐχέμεν καὶ ὀϊζύν·
τῆς δ' ἐλεεινοτάτῳ ἄχεϊ φθινύθουσι παρειαί·   530
ὣς Ὀδυσεὺς ἐλεεινὸν ὑπ' ὀφρύσι δάκρυον εἶβεν.
ἔνθ' ἄλλους μὲν πάντας ἐλάνθανε δάκρυα λείβων,
Ἀλκίνοος δέ μιν οἶος ἐπεφράσατ' ἠδ' ἐνόησεν,
ἥμενος ἄγχ' αὐτοῦ, βαρὺ δὲ στενάχοντος ἄκουσεν.
αἶψα δὲ Φαιήκεσσι φιληρέτμοισι μετηύδα·   535
"κέκλυτε, Φαιήκων ἡγήτορες ἠδὲ μέδοντες,
Δημόδοκος δ' ἤδη σχεθέτω φόρμιγγα λίγειαν·
οὐ γάρ πως πάντεσσι χαριζόμενος τάδ' ἀείδει.
ἐξ οὗ δορπέομέν τε καὶ ὦρορε θεῖος ἀοιδός,

ocultos, no ventre do cavalo. Os próprios troianos
arrastaram o engenho até à muralha. Lá estava ele.
Indecisos, os troianos, reunidos em torno dele, 505
examinavam várias propostas. Destas, o conselho
destacou três: abrir impiedosamente o ventre a ferro,
puxar o cavalo até o rochedo e precipitá-lo no
abismo, deixá-lo para monumento em homenagem
aos deuses. Um quarto parecer foi executado, pois a 510
cidade estava destinada à ruína quando abrigasse o
cavalo de pau, esconderijo dos melhores soldados,
decididos a aniquilar os troianos em sangrenta
matança. Detalhou o saque dos que saltaram em
torrente do cavalo, esvaziando o esconderijo. Cantou 515
como depredaram a soberba cidade. Destacou
os feitos de Odisseu contra o palácio de Deífobo;
acompanhado de Menelau, parecia Ares. Sublinhou o
ímpeto guerreiro que levou o bravo Odisseu à vitória
também em outras façanhas, amparado por Atena. 520
Em síntese, o que o aedo cantou foi isso. Levou
Odisseu ao pranto. Lágrimas brotavam-lhe dos olhos,
banhavam-lhe o rosto. Parecia mulher desconsolada,
abraçada ao corpo do marido, tombado em defesa da
cidade e das muralhas, morto por tentar afastar 525
os filhos do dia fatal. A imagem da morte entra-lhe
pelos olhos, o estertor. Toma-o nos braços, aos gritos.
Lanças hostis golpeiam-lhe as costas, maceram-lhe
os ombros, tangem-na como escrava ao sofrimento,
à dor. Na amargura do lamento anoitecem os olhos. 530
A má sorte lavra assim o rosto de Odisseu. Escondeu
de todos as lágrimas derramadas, menos de Alcínoo.
O rei, sentado a seu lado, percebeu os suspiros
profundos do hóspede. Não se contendo, falou
aos seus afoitos remeiros: "Feáceos, comandantes 535
e conselheiros, atenção! Demódoco, silêncio! Para
de vibrar estas cordas. Cale-se a lira. Nem a todos
agradam tuas canções. Desde o princípio do banquete,
animados por nosso divino cantor, nosso hóspede,

ἐκ τοῦ δ' οὔ πω παύσατ' ὀιζυροῖο γόοιο 540
ὁ ξεῖνος: μάλα πού μιν ἄχος φρένας ἀμφιβέβηκεν.
ἀλλ' ἄγ' ὁ μὲν σχεθέτω, ἵν' ὁμῶς τερπώμεθα πάντες,
ξεινοδόκοι καὶ ξεῖνος, ἐπεὶ πολὺ κάλλιον οὕτως:
εἵνεκα γὰρ ξείνοιο τάδ' αἰδοίοιο τέτυκται,
πομπὴ καὶ φίλα δῶρα, τά οἱ δίδομεν φιλέοντες. 545
ἀντὶ κασιγνήτου ξεῖνός θ' ἱκέτης τε τέτυκται
ἀνέρι, ὅς τ' ὀλίγον περ ἐπιψαύῃ πραπίδεσσι.
τῷ νῦν μηδὲ σὺ κεῦθε νοήμασι κερδαλέοισιν
ὅττι κέ σ' εἴρωμαι: φάσθαι δέ σε κάλλιόν ἐστιν.
εἴπ' ὄνομ' ὅττι σε κεῖθι κάλεον μήτηρ τε πατήρ τε 550
ἄλλοι θ' οἳ κατὰ ἄστυ καὶ οἳ περιναιετάουσιν.
οὐ μὲν γάρ τις πάμπαν ἀνώνυμός ἐστ' ἀνθρώπων,
οὐ κακὸς οὐδὲ μὲν ἐσθλός, ἐπὴν τὰ πρῶτα γένηται,
ἀλλ' ἐπὶ πᾶσι τίθενται, ἐπεί κε τέκωσι, τοκῆες.
εἰπὲ δέ μοι γαῖάν τε: τεὴν δῆμόν τε πόλιν τε, 555
ὄφρα σε τῇ πέμπωσι τιτυσκόμεναι φρεσὶ νῆες:
οὐ γὰρ Φαιήκεσσι κυβερνητῆρες ἔασιν,
οὐδέ τι πηδάλι' ἔστι, τά τ' ἄλλαι νῆες ἔχουσιν:
ἀλλ' αὐταὶ ἴσασι νοήματα καὶ φρένας ἀνδρῶν,
καὶ πάντων ἴσασι πόλιας καὶ πίονας ἀγροὺς 560
ἀνθρώπων, καὶ λαῖτμα τάχισθ' ἁλὸς ἐκπερόωσιν
ἠέρι καὶ νεφέλῃ κεκαλυμμέναι: οὐδέ ποτέ σφιν
οὔτε τι πημανθῆναι ἔπι δέος οὔτ' ἀπολέσθαι.
ἀλλὰ τόδ' ὥς ποτε πατρὸς ἐγὼν εἰπόντος ἄκουσα
Ναυσιθόου, ὃς ἔφασκε Ποσειδάων' ἀγάσασθαι 565
ἡμῖν, οὕνεκα πομποὶ ἀπήμονές εἰμεν ἁπάντων.
φῆ ποτὲ Φαιήκων ἀνδρῶν εὐεργέα νῆα
ἐκ πομπῆς ἀνιοῦσαν ἐν ἠεροειδέι πόντῳ
ῥαισέμεναι, μέγα δ' ἧμιν ὄρος πόλει ἀμφικαλύψειν.
ὣς ἀγόρευ' ὁ γέρων: τὰ δέ κεν θεὸς ἢ τελέσειεν 570
ἤ κ' ἀτέλεστ' εἴη, ὥς οἱ φίλον ἔπλετο θυμῷ:
ἀλλ' ἄγε μοι τόδε εἰπὲ καὶ ἀτρεκέως κατάλεξον,
ὅππῃ ἀπεπλάγχθης τε καὶ ἅς τινας ἵκεο χώρας
ἀνθρώπων, αὐτούς τε πόλιάς τ' ἐὺ ναιετοώσας,
ἠμὲν ὅσοι χαλεποί τε καὶ ἄγριοι οὐδὲ δίκαιοι, 575
οἵ τε φιλόξεινοι, καί σφιν νόος ἐστὶ θεουδής.

é espantoso, não para de soluçar. Parece-me que uma
dor profunda enegrece o coração do estrangeiro.
Se é por causa da música, cesse o canto. Quero
alegria geral, de nosso hóspede e nossa. Não será
melhor assim para todos? Queremos que leve boas
recordações de nossa ilha. Receba, além do nosso
afeto, calorosos presentes e escolta. Um estrangeiro
que nos roga proteção merece afeto de irmão.
Quem o ignora? Até os mais simplórios o sabem.
Por favor, nada de brincar de esconder quando te
pergunto. Que lucras com isso? É melhor que fales.
Quero saber quem és, teu nome, como te chamam
teu pai e tua mãe, como se dirigem a ti teus amigos,
teus vizinhos. Não me venhas com anonimato.
Gente sem-nome não existe. Pobre ou rico, pouco
importa. Gente é gente. Os pais botam nome nos
filhos logo que nascem. Desembucha! Tua terra,
teu povo, tua cidade. Informados, minhas naus te
levarão ao destino. Dispensam comando. Nem de
timoneiros precisam. Ao contrário de barcos
comuns, eles interpretam pensamentos e intenções.
Localizam cidades e campos. Singram velozes
ondas salgadas, escondidas em névoa negra. Longe
vaga o medo de que as moleste algum dano ou que
lhes advenha ruína. Nausítoo, meu pai, me dizia,
lembro bem, que Posidon vivia irritado conosco
por conduzirmos todos a porto seguro. Ameaçou
arrasar um dia uma das preclaras naus dos famosos
feáceos que retornasse de uma missão de resgate,
mas um grande monte se ergueria para proteger-nos.
Essas foram as palavras do ancião. O cumprimento
delas está em mãos divinas. A vontade celeste é
determinante. Vamos! Quero que fales sem rodeios.
Conta-nos por onde andaste, terras e gente que
conheceste, cidades populosas que tenhas visitado.
Passaste por maus momentos? Trataram-te mal?
Houve gente hospitaleira, de mente esclarecida?

εἰπὲ δ' ὅ τι κλαίεις καὶ ὀδύρεαι ἔνδοθι θυμῷ
Ἀργείων Δαναῶν ἠδ' Ἰλίου οἶτον ἀκούων.
τὸν δὲ θεοὶ μὲν τεῦξαν, ἐπεκλώσαντο δ' ὄλεθρον
ἀνθρώποις, ἵνα ᾖσι καὶ ἐσσομένοισιν ἀοιδή.   580
ἦ τίς τοι καὶ πηὸς ἀπέφθιτο Ἰλιόθι πρὸ
ἐσθλὸς ἐών, γαμβρὸς ἢ πενθερός, οἵ τε μάλιστα
κήδιστοι τελέθουσι μεθ' αἷμά τε καὶ γένος αὐτῶν;
ἦ τίς που καὶ ἑταῖρος ἀνὴρ κεχαρισμένα εἰδώς,
ἐσθλός; ἐπεὶ οὐ μέν τι κασιγνήτοιο χερείων   585
γίγνεται, ὅς κεν ἑταῖρος ἐὼν πεπνυμένα εἰδῇ."

Por que choras, que dores sacodem teu peito quando
alguém se refere a argivos, à dânaos, à ruína
de Troia? Decisões divinas e infortúnios humanos
alimentarão o canto de muitas gerações vindouras. 580
Alguém dos teus tombou diante dos muros de Troia?
Era valente? Teu sogro? Um dos teus cunhados? A
perda de pessoas de nosso sangue, de nosso família
pesa mais. Ou choras um amigo que estimavas muito?
Tanto quanto um irmão, formado no ventre da mesma 585
mãe, vale um companheiro em quem podemos confiar."

ΟΔΥΣΣΕΙΑΣ Ι

τὸν δ' ἀπαμειβόμενος προσέφη πολύμητις Ὀδυσσεύς·
"Ἀλκίνοε κρεῖον, πάντων ἀριδείκετε λαῶν,
ἦ τοι μὲν τόδε καλὸν ἀκουέμεν ἐστὶν ἀοιδοῦ
τοιοῦδ' οἷος ὅδ' ἐστί, θεοῖς ἐναλίγκιος αὐδήν.
οὐ γὰρ ἐγώ γέ τί φημι τέλος χαριέστερον εἶναι   05
ἢ ὅτ' ἐυφροσύνη μὲν ἔχῃ κάτα δῆμον ἅπαντα,
δαιτυμόνες δ' ἀνὰ δώματ' ἀκουάζωνται ἀοιδοῦ
ἥμενοι ἑξείης, παρὰ δὲ πλήθωσι τράπεζαι
σίτου καὶ κρειῶν, μέθυ δ' ἐκ κρητῆρος ἀφύσσων
οἰνοχόος φορέῃσι καὶ ἐγχείῃ δεπάεσσι·   10
τοῦτό τί μοι κάλλιστον ἐνὶ φρεσὶν εἴδεται εἶναι.
σοὶ δ' ἐμὰ κήδεα θυμὸς ἐπετράπετο στονόεντα
εἴρεσθ', ὄφρ' ἔτι μᾶλλον ὀδυρόμενος στεναχίζω·
τί πρῶτόν τοι ἔπειτα, τί δ' ὑστάτιον καταλέξω;
κήδε' ἐπεί μοι πολλὰ δόσαν θεοὶ Οὐρανίωνες.   15
νῦν δ' ὄνομα πρῶτον μυθήσομαι, ὄφρα καὶ ὑμεῖς
εἴδετ', ἐγὼ δ' ἂν ἔπειτα φυγὼν ὕπο νηλεὲς ἦμαρ
ὑμῖν ξεῖνος ἔω καὶ ἀπόπροθι δώματα ναίων.
εἴμ' Ὀδυσεὺς Λαερτιάδης, ὃς πᾶσι δόλοισιν
ἀνθρώποισι μέλω, καί μευ κλέος οὐρανὸν ἵκει.   20
ναιετάω δ' Ἰθάκην ἐυδείελον· ἐν δ' ὄρος αὐτῇ
Νήριτον εἰνοσίφυλλον, ἀριπρεπές· ἀμφὶ δὲ νῆσοι
πολλαὶ ναιετάουσι μάλα σχεδὸν ἀλλήλῃσι,
Δουλίχιόν τε Σάμη τε καὶ ὑλήεσσα Ζάκυνθος.
αὐτὴ δὲ χθαμαλὴ πανυπερτάτη εἰν ἁλὶ κεῖται   25
πρὸς ζόφον, αἱ δέ τ' ἄνευθε πρὸς ἠῶ τ' ἠέλιόν τε,
τρηχεῖ', ἀλλ' ἀγαθὴ κουροτρόφος· οὔ τοι ἐγώ γε
ἧς γαίης δύναμαι γλυκερώτερον ἄλλο ἰδέσθαι.
ἦ μέν μ' αὐτόθ' ἔρυκε Καλυψώ, δῖα θεάων,
ἐν σπέσσι γλαφυροῖσι, λιλαιομένη πόσιν εἶναι·   30
ὣς δ' αὔτως Κίρκη κατερήτυεν ἐν μεγάροισιν
Αἰαίη δολόεσσα, λιλαιομένη πόσιν εἶναι·
ἀλλ' ἐμὸν οὔ ποτε θυμὸν ἐνὶ στήθεσσιν ἔπειθον.
ὣς οὐδὲν γλύκιον ἧς πατρίδος οὐδὲ τοκήων

Canto 9

Tomando a palavra, falou o Odisseu das mil ideias:
"Poderoso Alcínoo, incomparável exemplo para
todos os povos. Fora de dúvida, é um privilégio
escutar um aedo como este teu. Que voz! É divina.
Digo mais, é a voz dos próprios deuses. Um povo   05
inteiro em festa! Eu me pergunto: pode haver projeto
de vida mais doce? Dos convivas, ninguém se
mexe. A sala inteira é toda ouvidos. Mesas fartas.
Comida e bebida para todos. Vinho gira nas crateras.
Correntes rubras ressoam fartas nas taças.   10
Não me passa pela cabeça cena mais confortante.
Meus cuidados, os gemidos que não consigo abafar
no peito, inquietam-te agora. Isso agrava minha dor.
Nem sei por onde começar. Deixo para o fim o quê?
Rico eu sou, rico em aflições. Os céus o quiseram   15
assim. Comecemos pelo nome, para que saibas com
quem falas. Se eu conseguir escapar do dia nefasto,
podes ter certeza, serei teu aliado, mesmo longe.
Sou Odisseu, filho de Laertes. Minhas artimanhas
rolam na boca de todos. Minha fama bate no céu.   20
Moro em Ítaca. Minha ilha se vê de longe, graças
ao Nerito, monte de ventos uivantes. Ressoam os
ramos. Ilhas pontilham o mar, habitadas todas.
Menciono Dulíquio, Same e Zacinto, a dos bosques.
Ítaca acanha-se distante, em direção às sombras do   25
Poente, as outras aproximam-se da Aurora e do Sol.
Embora rochosa, nutre dadivosa seus filhos. Terra
mais doce não conheci em lugar nenhum. Quem
me deteve foi uma deusa, Calipso. O palácio dela
é uma gruta. Ela me queria como esposo. Outra que   30
me quis foi Circe. Encantadora, ela fez tudo para
eu não deixar Eeia. Seríamos marido e mulher. Meu
coração, entretanto, resistiu a todos os apelos. Nada
é mais doce do que pátria e filhos, mesmo que em

γίγνεται, εἴ περ καί τις ἀπόπροθι πίονα οἶκον 35
γαίῃ ἐν ἀλλοδαπῇ ναίει ἀπάνευθε τοκήων.
εἰ δ' ἄγε τοι καὶ νόστον ἐμὸν πολυκηδέ' ἐνίσπω,
ὅν μοι Ζεὺς ἐφέηκεν ἀπὸ Τροίηθεν ἰόντι.
"Ἰλιόθεν με φέρων ἄνεμος Κικόνεσσι πέλασσεν,
Ἰσμάρῳ. ἔνθα δ' ἐγὼ πόλιν ἔπραθον, ὤλεσα δ' αὐτούς· 40
ἐκ πόλιος δ' ἀλόχους καὶ κτήματα πολλὰ λαβόντες
δασσάμεθ', ὡς μή τίς μοι ἀτεμβόμενος κίοι ἴσης.
ἔνθ' ἦ τοι μὲν ἐγὼ διερῷ ποδὶ φευγέμεν ἡμέας
ἠνώγεα, τοὶ δὲ μέγα νήπιοι οὐκ ἐπίθοντο.
ἔνθα δὲ πολλὸν μὲν μέθυ πίνετο, πολλὰ δὲ μῆλα 45
ἔσφαζον παρὰ θῖνα καὶ εἰλίποδας ἕλικας βοῦς·
τόφρα δ' ἄρ' οἰχόμενοι Κίκονες Κικόνεσσι γεγώνευν,
οἵ σφιν γείτονες ἦσαν, ἅμα πλέονες καὶ ἀρείους,
ἤπειρον ναίοντες, ἐπιστάμενοι μὲν ἀφ' ἵππων
ἀνδράσι μάρνασθαι καὶ ὅθι χρὴ πεζὸν ἐόντα. 50
ἦλθον ἔπειθ' ὅσα φύλλα καὶ ἄνθεα γίγνεται ὥρῃ,
ἠέριοι· τότε δή ῥα κακὴ Διὸς αἶσα παρέστη
ἡμῖν αἰνομόροισιν, ἵν' ἄλγεα πολλὰ πάθοιμεν.
στησάμενοι δ' ἐμάχοντο μάχην παρὰ νηυσὶ θοῇσι,
βάλλον δ' ἀλλήλους χαλκήρεσιν ἐγχείῃσιν. 55
ὄφρα μὲν ἠὼς ἦν καὶ ἀέξετο ἱερὸν ἦμαρ,
τόφρα δ' ἀλεξόμενοι μένομεν πλέονάς περ ἐόντας.
ἦμος δ' ἠέλιος μετενίσσετο βουλυτόνδε,
καὶ τότε δὴ Κίκονες κλῖναν δαμάσαντες Ἀχαιούς.
ἓξ δ' ἀφ' ἑκάστης νηὸς ἐϋκνήμιδες ἑταῖροι 60
ὤλονθ'· οἱ δ' ἄλλοι φύγομεν θάνατόν τε μόρον τε.
"ἔνθεν δὲ προτέρω πλέομεν ἀκαχήμενοι ἦτορ,
ἄσμενοι ἐκ θανάτοιο, φίλους ὀλέσαντες ἑταίρους.
οὐδ' ἄρα μοι προτέρω νῆες κίον ἀμφιέλισσαι,
πρίν τινα τῶν δειλῶν ἑτάρων τρὶς ἕκαστον ἀῦσαι, 65
οἳ θάνον ἐν πεδίῳ Κικόνων ὕπο δῃωθέντες.
νηυσὶ δ' ἐπῶρσ' ἄνεμον Βορέην νεφεληγερέτα Ζεὺς
λαίλαπι θεσπεσίῃ, σὺν δὲ νεφέεσσι κάλυψε
γαῖαν ὁμοῦ καὶ πόντον· ὀρώρει δ' οὐρανόθεν νύξ.
αἱ μὲν ἔπειτ' ἐφέροντ' ἐπικάρσιαι, ἱστία δέ σφιν 70
τριχθά τε καὶ τετραχθὰ διέσχισεν ἲς ἀνέμοιο.

terras estranhas se alcancem bens e fortuna. Eu não
viveria longe dos meus por preço algum. Voltemos
à minha viagem de regresso. Adianto que foi sofrida
– Zeus assim o quis – quando partimos de Troia.
Ao deixar Ílion[14] o vento me impeliu aos cícones, a
Ísmaro. Saqueei a cidade e matei seus habitantes.
Com a pilhagem e o rapto das mulheres, tínhamos
muito para dividir. Motivos para queixa não havia.
Deixar a região com pé ligeiro foi meu plano. Os
bobalhões, meus comandados, não me obedeceram.
Ébrios, degolaram carneiros, abateram vacas
preguiçosas perto das areias costeiras. Os cícones
dispararam para pedir ajuda a outros cícones,
mais numerosos e mais robustos, treinados
condutores de carros de guerra. Atacavam com a
infantaria quando a tática o exigia. Madrugaram
como folhas e flores na primavera. A desdita
caiu sobre nós, desventurados. Dores incontáveis
nos golpearam. A batalha se feriu à vista das
naus que nos trouxeram. Zunia mortífero o
bronze das lanças na rota dos ventos. O dia ainda
se robustecia no ventre da Aurora. Resistimos, os
atacantes eram muitos. Quando o sol se avizinhou
do horizonte à hora da ordenha, os cícones nos
compeliram à fuga. Feitas as contas, seis de cada
um dos nossos navios tinham sumido. Nós, os
restantes, nos esquivamos da morte e do destino.
Partimos com sombras no peito. Na alegria da
fuga penetrava a dor pelos perdidos. Não consenti
na viagem antes de pronunciarmos três vezes cada
um dos nomes dos tombados no campo ao braço
feroz dos cícones. Zeus, convocando o exército
das nuvens, despertou Bóreas para uma batalha
tempestuosa contra a frota. A sombra cobriu
terra e mar. A noite baixou da concha celeste.
A tempestade arrastava proas inclinadas. A força
dos ventos rasgou em três, em quatro tiras as velas.

καὶ τὰ μὲν ἐς νῆας κάθεμεν, δείσαντες ὄλεθρον,
αὐτὰς δ' ἐσσυμένως προερέσσαμεν ἤπειρόνδε.
ἔνθα δύω νύκτας δύο τ' ἤματα συνεχὲς αἰεὶ
κείμεθ', ὁμοῦ καμάτῳ τε καὶ ἄλγεσι θυμὸν ἔδοντες.   75
ἀλλ' ὅτε δὴ τρίτον ἦμαρ ἐϋπλόκαμος τέλεσ' Ἠώς,
ἱστοὺς στησάμενοι ἀνά θ' ἱστία λεύκ' ἐρύσαντες
ἥμεθα, τὰς δ' ἄνεμός τε κυβερνῆταί τ' ἴθυνον.
καί νύ κεν ἀσκηθὴς ἱκόμην ἐς πατρίδα γαῖαν·
ἀλλά με κῦμα ῥόος τε περιγνάμπτοντα Μάλειαν   80
καὶ Βορέης ἀπέωσε, παρέπλαγξεν δὲ Κυθήρων.
"ἔνθεν δ' ἐννῆμαρ φερόμην ὀλοοῖς ἀνέμοισιν
πόντον ἐπ' ἰχθυόεντα· ἀτὰρ δεκάτῃ ἐπέβημεν

γαίης Λωτοφάγων, οἵ τ' ἄνθινον εἶδαρ ἔδουσιν.
ἔνθα δ' ἐπ' ἠπείρου βῆμεν καὶ ἀφυσσάμεθ' ὕδωρ,   85
αἶψα δὲ δεῖπνον ἕλοντο θοῇς παρὰ νηυσὶν ἑταῖροι.
αὐτὰρ ἐπεὶ σίτοιό τ' ἐπασσάμεθ' ἠδὲ ποτῆτος,
δὴ τότ' ἐγὼν ἑτάρους προΐειν πεύθεσθαι ἰόντας,
οἵ τινες ἀνέρες εἶεν ἐπὶ χθονὶ σῖτον ἔδοντες
ἄνδρε δύω κρίνας, τρίτατον κήρυχ' ἅμ' ὀπάσσας.   90
οἱ δ' αἶψ' οἰχόμενοι μίγεν ἀνδράσι Λωτοφάγοισιν·
οὐδ' ἄρα Λωτοφάγοι μήδονθ' ἑτάροισιν ὄλεθρον
ἡμετέροις, ἀλλά σφι δόσαν λωτοῖο πάσασθαι.
τῶν δ' ὅς τις λωτοῖο φάγοι μελιηδέα καρπόν,
οὐκέτ' ἀπαγγεῖλαι πάλιν ἤθελεν οὐδὲ νέεσθαι,   95
ἀλλ' αὐτοῦ βούλοντο μετ' ἀνδράσι Λωτοφάγοισι
λωτὸν ἐρεπτόμενοι μενέμεν νόστου τε λαθέσθαι.
τοὺς μὲν ἐγὼν ἐπὶ νῆας ἄγον κλαίοντας ἀνάγκῃ,
νηυσὶ δ' ἐνὶ γλαφυρῇσιν ὑπὸ ζυγὰ δῆσα ἐρύσσας.
αὐτὰρ τοὺς ἄλλους κελόμην ἐρίηρας ἑταίρους   100
σπερχομένους νηῶν ἐπιβαινέμεν ὠκειάων,
μή πώς τις λωτοῖο φαγὼν νόστοιο λάθηται.
οἱ δ' αἶψ' εἴσβαινον καὶ ἐπὶ κληῖσι καθῖζον,
ἑξῆς δ' ἑζόμενοι πολιὴν ἅλα τύπτον ἐρετμοῖς.
"ἔνθεν δὲ προτέρω πλέομεν ἀκαχήμενοι ἦτορ·   105

Temendo a morte, nós as recolhemos. Vencemos
a remo o ímpeto das ondas rumo à costa. Duas noites
e dois dias nos detiveram prostrados por terra,
quebrado o ânimo pela dor, pelo cansaço. No 75
terceiro, ao brilho das tranças da Aurora, erguemos
os mastros e desfraldamos o branco das velas.
Confiamos a rota aos pilotos e ao vento. Nada
impedia, salvos, alcançarmos o solo pátrio, não
fossem as correntes e Bóreas, que, ao contornarmos 80
os penhascos de Meleia, nos arrastaram para muito
além de Cítera. Dali ventos funestos me levaram
durante nove dias por mares piscosos.

"No décimo, aproamos na terra dos lotófagos, gente
que se alimenta de flores. Desembarcamos e nos 85
abastecemos de água. Os companheiros prepararam
uma refeição perto dos navios. Saciada a fome e a
sede, decidi formar uma delegação para conhecer
os comedores de pão daquele lugar. Enviei dois
homens acompanhados de um arauto. Partiram. 90
Lotófagos chamam-se os homens que encontraram.
Não planejaram mal nenhum contra os nossos.
Queriam só que provassem loto. Quem saboreia
a doçura do loto, perde a vontade de informar, de
viajar, esquece o lar, quer permanecer, morar com 95
aqueles indivíduos, os lotófagos. Transtornados
pelo loto, perdem a vontade de voltar para casa.
Agarrei-os – choravam – e os arrastei aos navios.
Enfiei-os atados debaixo dos bancos dos remeiros.
Determinei aos outros subirem aos barcos sem perda 100
de tempo. Eu não queria que, contaminados pela
droga, perdessem o desejo de voltar. Cederam. Sem
oferecer resistência ocuparam seus lugares. Os
remos feriram no compasso o mar de espumas.
Continuamos a navegar de coração amargurado. 105

Κυκλώπων δ' ἐς γαῖαν ὑπερφιάλων ἀθεμίστων
ἱκόμεθ', οἵ ῥα θεοῖσι πεποιθότες ἀθανάτοισιν
οὔτε φυτεύουσιν χερσὶν φυτὸν οὔτ' ἀρόωσιν,
ἀλλὰ τά γ' ἄσπαρτα καὶ ἀνήροτα πάντα φύονται,
πυροὶ καὶ κριθαὶ ἠδ' ἄμπελοι, αἵ τε φέρουσιν   110
οἶνον ἐρισταφυλον, καί σφιν Διὸς ὄμβρος ἀέξει.
τοῖσιν δ' οὔτ' ἀγοραὶ βουληφόροι οὔτε θέμιστες,
ἀλλ' οἵ γ' ὑψηλῶν ὀρέων ναίουσι κάρηνα
ἐν σπέσσι γλαφυροῖσι, θεμιστεύει δὲ ἕκαστος
παίδων ἠδ' ἀλόχων, οὐδ' ἀλλήλων ἀλέγουσιν.   115
"νῆσος ἔπειτα λάχεια παρὲκ λιμένος τετάνυσται,
γαίης Κυκλώπων οὔτε σχεδὸν οὔτ' ἀποτηλοῦ,
ὑλήεσσ'· ἐν δ' αἶγες ἀπειρέσιαι γεγάασιν
ἄγριαι· οὐ μὲν γὰρ πάτος ἀνθρώπων ἀπερύκει,
οὐδέ μιν εἰσοιχνεῦσι κυνηγέται, οἵ τε καθ' ὕλην   120
ἄλγεα πάσχουσιν κορυφὰς ὀρέων ἐφέποντες.
οὔτ' ἄρα ποίμνῃσιν καταΐσχεται οὔτ' ἀρότοισιν,
ἀλλ' ἥ γ' ἄσπαρτος καὶ ἀνήροτος ἤματα πάντα
ἀνδρῶν χηρεύει, βόσκει δέ τε μηκάδας αἶγας.
οὐ γὰρ Κυκλώπεσσι νέες πάρα μιλτοπάρῃοι,   125
οὐδ' ἄνδρες νηῶν ἔνι τέκτονες, οἵ κε κάμοιεν
νῆας ἐυσσέλμους, αἵ κεν τελέοιεν ἕκαστα
ἄστε' ἐπ' ἀνθρώπων ἱκνεύμεναι, οἷά τε πολλὰ
ἄνδρες ἐπ' ἀλλήλους νηυσὶν περόωσι θάλασσαν·
οἵ κέ σφιν καὶ νῆσον ἐυκτιμένην ἐκάμοντο.   130
οὐ μὲν γάρ τι κακή γε, φέροι δέ κεν ὥρια πάντα·
ἐν μὲν γὰρ λειμῶνες ἁλὸς πολιοῖο παρ' ὄχθας
ὑδρηλοὶ μαλακοί· μάλα κ' ἄφθιτοι ἄμπελοι εἶεν.
ἐν δ' ἄροσις λείη· μάλα κεν βαθὺ λήιον αἰεὶ
εἰς ὥρας ἀμῷεν, ἐπεὶ μάλα πῖαρ ὑπ' οὖδας.   135
ἐν δὲ λιμὴν εὔορμος, ἵν' οὐ χρεὼ πείσματός ἐστιν,
οὔτ' εὐνὰς βαλέειν οὔτε πρυμνήσι' ἀνάψαι,
ἀλλ' ἐπικέλσαντας μεῖναι χρόνον εἰς ὅ κε ναυτέων
θυμὸς ἐποτρύνῃ καὶ ἐπιπνεύσωσιν ἀῆται.
αὐτὰρ ἐπὶ κρατὸς λιμένος ῥέει ἀγλαὸν ὕδωρ,   140
κρήνη ὑπὸ σπείους· περὶ δ' αἴγειροι πεφύασιν.
ἔνθα κατεπλέομεν, καί τις θεὸς ἡγεμόνευεν

"A terra dos ciclopes, povo rude, sem lei, foi nosso
porto imediato. Por depositarem a sorte em mãos
celestes, não mexem um só dedo para plantar ou
lavrar. O solo produz sem cultivo nem semente
trigo, cevada, videiras. Cachos carnudos vertem   110
vinho. Zeus avança cheio de chuva. Eles não
sabem de assembleias deliberativas nem leis. No
cimo de altas montanhas, vivem em grandes
grutas. Cada qual legisla sobre mulheres e filhos.
Solidariedade de uns com outros não há. Diante   115
do porto estende-se uma ilha coberta de mato. Não
fica longe nem perto dos bosques em que vivem os
globolhos. Cabras selvagens percorrem numerosas
os campos sem serem detidas por trilhas humanas.
Não as molestam caçadores habituados a penetrar   120
em matagais resistentes, vencidas escarpadas
encostas. Pastagens ali não se percebem, nem eitos
tratados. Vezeiras, desde sempre, em produzir sem
semeadura e sem lavra, as terras carecem de homens.
Só medra mé de cabritos. Aos ciclopes faltam   125
estaleiros, faltam naves de sólidos remos, dessas
que frequentam cidades de homens industriosos,
singrando numerosos, de povo a povo, as úmidas
rotas salgadas para firmar distantes laços fraternos.
Portos poderiam florescer em ilha tão bem situada.   130
Fértil como é, seria produtiva em todas as estações.
Prados verdejantes, úmidos e brandos, contrastam
a prata do mar. Vinhas esplenderiam garbosas ali.
A pá do arado penetraria em fofa gleba para
fartas messes em meses de ceifa. Porto de boa   135
ancoragem oferece a terra acolhedora. Para que
âncoras, cabos? As naus repousariam na areia,
confiadas à vontade dos nautas e ao sopro de
ventos propícios. No extremo do porto gorgoleja
fonte clara, gluglu de água em grave gruta,   140
ladeada de álamos. Para lá rumaram os remos,
norteados por força celeste. Negra era a noite,

νύκτα δι' ὀρφναίην, οὐδὲ προυφαίνετ' ἰδέσθαι·
ἀὴρ γὰρ περὶ νηυσὶ βαθεῖ' ἦν, οὐδὲ σελήνη
οὐρανόθεν προύφαινε, κατείχετο δὲ νεφέεσσιν. 145
ἔνθ' οὔ τις τὴν νῆσον ἐσέδρακεν ὀφθαλμοῖσιν,
οὔτ' οὖν κύματα μακρὰ κυλινδόμενα προτὶ χέρσον
εἰσίδομεν, πρὶν νῆας ἐϋσσέλμους ἐπικέλσαι.
κελσάσῃσι δὲ νηυσὶ καθείλομεν ἱστία πάντα,
ἐκ δὲ καὶ αὐτοὶ βῆμεν ἐπὶ ῥηγμῖνι θαλάσσης· 150
ἔνθα δ' ἀποβρίξαντες ἐμείναμεν Ἠῶ δῖαν.
"ἦμος δ' ἠριγένεια φάνη ῥοδοδάκτυλος Ἠώς,
νῆσον θαυμάζοντες ἐδινεόμεσθα κατ' αὐτήν.
ὦρσαν δὲ νύμφαι, κοῦραι Διὸς αἰγιόχοιο,
αἶγας ὀρεσκῴους, ἵνα δειπνήσειαν ἑταῖροι. 155
αὐτίκα καμπύλα τόξα καὶ αἰγανέας δολιχαύλους
εἱλόμεθ' ἐκ νηῶν, διὰ δὲ τρίχα κοσμηθέντες
βάλλομεν· αἶψα δ' ἔδωκε θεὸς μενοεικέα θήρην.
νῆες μέν μοι ἕποντο δυώδεκα, ἐς δὲ ἑκάστην
ἐννέα λάγχανον αἶγες· ἐμοὶ δὲ δέκ' ἔξελον οἴῳ. 160
"ὣς τότε μὲν πρόπαν ἦμαρ ἐς ἠέλιον καταδύντα
ἥμεθα δαινύμενοι κρέα τ' ἄσπετα καὶ μέθυ ἡδύ·
οὐ γάρ πω νηῶν ἐξέφθιτο οἶνος ἐρυθρός,
ἀλλ' ἐνέην· πολλὸν γὰρ ἐν ἀμφιφορεῦσιν ἕκαστοι
ἠφύσαμεν Κικόνων ἱερὸν πτολίεθρον ἑλόντες. 165
Κυκλώπων δ' ἐς γαῖαν ἐλεύσσομεν ἐγγὺς ἐόντων,
καπνόν τ' αὐτῶν τε φθογγὴν ὀΐων τε καὶ αἰγῶν.
ἦμος δ' ἥλιος κατέδυ καὶ ἐπὶ κνέφας ἦλθε,
δὴ τότε κοιμήθημεν ἐπὶ ῥηγμῖνι θαλάσσης.
ἦμος δ' ἠριγένεια φάνη ῥοδοδάκτυλος Ἠώς, 170
καὶ τότ' ἐγὼν ἀγορὴν θέμενος μετὰ πᾶσιν ἔειπον·
"'ἄλλοι μὲν νῦν μίμνετ', ἐμοὶ ἐρίηρες ἑταῖροι·
αὐτὰρ ἐγὼ σὺν νηΐ τ' ἐμῇ καὶ ἐμοῖς ἑτάροισιν
ἐλθὼν τῶνδ' ἀνδρῶν πειρήσομαι, οἵ τινές εἰσιν,
ἤ ῥ' οἵ γ' ὑβρισταί τε καὶ ἄγριοι οὐδὲ δίκαιοι, 175
ἦε φιλόξεινοι, καί σφιν νόος ἐστὶ θεουδής.'
"ὣς εἰπὼν ἀνὰ νηὸς ἔβην, ἐκέλευσα δ' ἑταίρους
αὐτούς τ' ἀμβαίνειν ἀνά τε πρυμνήσια λῦσαι.
οἱ δ' αἶψ' εἴσβαινον καὶ ἐπὶ κληῖσι καθῖζον,

nada se via, nada luzia. A névoa envolvia o
barco. A lua, coberta de nuvens, não sorria na
abóbada celeste. O olhar de ninguém penetrava   145
a ilha imersa na noite nem distinguia o dorso
das ondas em galope à praia antes de os
valentes navios alcançarem a costa. Ao aportar,
tratamos primeiro de amainar as velas.
Saltamos, então, em terra firme. De pálpebras   150
cerradas, aguardamos a luz da manhã.
Madrugadora ergueu-se a rododáctila Aurora.
Pandos de espanto, percorremos a ilha.
Ninfas monteses, filhas do guerreiro Zeus,
tangiam cabras para nosso fraterno festim.   155
Sem delongas fomos aos navios em busca dos
curvos arcos e das longas lanças. Ordenamo-nos
em três grupos. Os céus nos concediam a caça
desejada. Seguiam-me doze naus, nove cabras
foram entregues a cada uma. Só eu recebi dez.   160
O banquete estendeu-se até ao pôr do sol:
variedade de assados regados com a delícia
do vinho. Nossa reserva do rubro líquido ainda
não chegara ao fim. Quando tomamos a sacra
cidadela dos cícones, enchemos as ânforas.   165
Passamos a observar a região dos ciclopes.
Novelos de fumo e o balido de ovelhas, de cabras
denunciavam a proximidade. Ao cair da tarde,
desceu a neblina. Acomodamo-nos para dormir
na arenosa fofura. Quando a Aurora nos despertou   170
com seus dedos rosados, convoquei o conselho dos
meus para deliberar: 'Caros companheiros, esperem
por mim. Embarcado no meu navio e acompanhado
de alguns, procurarei informar-me sobre este lugar.
Quem é essa gente? São violentos, selvagens, sem   175
lei, ou acolhem os hóspedes com a mente voltada
aos deuses?' Com essas instruções, embarquei. Os
que receberam ordem de me acompanhar, soltaram
os cabos. Embarcados, ocuparam seus lugares nos

ἑξῆς δ' ἑζόμενοι πολιὴν ἅλα τύπτον ἐρετμοῖς. 180
ἀλλ' ὅτε δὴ τὸν χῶρον ἀφικόμεθ' ἐγγὺς ἐόντα,
ἔνθα δ' ἐπ' ἐσχατιῇ σπέος εἴδομεν ἄγχι θαλάσσης,
ὑψηλόν, δάφνῃσι κατηρεφές. ἔνθα δὲ πολλὰ
μῆλ', ὄιές τε καὶ αἶγες, ἰαύεσκον: περὶ δ' αὐλὴ
ὑψηλὴ δέδμητο κατωρυχέεσσι λίθοισι 185
μακρῇσίν τε πίτυσσιν ἰδὲ δρυσὶν ὑψικόμοισιν.
ἔνθα δ' ἀνὴρ ἐνίαυε πελώριος, ὅς ῥα τὰ μῆλα
οἶος ποιμαίνεσκεν ἀπόπροθεν: οὐδὲ μετ' ἄλλους
πωλεῖτ', ἀλλ' ἀπάνευθεν ἐὼν ἀθεμίστια ᾔδη.
καὶ γὰρ θαῦμ' ἐτέτυκτο πελώριον, οὐδὲ ἐῴκει 190
ἀνδρί γε σιτοφάγῳ, ἀλλὰ ῥίῳ ὑλήεντι
ὑψηλῶν ὀρέων, ὅ τε φαίνεται οἶον ἀπ' ἄλλων.
"δὴ τότε τοὺς ἄλλους κελόμην ἐρίηρας ἑταίρους
αὐτοῦ πὰρ νηί τε μένειν καὶ νῆα ἔρυσθαι,
αὐτὰρ ἐγὼ κρίνας ἑτάρων δυοκαίδεκ' ἀρίστους 195
βῆν: ἀτὰρ αἴγεον ἀσκὸν ἔχον μέλανος οἴνοιο
ἡδέος, ὅν μοι ἔδωκε Μάρων, Εὐάνθεος υἱός,
ἱρεὺς Ἀπόλλωνος, ὃς Ἴσμαρον ἀμφιβεβήκει,
οὕνεκά μιν σὺν παιδὶ περισχόμεθ' ἠδὲ γυναικὶ
ἁζόμενοι: ᾤκει γὰρ ἐν ἄλσεϊ δενδρήεντι 200
Φοίβου Ἀπόλλωνος. ὁ δέ μοι πόρεν ἀγλαὰ δῶρα:
χρυσοῦ μέν μοι ἔδωκ' ἐυεργέος ἑπτὰ τάλαντα,
δῶκε δέ μοι κρητῆρα πανάργυρον, αὐτὰρ ἔπειτα
οἶνον ἐν ἀμφιφορεῦσι δυώδεκα πᾶσιν ἀφύσσας
ἡδὺν ἀκηράσιον, θεῖον ποτόν: οὐδέ τις αὐτὸν 205
ἠείδη δμώων οὐδ' ἀμφιπόλων ἐνὶ οἴκῳ,
ἀλλ' αὐτὸς ἄλοχός τε φίλη ταμίη τε μί' οἴη.
τὸν δ' ὅτε πίνοιεν μελιηδέα οἶνον ἐρυθρόν,
ἓν δέπας ἐμπλήσας ὕδατος ἀνὰ εἴκοσι μέτρα
χεῦ', ὀδμὴ δ' ἡδεῖα ἀπὸ κρητῆρος ὀδώδει 210
θεσπεσίη: τότ' ἄν οὔ τοι ἀποσχέσθαι φίλον ἦεν.
τοῦ φέρον ἐμπλήσας ἀσκὸν μέγαν, ἐν δὲ καὶ ᾖα
κωρύκῳ: αὐτίκα γάρ μοι ὀίσατο θυμὸς ἀγήνωρ
ἄνδρ' ἐπελεύσεσθαι μεγάλην ἐπιειμένον ἀλκήν,
ἄγριον, οὔτε δίκας ἐὺ εἰδότα οὔτε θέμιστας. 215
"καρπαλίμως δ' εἰς ἄντρον ἀφικόμεθ', οὐδέ μιν ἔνδον

bancos. Os remos impeliram a nau no cinza do
mar. Quando, a pouca distância, atingimos o lugar,
notamos uma caverna num dos extremos, bem perto
do mar. Era alta e cercada de loureiros. Gado miúdo,
ovelhas e cabras. Cochilavam. Um muro elevado
de rochas fincadas no solo protegia o cercado.
Pinheiros se espichavam esguios entre compactas
copas de carvalho. Esse era o albergue de um sujeito
gigantesco. Vivia isolado. Cuidava dos rebanhos.
Sozinho. Afastado de todos, não respeitava lei.
O monstro espalhava medo. Não lembrava em nada
comedores de pão. Mais parecia um pico coberto
de mato, isolado em montanha soberba. Por ordem
minha, companheiros de minha inteira confiança
permaneceram ali para ficarem de olho no navio. Eu
com mais doze companheiros, escolhidos a dedo,
partimos. Levei comigo um odre de vinho, do bom,
presente de Marão, filho de Evantes, sacerdote de
Apolo, padroeiro de Ísmaro. Tínhamos respeitado
a ele, o filho e a mulher. A família vivia num
bosque consagrado a Febo Apolo. Eu não podia
me queixar, o sacerdote foi mais que generoso:
deu-me sete talentos de ouro, artisticamente
trabalhados, um primor. Além disso, recebi dele
uma cratera de prata maciça, doze ânforas de vinho,
uma delícia, digno de deuses. Bem guardado dos
escravos e das escravas, ninguém conhecia o
esconderijo, segredo dele, de sua mulher e da
despenseira. Bebida de qualidade! Quando servida,
a uma taça de vinho se acrescentavam vinte medidas
de água. Aroma incomparável. Nem abstêmios
resistiam. Pois dessa maravilha eu enchera um odre,
dos grandes. Acompanhavam-nos provisões. Meu
coração, que não mente, dizia que enfrentaríamos
um homem descomunal, um brutamontes, portento
de maus bofes, sem rei nem lei. Chegar à caverna
não demorou. Não encontramos ninguém. O gigante

εὕρομεν, ἀλλ' ἐνόμευε νομὸν κάτα πίονα μῆλα.
ἐλθόντες δ' εἰς ἄντρον ἐθηεύμεσθα ἕκαστα.
ταρσοὶ μὲν τυρῶν βρῖθον, στείνοντο δὲ σηκοὶ
ἀρνῶν ἠδ' ἐρίφων: διακεκριμέναι δὲ ἕκασται   220
ἔρχατο, χωρὶς μὲν πρόγονοι, χωρὶς δὲ μέτασσαι,
χωρὶς δ' αὖθ' ἕρσαι. ναῖον δ' ὀρῷ ἄγγεα πάντα,
γαυλοί τε σκαφίδες τε, τετυγμένα, τοῖς ἐνάμελγεν.
ἔνθ' ἐμὲ μὲν πρώτισθ' ἕταροι λίσσοντ' ἐπέεσσιν
τυρῶν αἰνυμένους ἰέναι πάλιν, αὐτὰρ ἔπειτα   225
καρπαλίμως ἐπὶ νῆα θοὴν ἐρίφους τε καὶ ἄρνας
σηκῶν ἐξελάσαντας ἐπιπλεῖν ἁλμυρὸν ὕδωρ:
ἀλλ' ἐγὼ οὐ πιθόμην, ἦ τ' ἂν πολὺ κέρδιον ἦεν,
ὄφρ' αὐτόν τε ἴδοιμι, καὶ εἴ μοι ξείνια δοίη.
οὐδ' ἄρ' ἔμελλ' ἑτάροισι φανεὶς ἐρατεινὸς ἔσεσθαι.   230
"ἔνθα δὲ πῦρ κήαντες ἐθύσαμεν ἠδὲ καὶ αὐτοὶ
τυρῶν αἰνύμενοι φάγομεν, μένομέν τέ μιν ἔνδον
ἥμενοι, ἧος ἐπῆλθε νέμων. φέρε δ' ὄβριμον ἄχθος
ὕλης ἀζαλέης, ἵνα οἱ ποτιδόρπιον εἴη,
ἔντοσθεν δ' ἄντροιο βαλὼν ὀρυμαγδὸν ἔθηκεν: 235
ἡμεῖς δὲ δείσαντες ἀπεσσύμεθ' ἐς μυχὸν ἄντρου.
αὐτὰρ ὅ γ' εἰς εὐρὺ σπέος ἤλασε πίονα μῆλα
πάντα μάλ' ὅσσ' ἤμελγε, τὰ δ' ἄρσενα λεῖπε θύρηφιν,
ἀρνειούς τε τράγους τε, βαθείης ἔκτοθεν αὐλῆς.
αὐτὰρ ἔπειτ' ἐπέθηκε θυρεὸν μέγαν ὑψόσ' ἀείρας,   240
ὄβριμον: οὐκ ἂν τόν γε δύω καὶ εἴκοσ' ἄμαξαι
ἐσθλαὶ τετράκυκλοι ἀπ' οὔδεος ὀχλίσσειαν:
τόσσην ἠλίβατον πέτρην ἐπέθηκε θύρῃσιν.
ἑζόμενος δ' ἤμελγεν ὄις καὶ μηκάδας αἶγας,
πάντα κατὰ μοῖραν, καὶ ὑπ' ἔμβρυον ἧκεν ἑκάστῃ.   245
αὐτίκα δ' ἥμισυ μὲν θρέψας λευκοῖο γάλακτος
πλεκτοῖς ἐν ταλάροισιν ἀμησάμενος κατέθηκεν,
ἥμισυ δ' αὖτ' ἔστησεν ἐν ἄγγεσιν, ὄφρα οἱ εἴη
πίνειν αἰνυμένῳ καί οἱ ποτιδόρπιον εἴη.
αὐτὰρ ἐπεὶ δὴ σπεῦσε πονησάμενος τὰ ἃ ἔργα,   250
καὶ τότε πῦρ ἀνέκαιε καὶ εἴσιδεν, εἴρετο δ' ἡμέας:
" 'ὦ ξεῖνοι, τίνες ἐστέ; πόθεν πλεῖθ' ὑγρὰ κέλευθα;
ἦ τι κατὰ πρῆξιν ἢ μαψιδίως ἀλάλησθε,

andava pelos pastos com suas ovelhas. Sobrava
tempo. Examinamos tudo. Queijos secavam em
grades. Nos currais comprimiam-se cabritos e
carneiros. Tabiques garantiam separações: os maiores   220
para cá, os medianos para lá, os pequenos mais adiante.
Soro escorria das vasilhas, eram muitas. Ele usava
tarros e gamelas na ordenha. Amedrontados,
meus companheiros imploravam que agarrássemos
queijos, puséssemos a mão em algumas ovelhas e   225
cabras, tratássemos de dar o fora sem perda de tempo
para singrar as ondas salgadas. Teria sido melhor,
mas não me convenceram. Eu não podia deixar de
ver a cara dele. Me trataria como hóspede?
Para minha gente, a aparição dele foi um desastre.   230
Fizemos fogo, realizamos sacrifícios, saboreamos
queijos e, acomodados, aguardamos na caverna o
retorno do dono. Veio com uma enorme braçada de
lenha, destinada ao preparo da ceia. O som
do impacto do fardo no solo bateu seco na paredes   235
do antro. Assustados, escondemo-nos no fundo.
O espaço da gruta ia sendo ocupado pelas nutridas
lanudas que ele introduzia para a ordenha. Os
machos ficaram fora, carneiros e bodes povoaram
o cercado. Os braços ergueram, então, a rocha que   240
fechou a entrada. Era imensa. Vinte e dois carroções
de quatro rodas não seriam bastantes para movê-la.
Veio a hora da ordenha. Esse trabalho ele fazia
sentado. Ovelhas e balidoras cabritas se acomodaram
guiadas pelo hábito. As crias sugaram o leite que   245
restou nos ubres. Destinou metade do alvo líquido
ao coalho, que, comprimido em pequenos cestos de
junco, secaria nas grades. Reservou a outra metade
para beber quando lhe desse na telha e para regar a
refeição vespertina. Acendeu o fogo. Percebendo-nos   250
à luz da chama, entrou a rosnar: 'Mas o que é isso?
Quem são vocês? Que navios largaram vocês aqui?
Estou falando com mascates? Com vagabundos?

οἷά τε λῃστῆρες, ὑπεὶρ ἅλα, τοί τ' ἀλόωνται
ψυχὰς παρθέμενοι κακὸν ἀλλοδαποῖσι φέροντες;" 255
"ὣς ἔφαθ', ἡμῖν δ' αὖτε κατεκλάσθη φίλον ἦτορ,
δεισάντων φθόγγον τε βαρὺν αὐτόν τε πέλωρον.
ἀλλὰ καὶ ὣς μιν ἔπεσσιν ἀμειβόμενος προσέειπον·
" 'ἡμεῖς τοι Τροίηθεν ἀποπλαγχθέντες Ἀχαιοὶ
παντοίοις ἀνέμοισιν ὑπὲρ μέγα λαῖτμα θαλάσσης, 260
οἴκαδε ἱέμενοι, ἄλλην ὁδὸν ἄλλα κέλευθα
ἤλθομεν· οὕτω που Ζεὺς ἤθελε μητίσασθαι.
λαοὶ δ' Ἀτρεΐδεω Ἀγαμέμνονος εὐχόμεθ' εἶναι,
τοῦ δὴ νῦν γε μέγιστον ὑπουράνιον κλέος ἐστί·
τόσσην γὰρ διέπερσε πόλιν καὶ ἀπώλεσε λαοὺς 265
πολλούς. ἡμεῖς δ' αὖτε κιχανόμενοι τὰ σὰ γοῦνα
ἱκόμεθ', εἴ τι πόροις ξεινήιον ἠὲ καὶ ἄλλως
δοίης δωτίνην, ἥ τε ξείνων θέμις ἐστίν.
ἀλλ' αἰδεῖο, φέριστε, θεούς· ἱκέται δέ τοί εἰμεν,
Ζεὺς δ' ἐπιτιμήτωρ ἱκετάων τε ξείνων τε, 270
ξείνιος, ὃς ξείνοισιν ἅμ' αἰδοίοισιν ὀπηδεῖ.'
ὣς ἐφάμην, ὁ δέ μ' αὐτίκ' ἀμείβετο νηλέι θυμῷ·
"νήπιός εἰς, ὦ ξεῖν', ἢ τηλόθεν εἰλήλουθας,
ὅς με θεοὺς κέλεαι ἢ δειδίμεν ἢ ἀλέασθαι·
οὐ γὰρ Κύκλωπες Διὸς αἰγιόχου ἀλέγουσιν 275
οὐδὲ θεῶν μακάρων, ἐπεὶ ἦ πολὺ φέρτεροί εἰμεν·
οὐδ' ἂν ἐγὼ Διὸς ἔχθος ἀλευάμενος πεφιδοίμην
οὔτε σεῦ οὔθ' ἑτάρων, εἰ μὴ θυμός με κελεύοι.
ἀλλά μοι εἴφ' ὅπῃ ἔσχες ἰὼν εὐεργέα νῆα,
ἤ που ἐπ' ἐσχατιῆς, ἦ καὶ σχεδόν, ὄφρα δαείω.' 280
"ὣς φάτο πειράζων, ἐμὲ δ' οὐ λάθεν εἰδότα πολλά,
ἀλλά μιν ἄψορρον προσέφην δολίοις ἐπέεσσι·
" 'νέα μέν μοι κατέαξε Ποσειδάων ἐνοσίχθων
πρὸς πέτρῃσι βαλὼν ὑμῆς ἐπὶ πείρασι γαίης,
ἄκρῃ προσπελάσας· ἄνεμος δ' ἐκ πόντου ἔνεικεν· 285
αὐτὰρ ἐγὼ σὺν τοῖσδε ὑπέκφυγον αἰπὺν ὄλεθρον.'
"ὣς ἐφάμην, ὁ δέ μ' οὐδὲν ἀμείβετο νηλέι θυμῷ,
ἀλλ' ὅ γ' ἀναΐξας ἑτάροις ἐπὶ χεῖρας ἴαλλε,
σὺν δὲ δύω μάρψας ὥς τε σκύλακας ποτὶ γαίῃ

Não me digam que são piratas, desses que infestam
o mar! Vocês arriscam a vida para espalhar terror?' 255
O berreiro do gigante nos quebrou o ânimo. A voz
cavernosa daquele corpo descomunal nos arrasou.
Mal me recuperei, animei-me a responder: 'Troia é
nossa origem. Somos aqueus, açoitados por toda
sorte de ventos no dorso inquieto deste mar sem-fim. 260
De viagem para casa, fomos arrastados a diversos
caminhos. Perdemos o rumo. Vontade de Zeus!
Somos da gente do Átrida Agamênon. Declaro-o
com orgulho. O renome dele é incomparável, bate
no céu. Arrasou Troia, arruinou inúmeros povos. 265
Cordatos, nós nos prostramos a teus pés. Suplicamos
os favores devidos a quem viaja, como é costume
entre pessoas civilizadas. Imploro-te que respeites
os deuses. Pedimos proteção. Zeus, protetor nosso,
espera que os estrangeiros sejam respeitados.' 270
Minhas palavras bateram num coração de pedra:
'Deixa de ser burro! Vê-se que não sabes nada
daqui. Queres que me dobre, puxe o saco dos
deuses? Que Zeus vá à merda. Nós, os ciclopes,
cagamos no poder dele. Um peido na fuça dos 275
lá de cima. Somos mais fortes. Zeus, se quer briga,
que venha! Tu não me escapas, nem teus amigos.
Faço o que me dá na telha. Diga-me uma coisa: onde
ficou teu navio? É forte? Ancoraste longe, perto?
Quero saber.' Falou assim para me sondar. 280
Percebi a intenção dele. Não me enganou. Botei
astúcia na minha resposta: 'Aconteceu uma
desgraça. Posidon despedaçou meu navio. Atirou-
o contra pedras nos limites das terras de vocês.
Uma tempestade nos trouxe de águas profundas. 285
Eu e estes conseguimos escapar da morte.' Do
peito obstinado dele não me veio resposta. As
garras do monstro desceram sobre dois dos meus
como se fossem dois cuscos e os espatifou no chão.

κόπτ': ἐκ δ' ἐγκέφαλος χαμάδις ῥέε, δεῦε δὲ γαῖαν.   290
τοὺς δὲ διὰ μελεϊστὶ ταμὼν ὡπλίσσατο δόρπον·
ἤσθιε δ' ὥς τε λέων ὀρεσίτροφος, οὐδ' ἀπέλειπεν,
ἔγκατά τε σάρκας τε καὶ ὀστέα μυελόεντα.
ἡμεῖς δὲ κλαίοντες ἀνεσχέθομεν Διὶ χεῖρας,
σχέτλια ἔργ' ὁρόωντες, ἀμηχανίη δ' ἔχε θυμόν.   295
αὐτὰρ ἐπεὶ Κύκλωψ μεγάλην ἐμπλήσατο νηδὺν
ἀνδρόμεα κρέ' ἔδων καὶ ἐπ' ἄκρητον γάλα πίνων,
κεῖτ' ἔντοσθ' ἄντροιο τανυσσάμενος διὰ μήλων.
τὸν μὲν ἐγὼ βούλευσα κατὰ μεγαλήτορα θυμὸν
ἆσσον ἰών, ξίφος ὀξὺ ἐρυσσάμενος παρὰ μηροῦ,   300
οὐτάμεναι πρὸς στῆθος, ὅθι φρένες ἧπαρ ἔχουσι,
χείρ' ἐπιμασσάμενος· ἕτερος δέ με θυμὸς ἔρυκεν.
αὐτοῦ γάρ κε καὶ ἄμμες ἀπωλόμεθ' αἰπὺν ὄλεθρον·
οὐ γάρ κεν δυνάμεσθα θυράων ὑψηλάων
χερσὶν ἀπώσασθαι λίθον ὄβριμον, ὃν προσέθηκεν.   305
ὣς τότε μὲν στενάχοντες ἐμείναμεν Ἠῶ δῖαν.
"ἦμος δ' ἠριγένεια φάνη ῥοδοδάκτυλος Ἠώς,
καὶ τότε πῦρ ἀνέκαιε καὶ ἤμελγε κλυτὰ μῆλα,
πάντα κατὰ μοῖραν, καὶ ὑπ' ἔμβρυον ἧκεν ἑκάστῃ.
αὐτὰρ ἐπεὶ δὴ σπεῦσε πονησάμενος τὰ ἃ ἔργα,   310
σὺν δ' ὅ γε δὴ αὖτε δύω μάρψας ὡπλίσσατο δεῖπνον.
δειπνήσας δ' ἄντρου ἐξήλασε πίονα μῆλα,
ῥηϊδίως ἀφελὼν θυρεὸν μέγαν· αὐτὰρ ἔπειτα
ἂψ ἐπέθηχ', ὡς εἴ τε φαρέτρῃ πῶμ' ἐπιθείη.
πολλῇ δὲ ῥοίζῳ πρὸς ὄρος τρέπε πίονα μῆλα   315
Κύκλωψ· αὐτὰρ ἐγὼ λιπόμην κακὰ βυσσοδομεύων,
εἴ πως τισαίμην, δοίη δέ μοι εὖχος Ἀθήνη.
"ἥδε δέ μοι κατὰ θυμὸν ἀρίστη φαίνετο βουλή.
Κύκλωπος γὰρ ἔκειτο μέγα ῥόπαλον παρὰ σηκῷ,
χλωρὸν ἐλαΐνεον· τὸ μὲν ἔκταμεν, ὄφρα φοροίη   320
αὐανθέν. τὸ μὲν ἄμμες ἐΐσκομεν εἰσορόωντες
ὅσσον θ' ἱστὸν νηὸς ἐεικοσόροιο μελαίνης,
φορτίδος εὐρείης, ἥ τ' ἐκπεράᾳ μέγα λαῖτμα·
τόσσον ἔην μῆκος, τόσσον πάχος εἰσοράασθαι.
τοῦ μὲν ὅσον τ' ὄργυιαν ἐγὼν ἀπέκοψα παραστὰς   325
καὶ παρέθηχ' ἑτάροισιν, ἀποξῦναι δ' ἐκέλευσα·

O encéfalo encharcou a terra. Cortando-os em
pedaços, armou a comilança. Triturou-os como um
leão. Enfiou na goela tripas e músculos. Lambuzou-
se com o tutano dos ossos lascados. Espetáculo
aterrorizante! Aos prantos, levantamos as mãos.
Estávamos paralisados. Depois de o globolho
ter enchido a pança de carne humana, regada com
leite de cabritas, atirou-se no chão bem nos fundos,
braços e pernas entre cascos de animais. Revoltado,
ocorreu-me aproximar-me. Minha mão já tinha
movido o ferro preso à coxa. Eu lhe enfiaria a
espada na barriga no lugar em que o diafragma
reveste o fígado. Apalpei o lugar. Outro impulso
me deteve. Morreríamos todos, presos na caverna.
Cadê braços para remover a pedra gigante que
tampava a entrada, obra do monstro? Aguardamos,
apreensivos, os fulgores da Aurora. Quando a
deusa ergueu os róseos dedos no horizonte, o
monstro acendeu o fogo e entregou-se à ordenha.
As crias mamaram depois. Apressando-se o gigante em
concluir essa etapa de suas tarefas, caíram mais dois
dos nossos em suas unhas para o desjejum. Forrada
a pança, removeu, sem esforço, a rocha para soltar
os animais. Voltou a cobrir a abertura como se a
pedra fosse a tampa de uma panela. O rebanho subiu
a montanha, obediente aos assobios do colosso. Eu
vagava em tenebrosos abismos interiores. Só pensava
em vingança. Atena me concederia essa glória? Tive
uma ideia. De muitas, essa pareceu-me a melhor.
Junto à parede secava o cajado do olhudo, um tronco
de oliveira recém-cortado. Ele o preparava para seu
uso. Passamos a examiná-lo. Tinha o tamanho de um
mastro para um navio de vinte remos, embarcação
comercial, construída para enfrentar ondas. Avaliando
comprimento e espessura, foi o que constatamos.
Tirei uma lasca do tamanho dum homem. Passei-a
a meus companheiros, pedindo que a descascassem.

οἱ δ' ὁμαλὸν ποίησαν: ἐγὼ δ' ἐθόωσα παραστὰς
ἄκρον, ἄφαρ δὲ λαβὼν ἐπυράκτεον ἐν πυρὶ κηλέῳ.
καὶ τὸ μὲν εὖ κατέθηκα κατακρύψας ὑπὸ κόπρῳ,
ἥ ῥα κατὰ σπείους κέχυτο μεγάλ' ἤλιθα πολλή: 330
αὐτὰρ τοὺς ἄλλους κλήρῳ πεπαλάσθαι ἄνωγον,
ὅς τις τολμήσειεν ἐμοὶ σὺν μοχλὸν ἀείρας
τρῖψαι ἐν ὀφθαλμῷ, ὅτε τὸν γλυκὺς ὕπνος ἱκάνοι.
οἱ δ' ἔλαχον τοὺς ἄν κε καὶ ἤθελον αὐτὸς ἑλέσθαι,
τέσσαρες, αὐτὰρ ἐγὼ πέμπτος μετὰ τοῖσιν ἐλέγμην. 335
ἑσπέριος δ' ἦλθεν καλλίτριχα μῆλα νομεύων.
αὐτίκα δ' εἰς εὐρὺ σπέος ἤλασε πίονα μῆλα
πάντα μάλ', οὐδέ τι λεῖπε βαθείης ἔκτοθεν αὐλῆς,
ἤ τι ὀισάμενος, ἢ καὶ θεὸς ὣς ἐκέλευσεν.
αὐτὰρ ἔπειτ' ἐπέθηκε θυρεὸν μέγαν ὑψόσ' ἀείρας, 340
ἑζόμενος δ' ἤμελγεν ὄις καὶ μηκάδας αἶγας,
πάντα κατὰ μοῖραν, καὶ ὑπ' ἔμβρυον ἧκεν ἑκάστῃ.
αὐτὰρ ἐπεὶ δὴ σπεῦσε πονησάμενος τὰ ἃ ἔργα,
σὺν δ' ὅ γε δὴ αὖτε δύω μάρψας ὡπλίσσατο δόρπον.
καὶ τότ' ἐγὼ Κύκλωπα προσηύδων ἄγχι παραστάς, 345
κισσύβιον μετὰ χερσὶν ἔχων μέλανος οἴνοιο:
"Κύκλωψ, τῆ, πίε οἶνον, ἐπεὶ φάγες ἀνδρόμεα κρέα,
ὄφρ' εἰδῇς οἷόν τι ποτὸν τόδε νηῦς ἐκεκεύθει
ἡμετέρη. σοὶ δ' αὖ λοιβὴν φέρον, εἴ μ' ἐλεήσας
οἴκαδε πέμψειας: σὺ δὲ μαίνεαι οὐκέτ' ἀνεκτῶς. 350
σχέτλιε, πῶς κέν τίς σε καὶ ὕστερον ἄλλος ἵκοιτο
ἀνθρώπων πολέων, ἐπεὶ οὐ κατὰ μοῖραν ἔρεξας;"
"ὣς ἐφάμην, ὁ δ' ἔδεκτο καὶ ἔκπιεν: ἥσατο δ' αἰνῶς
ἡδὺ ποτὸν πίνων καί μ' ᾔτεε δεύτερον αὖτις:
"'δός μοι ἔτι πρόφρων, καί μοι τεὸν οὔνομα εἰπὲ 355
αὐτίκα νῦν, ἵνα τοι δῶ ξείνιον, ᾧ κε σὺ χαίρῃς:
καὶ γὰρ Κυκλώπεσσι φέρει ζείδωρος ἄρουρα
οἶνον ἐριστάφυλον, καί σφιν Διὸς ὄμβρος ἀέξει:
ἀλλὰ τόδ' ἀμβροσίης καὶ νέκταρός ἐστιν ἀπορρώξ.'
"ὣς φάτ', ἀτάρ οἱ αὖτις ἐγὼ πόρον αἴθοπα οἶνον. 360
τρὶς μὲν ἔδωκα φέρων, τρὶς δ' ἔκπιεν ἀφραδίῃσιν.
αὐτὰρ ἐπεὶ Κύκλωπα περὶ φρένας ἤλυθεν οἶνος,
καὶ τότε δή μιν ἔπεσσι προσηύδων μειλιχίοισι:

Deixaram-na lisa. A ponta aguçada foi obra minha.
As labaredas trataram de endurecê-la. Escondi o
instrumento debaixo do estrume. De bosta animal
era rica a caverna do monstro. Decidimos na sorte 330
quem me ajudaria – coragem era indispensável –
a erguer o estilhaço para depois enfiá-lo no olho
do monstro, quando entregue às delícias do sono.
A fortuna me concedeu quem eu próprio teria
escolhido. Quatro fariam o serviço, sendo eu o 335
quinto. À tardinha voltou o canibal e seu povo
lanudo. Dessa vez, introduziu todos os animais
na caverna. Eram pressentimentos ou a ordem
de um deus? Não esqueceu de levantar a rocha
sobre a entrada do antro. Ordenhou as ovelhas e 340
as cabras de incansável mememé. O ritual foi o
de sempre: as crias tiveram acesso às tetas depois
da ordenha. Cansado das lides, caçou dois dos
nossos para o macabro banquete noturno. Tomando
coragem, falei-lhe bem de perto: vinho tinto enchia 345
a gamela que eu trazia nas mãos: 'Vinho, meu caro
Ciclope, junta vinho ao festim de carne de heróis.
Provarás a delícia da bebida guardada em nossa nau
submersa. Trouxe-o na esperança de me poupares,
de me enviares para minha casa. Enlouqueceste? Tua 350
selvageria não tem limites? Quem neste vasto mundo
desejará visitar-te conhecendo teus hábitos?' Pouco
lhe interessaram minhas palavras. Agarrou e bebeu.
Botou de um trago a preciosidade goela abaixo e pediu
mais: 'Vem com essa delícia! Por favor! Teu nome! 355
Como te chamas? Não ficarás sem recompensa. Sairás
pulando de alegria. Te dou minha palavra. Nossa terra
produz de tudo: trigo, vinhas. Zeus a rega. Mas isso
não fica devendo nada à ambrosia, ao néctar.' O gigante
ululava. Agi. O brilho do vinho entrou-lhe rubro pelo 360
olho. Três vezes servi. Molhou a goela três vezes. A
bebida afrouxou-lhe o parafuso. Quando a bebida lhe
tinha subido à telha, abordei-o com palavras de seda:

"Κύκλωψ, εἰρωτᾷς μ' ὄνομα κλυτόν, αὐτὰρ ἐγώ τοι
ἐξερέω· σὺ δέ μοι δὸς ξείνιον, ὥς περ ὑπέστης.   365
Οὖτις ἐμοί γ' ὄνομα· Οὖτιν δέ με κικλήσκουσι
μήτηρ ἠδὲ πατὴρ ἠδ' ἄλλοι πάντες ἑταῖροι.'
"ὣς ἐφάμην, ὁ δέ μ' αὐτίκ' ἀμείβετο νηλέι θυμῷ·
"Οὖτιν ἐγὼ πύματον ἔδομαι μετὰ οἷς ἑτάροισιν,
τοὺς δ' ἄλλους πρόσθεν· τὸ δέ τοι ξεινήιον ἔσται.   370
"ἦ καὶ ἀνακλινθεὶς πέσεν ὕπτιος, αὐτὰρ ἔπειτα
κεῖτ' ἀποδοχμώσας παχὺν αὐχένα, κὰδ δέ μιν ὕπνος
ᾕρει πανδαμάτωρ· φάρυγος δ' ἐξέσσυτο οἶνος
ψωμοί τ' ἀνδρόμεοι· ὁ δ' ἐρεύγετο οἰνοβαρείων.
καὶ τότ' ἐγὼ τὸν μοχλὸν ὑπὸ σποδοῦ ἤλασα πολλῆς,   375
ἧος θερμαίνοιτο· ἔπεσσι δὲ πάντας ἑταίρους
θάρσυνον, μή τίς μοι ὑποδείσας ἀναδύη.
ἀλλ' ὅτε δὴ τάχ' ὁ μοχλὸς ἐλάινος ἐν πυρὶ μέλλεν
ἅψεσθαι, χλωρός περ ἐών, διεφαίνετο δ' αἰνῶς,
καὶ τότ' ἐγὼν ἆσσον φέρον ἐκ πυρός, ἀμφὶ δ' ἑταῖροι   380
ἵσταντ'· αὐτὰρ θάρσος ἐνέπνευσεν μέγα δαίμων.
οἱ μὲν μοχλὸν ἑλόντες ἐλάινον, ὀξὺν ἐπ' ἄκρῳ,
ὀφθαλμῷ ἐνέρεισαν· ἐγὼ δ' ἐφύπερθεν ἐρεισθεὶς
δίνεον, ὡς ὅτε τις τρυπῷ δόρυ νήιον ἀνὴρ
τρυπάνῳ, οἱ δέ τ' ἔνερθεν ὑποσσείουσιν ἱμάντι   385
ἁψάμενοι ἑκάτερθε, τὸ δὲ τρέχει ἐμμενὲς αἰεί.
ὣς τοῦ ἐν ὀφθαλμῷ πυριήκεα μοχλὸν ἑλόντες
δινέομεν, τὸν δ' αἷμα περίρρεε θερμὸν ἐόντα.
πάντα δέ οἱ βλέφαρ' ἀμφὶ καὶ ὀφρύας εὖσεν ἀυτμὴ
γλήνης καιομένης, σφαραγεῦντο δέ οἱ πυρὶ ῥίζαι.   390
ὡς δ' ὅτ' ἀνὴρ χαλκεὺς πέλεκυν μέγαν ἠὲ σκέπαρνον
εἰν ὕδατι ψυχρῷ βάπτῃ μεγάλα ἰάχοντα
φαρμάσσων· τὸ γὰρ αὖτε σιδήρου γε κράτος ἐστίν·
ὣς τοῦ σίζ' ὀφθαλμὸς ἐλαϊνέῳ περὶ μοχλῷ.
σμερδαλέον δὲ μέγ' ᾤμωξεν, περὶ δ' ἴαχε πέτρη,   395
ἡμεῖς δὲ δείσαντες ἀπεσσύμεθ'· αὐτὰρ ὁ μοχλὸν
ἐξέρυσ' ὀφθαλμοῖο πεφυρμένον αἵματι πολλῷ.
τὸν μὲν ἔπειτ' ἔρριψεν ἀπὸ ἕο χερσὶν ἀλύων,
αὐτὰρ ὁ Κύκλωπας μεγάλ' ἤπυεν, οἵ ῥά μιν ἀμφὶς
ᾤκεον ἐν σπήεσσι δι' ἄκριας ἠνεμοέσσας.   400

'Caro Ciclope. Queres saber meu nome? Será um prazer
receber a recompensa prometida. Nulisseu ou Ninguém   365
é meu nome. Nulisseu me chamaram minha mãe e meu
pai. Por Nulisseu me conhecem todos os meus amigos.'
A reposta abriu os bofes do monstro. Foi cruel: 'Nulisseu,
meu caro Ninguém, serás comido por último. Os outros
descerão à minha pança primeiro. Este é o prêmio que   370
te ofereço.' Rugiu e caiu de costas. Estendido, inclinou
o pescoço carnudo, prostrado pelo domador universal,
o sono. Da garganta vinham-lhe nacos de carne nadando
em golfadas tintas, arrotos do borracho. Foi então que
enfiei a lasca no vivo braseiro até constatá-la   375
incandescente. Falei entusiástico. Fiz tudo para impedir
que o medo afrouxasse os braços dos companheiros.
Quando percebi que as labaredas começavam a lamber
a ponta da lasca de oliveira – ainda estava verde – na
força do calor, botei as mãos nela e a arranquei do fogo.   380
Contei com a ajuda dos meus companheiros. Sentimos
um vigor divino penetrar nos ossos. Eles levantaram
a lasca talhada de ponta ardente, firmaram-na no olho,
e eu, pressionando de cima, a girei como quem fura a
trado a trave naval. Correm correias, viram, giram e   385
regiram a braços a brava broca pra cá e pra lá. Assim
zunia pronta a ponta inflamada da lasca do polifêmico
olho. Cálidos circulam rubros esguichos de sangue.
Ao vapor que subia da pupila ardiam as pálpebras.
Sobrancelhas soçobram. O fogo fervia a raiz ocular.   390
Meta machado ou machadinha o ferreiro sagaz em
água fria, chiam esquichos, estrídulos estalam, e o
forjeiro tira do tanque fero ferro de têmpera tenaz.
Assim silvava o globo espetado do agigantado glutão.
Rebenta na rocha o hórrido urro do Globolho.   395
Assombrados sumimos da cena. O Ciclope arranca
do olho ferido a lasca encharcada de sangue. Louco
de dor, arremessa a estaca que zune na sombra. Altos
brados despertam os ciclopes vizinhos, moradores
das grutas agrestes disseminadas pelos píncaros   400

οἱ δὲ βοῆς ἀίοντες ἐφοίτων ἄλλοθεν ἄλλος,
ἱστάμενοι δ' εἴροντο περὶ σπέος ὅττι ἑ κήδοι:
"'τίπτε τόσον, Πολύφημ', ἀρημένος ὧδ' ἐβόησας
νύκτα δι' ἀμβροσίην καὶ ἀύπνους ἄμμε τίθησθα;
ἦ μή τίς σευ μῆλα βροτῶν ἀέκοντος ἐλαύνει; 405
ἦ μή τίς σ' αὐτὸν κτείνει δόλῳ ἠὲ βίηφιν;'"
"τοὺς δ' αὖτ' ἐξ ἄντρου προσέφη κρατερὸς Πολύφημος:
'ὦ φίλοι, Οὖτίς με κτείνει δόλῳ οὐδὲ βίηφιν.'
"οἱ δ' ἀπαμειβόμενοι ἔπεα πτερόεντ' ἀγόρευον:
εἰ μὲν δὴ μή τίς σε βιάζεται οἶον ἐόντα, 410
νοῦσον γ' οὔ πως ἔστι Διὸς μεγάλου ἀλέασθαι,
ἀλλὰ σύ γ' εὔχεο πατρὶ Ποσειδάωνι ἄνακτι.'

"ὣς ἄρ' ἔφαν ἀπιόντες, ἐμὸν δ' ἐγέλασσε φίλον κῆρ,
ὡς ὄνομ' ἐξαπάτησεν ἐμὸν καὶ μῆτις ἀμύμων.
Κύκλωψ δὲ στενάχων τε καὶ ὠδίνων ὀδύνῃσι 415
χερσὶ ψηλαφόων ἀπὸ μὲν λίθον εἷλε θυράων,
αὐτὸς δ' εἰνὶ θύρῃσι καθέζετο χεῖρε πετάσσας,
εἴ τινά που μετ' ὄεσσι λάβοι στείχοντα θύραζε:
οὕτω γάρ πού μ' ἤλπετ' ἐνὶ φρεσὶ νήπιον εἶναι.
αὐτὰρ ἐγὼ βούλευον, ὅπως ὄχ' ἄριστα γένοιτο, 420
εἴ τιν' ἑταίροισιν θανάτου λύσιν ἠδ' ἐμοὶ αὐτῷ
εὑροίμην: πάντας δὲ δόλους καὶ μῆτιν ὕφαινον
ὥς τε περὶ ψυχῆς: μέγα γὰρ κακὸν ἐγγύθεν ἦεν.
ἥδε δέ μοι κατὰ θυμὸν ἀρίστη φαίνετο βουλή.
ἄρσενες ὄιες ἦσαν ἐυτρεφέες, δασύμαλλοι, 425
καλοί τε μεγάλοι τε, ἰοδνεφὲς εἶρος ἔχοντες:
τοὺς ἀκέων συνέεργον ἐυστρεφέεσσι λύγοισιν,
τῇς ἔπι Κύκλωψ εὗδε πέλωρ, ἀθεμίστια εἰδώς,
σύντρεις αἰνύμενος: ὁ μὲν ἐν μέσῳ ἄνδρα φέρεσκε,
τὼ δ' ἑτέρω ἑκάτερθεν ἴτην σώοντες ἑταίρους. 430
τρεῖς δὲ ἕκαστον φῶτ' ὄιες φέρον: αὐτὰρ ἐγώ γε--
ἀρνειὸς γὰρ ἔην μήλων ὄχ' ἄριστος ἁπάντων,
τοῦ κατὰ νῶτα λαβών, λασίην ὑπὸ γαστέρ' ἐλυσθεὶς
κείμην: αὐτὰρ χερσὶν ἀώτου θεσπεσίοιο
νωλεμέως στρεφθεὶς ἐχόμην τετληότι θυμῷ. 435

ventosos. Sacudidos pelos gritos acorrem de todos os
lados. Reunidos em torno da gruta perguntam pela
causa da queixa. 'Que dor te atormenta? Perturbas a
paz da noite sagrada. Arrancaste-nos de sono profundo.
Réprobos irromperam em teu rebanho? Te agridem?   405
Alguém está te matando? Um salafrário? Um bandido?'
Do fundo da gruta grita o grande Polifemo: 'Camaradas,
é Nulisseu! Ninguém me agride, Ninguém me mata.'
Deram-lhe por resposta palavras que voam pelos ares:
'Se ninguém te agride, seu Nulo, teus gritos são de   410
louco. Mal enviado por Zeus não tem cura. Fazer
o quê? Roga a ajuda de Posidon, nosso Senhor.'

"Protestaram e se foram. Meu coração gargalhava em
festa. Meu nome falso os ludibriou. Acertei! Gemendo
e varado de dor, o Ciclope, às apalpadelas, removeu   415
a pedra. Sentou-se na soleira e, de braços estendidos,
esperava apanhar quem tentasse fugir no lanudo
vagalhão de ovelhas. O gigante me menosprezava.
Pensava que estava lidando com uma criança. Mas na
minha cabeça, eu já elaborava um plano para salvar   420
da morte meus companheiros e a mim. Muitos
planos e enganos eu revolvia na mente, pois o que
estava em jogo era a vida. Próximo vigiava o perigo.
De todos, o recurso que julguei mais apropriado foi
este. Cercavam-me carneiros alentados, lanudos,   425
vistosos, robustos; o pelego luzia violáceo. Sem som,
amarrei um aos outros com vime trançado, surripiado
do leito do cego, o forjador de ilegalidades. Agrupei-
os em três. O do meio carregava um homem. Os que
o ladeavam protegiam o fugitivo. Sempre três para   430
resgatar um dos meus. E para mim? Percebi um
carneiro singular, o mais encorpado de todos. Segurei-
o. Estendi-me embaixo ao longo do ventre. Enfiei
ambas as mãos na lã divina. Mantive-me com muito
empenho pendurado sem permitir que o ânimo   435

ὡς τότε μὲν στενάχοντες ἐμείναμεν Ἠῶ δῖαν.
"ἦμος δ' ἠριγένεια φάνη ῥοδοδάκτυλος Ἠώς,
καὶ τότ' ἔπειτα νομόνδ' ἐξέσσυτο ἄρσενα μῆλα,
θήλειαι δὲ μέμηκον ἀνήμελκτοι περὶ σηκούς·
οὔθατα γὰρ σφαραγεῦντο. ἄναξ δ' ὀδύνῃσι κακῇσι   440
τειρόμενος πάντων οἴων ἐπεμαίετο νῶτα
ὀρθῶν ἑσταότων· τὸ δὲ νήπιος οὐκ ἐνόησεν,
ὥς οἱ ὑπ' εἰροπόκων οἴων στέρνοισι δέδεντο.
ὕστατος ἀρνειὸς μήλων ἔστειχε θύραζε
λάχνῳ στεινόμενος καὶ ἐμοὶ πυκινὰ φρονέοντι.   445
τὸν δ' ἐπιμασσάμενος προσέφη κρατερὸς Πολύφημος·
"'κριὲ πέπον, τί μοι ὧδε διὰ σπέος ἔσσυο μήλων
ὕστατος; οὔ τι πάρος γε λελειμμένος ἔρχεαι οἰῶν,
ἀλλὰ πολὺ πρῶτος νέμεαι τέρεν' ἄνθεα ποίης
μακρὰ βιβάς, πρῶτος δὲ ῥοὰς ποταμῶν ἀφικάνεις,   450
πρῶτος δὲ σταθμόνδε λιλαίεαι ἀπονέεσθαι
ἑσπέριος· νῦν αὖτε πανύστατος. ἦ σύ γ' ἄνακτος
ὀφθαλμὸν ποθέεις, τὸν ἀνὴρ κακὸς ἐξαλάωσε
σὺν λυγροῖς ἑτάροισι δαμασσάμενος φρένας οἴνῳ,
Οὖτις, ὃν οὔ πώ φημι πεφυγμένον εἶναι ὄλεθρον.   455
εἰ δὴ ὁμοφρονέοις ποτιφωνήεις τε γένοιο
εἰπεῖν ὅππῃ κεῖνος ἐμὸν μένος ἠλασκάζει·
τῷ κέ οἱ ἐγκέφαλός γε διὰ σπέος ἄλλυδις ἄλλῃ
θεινομένου ῥαίοιτο πρὸς οὔδεϊ, κὰδ δέ κ' ἐμὸν κῆρ
λωφήσειε κακῶν, τά μοι οὐτιδανὸς πόρεν Οὖτις.'   460
"ὣς εἰπὼν τὸν κριὸν ἀπὸ ἕο πέμπε θύραζε.

ἐλθόντες δ' ἠβαιὸν ἀπὸ σπείους τε καὶ αὐλῆς
πρῶτος ὑπ' ἀρνειοῦ λυόμην, ὑπέλυσα δ' ἑταίρους.
καρπαλίμως δὲ τὰ μῆλα ταναύποδα, πίονα δημῷ,
πολλὰ περιτροπέοντες ἐλαύνομεν, ὄφρ' ἐπὶ νῆα   465
ἱκόμεθ'. ἀσπάσιοι δὲ φίλοις ἑτάροισι φάνημεν,
οἳ φύγομεν θάνατον, τοὺς δὲ στενάχοντο γοῶντες.
ἀλλ' ἐγὼ οὐκ εἴων, ἀνὰ δ' ὀφρύσι νεῦον ἑκάστῳ,
κλαίειν, ἀλλ' ἐκέλευσα θοῶς καλλίτριχα μῆλα
πόλλ' ἐν νηὶ βαλόντας ἐπιπλεῖν ἁλμυρὸν ὕδωρ.   470

fraquejasse. Preparados, aguardamos ansiosos a
Aurora. A divina apareceu com seus rosados dedos.
Enquanto os machos procuram o verdor das pastagens,
balem no cercado as não ordenhadas fêmeas, de
úberes tesos. O dono, entretanto, ferido por dores   440
lancinantes, detinha e apalpava o dorso de todos
os machos. Obtuso, não percebeu a artimanha:
que os meus passavam agarrados nos peitos lanudos.
O meu saiu por último, o mais possante, retardado
pelo peso da lã e de mim, o inventor de truques.   445
Acariciando-o falou-lhe Polifemo, o forte: 'Meu
amado, por que essa lentidão? O derradeiro hoje
és tu? Preguiçoso! Não costumas encerrar o cortejo.
Na ponta da tropa, tosas no prado as florzinhas que
topas. A passos largos, és o primeiro a rumar aos   450
regatos, o primeiro a demandar o estábulo à noitinha.
E agora vens por último! Lamentas meu olho? O
olho do teu senhor? Um homem mau me feriu com
a ajuda de seus criminosos amigos. Encharcaram-
me de vinho. Nulisseu! Ele ainda não escapou da   455
destruição. Por que não raciocinas? Por que não
falas? Tu me dirias onde ele se esconde da minha
fúria. Eu espatifaria a cabeça dele no chão. O miolo
dele salpicaria a gruta. Eu removeria assim o peso
que Nulisseu botou em mim. Nulidade!' Com esse   460
lamento, afastou o carneiro, empurrou-o para fora.

"A pouca distância, soltei o carneiro e tratei
de libertar meus companheiros. Agimos rápidos.
Tocamos o rebanho gordo de pernas delgadas,
por aqui, por ali, até alcançarmos a nau. Alegria   465
iluminou os rostos dos que nos receberam, salvos
da morte. Lamentamos e choramos pelos outros.
Interrompi o pranto. Acenei-lhes de sobrolho
carregado. Que embarcassem o gado! Não viam a
beleza da pelegama? Dar o fora! Singrar o mar   470

οἱ δ' αἶψ' εἴσβαινον καὶ ἐπὶ κληῖσι καθῖζον,
ἑξῆς δ' ἑζόμενοι πολιὴν ἅλα τύπτον ἐρετμοῖς.
ἀλλ' ὅτε τόσσον ἀπῆν, ὅσσον τε γέγωνε βοήσας,
καὶ τότ' ἐγὼ Κύκλωπα προσηύδων κερτομίοισι·
"Κύκλωψ, οὐκ ἄρ' ἔμελλες ἀνάλκιδος ἀνδρὸς ἑταίρους 475
ἔδμεναι ἐν σπῆϊ γλαφυρῷ κρατερῆφι βίηφι.
καὶ λίην σέ γ' ἔμελλε κιχήσεσθαι κακὰ ἔργα,
σχέτλι', ἐπεὶ ξείνους οὐχ ἅζεο σῷ ἐνὶ οἴκῳ
ἐσθέμεναι· τῷ σε Ζεὺς τίσατο καὶ θεοὶ ἄλλοι.'
"ὣς ἐφάμην, ὁ δ' ἔπειτα χολώσατο κηρόθι μᾶλλον, 480
ἧκε δ' ἀπορρήξας κορυφὴν ὄρεος μεγάλοιο,
τυτθόν, ἐδεύησεν δ' οἰήϊον ἄκρον ἱκέσθαι·
κὰδ δ' ἔβαλε προπάροιθε νεὸς κυανοπρῴροιο.
ἐκλύσθη δὲ θάλασσα κατερχομένης ὑπὸ πέτρης·
τὴν δ' αἶψ' ἤπειρόνδε παλιρρόθιον φέρε κῦμα, 485
πλημυρὶς ἐκ πόντοιο, θέμωσε δὲ χέρσον ἱκέσθαι.
αὐτὰρ ἐγὼ χείρεσσι λαβὼν περιμήκεα κοντὸν
ὦσα παρέξ, ἑτάροισι δ' ἐποτρύνας ἐκέλευσα
ἐμβαλέειν κώπῃς, ἵν' ὑπὲκ κακότητα φύγοιμεν,
κρατὶ κατανεύων· οἱ δὲ προπεσόντες ἔρεσσον. 490
ἀλλ' ὅτε δὴ δὶς τόσσον ἅλα πρήσσοντες ἀπῆμεν,
καὶ τότε δὴ Κύκλωπα προσηύδων· ἀμφὶ δ' ἑταῖροι
μειλιχίοις ἐπέεσσιν ἐρήτυον ἄλλοθεν ἄλλος·
"'σχέτλιε, τίπτ' ἐθέλεις ἐρεθιζέμεν ἄγριον ἄνδρα;
ὃς καὶ νῦν πόντονδε βαλὼν βέλος ἤγαγε νῆα 495
αὖτις ἐς ἤπειρον, καὶ δὴ φάμεν αὐτόθ' ὀλέσθαι.
εἰ δὲ φθεγξαμένου τευ ἢ αὐδήσαντος ἄκουσε,
σύν κεν ἄραξ' ἡμέων κεφαλὰς καὶ νήϊα δοῦρα
μαρμάρῳ ὀκριόεντι βαλών· τόσσον γὰρ ἵησιν.'
"ὣς φάσαν, ἀλλ' οὐ πεῖθον ἐμὸν μεγαλήτορα θυμόν, 500
ἀλλά μιν ἄψορρον προσέφην κεκοτηότι θυμῷ·
"Κύκλωψ, αἴ κέν τίς σε καταθνητῶν ἀνθρώπων
ὀφθαλμοῦ εἴρηται ἀεικελίην ἀλαωτύν,
φάσθαι Ὀδυσσῆα πτολιπόρθιον ἐξαλαῶσαι,
υἱὸν Λαέρτεω, Ἰθάκῃ ἔνι οἰκί' ἔχοντα.' 505
"ὣς ἐφάμην, ὁ δέ μ' οἰμώξας ἠμείβετο μύθῳ·
'ὢ πόποι, ἦ μάλα δή με παλαίφατα θέσφαθ' ἱκάνει.

salgado! Me obedeceram. Correram para os bancos.
Os remos feriram as águas pardacentas. Ao me
sentir salvo, à distância de um grito, não me contive.
O Ciclope ouviu meus motejos: 'Fica sabendo que
na tua espelunca não devoraste os homens de um 475
fracote. Abusaste do teu tamanho. Mereceste a
cegueira. És um sem-vergonha. Tiveste a coragem
de devorar teus hóspedes em tua própria casa. Sabes
agora que Zeus castiga. E não só ele, os outros deuses
também.' Minhas palavras o ofenderam. O sangue lhe 480
subiu à cabeça. Arrancou a ponta de um alto rochedo
e a lançou contra nós. A pedra caiu a pouca distância
da proa. Não estraçalha a ponta do leme por um triz.
Com o baque da pedra, ponteia o ponto, empolam
as águas. O refluxo arrasta o barco. Vagalhões 485
jogaram-nos à praia. De posse de uma vara valente
pude conter o impacto. Meus companheiros, por
ordens minhas, transmitidas por gestos, moveram
fortes os remos. De corpos dobrados na força dos
braços, tudo fizeram para escapar do desastre. 490
Quando já tínhamos dobrado a distância, resolvi
berrar para espanto dos meus camaradas. Tentaram
de todos os modos conter-me com palavras sensatas:
'Deixa de loucuras. Por que provocar o brutamontes?
Acaba de empurrar-nos com uma pedrada de volta 495
para a costa. Retornar? Será nossa perdição.
Se ele perceber nossa voz, ouvir nossos berros,
esmigalhará nossas cabeças e as vigas da nau.
Não lhe faltam rochas nem força nos braços.'
Nada conseguiram. Senti meu peito chiar de raiva. 500
Dirigi-me a ele indignado: 'Ciclope, se um dia
alguém dos mortais te perguntar pela causa de teu
olho vazado – que vergonha! – diga-lhe que a
façanha é de Odisseu, o Arrasa-Fortalezas, filho
de Laertes, morador de Ítaca.' Mal me ouviu, 505
respondeu gemendo: 'Para desgraça minha,
cumpre-se um antigo vaticínio. Vivia aqui um

ἔσκε τις ἐνθάδε μάντις ἀνὴρ ἠΰς τε μέγας τε,
Τήλεμος Εὐρυμίδης, ὃς μαντοσύνῃ ἐκέκαστο
καὶ μαντευόμενος κατεγήρα Κυκλώπεσσιν· 510
ὅς μοι ἔφη τάδε πάντα τελευτήσεσθαι ὀπίσσω,
χειρῶν ἐξ Ὀδυσῆος ἁμαρτήσεσθαι ὀπωπῆς.
ἀλλ' αἰεί τινα φῶτα μέγαν καὶ καλὸν ἐδέγμην
ἐνθάδ' ἐλεύσεσθαι, μεγάλην ἐπιειμένον ἀλκήν·
νῦν δέ μ' ἐὼν ὀλίγος τε καὶ οὐτιδανὸς καὶ ἄκικυς 515
ὀφθαλμοῦ ἀλάωσεν, ἐπεί μ' ἐδαμάσσατο οἴνῳ.
ἀλλ' ἄγε δεῦρ', Ὀδυσεῦ, ἵνα τοι πὰρ ξείνια θείω
πομπήν τ' ὀτρύνω δόμεναι κλυτὸν ἐννοσίγαιον·
τοῦ γὰρ ἐγὼ πάϊς εἰμί, πατὴρ δ' ἐμὸς εὔχεται εἶναι.
αὐτὸς δ', αἴ κ' ἐθέλῃσ', ἰήσεται, οὐδέ τις ἄλλος 520
οὔτε θεῶν μακάρων οὔτε θνητῶν ἀνθρώπων.'
"ὣς ἔφατ', αὐτὰρ ἐγώ μιν ἀμειβόμενος προσέειπον·
αἲ γὰρ δὴ ψυχῆς τε καὶ αἰῶνός σε δυναίμην
εὖνιν ποιήσας πέμψαι δόμον Ἄϊδος εἴσω,
ὡς οὐκ ὀφθαλμόν γ' ἰήσεται οὐδ' ἐνοσίχθων.' 525
"ὣς ἐφάμην, ὁ δ' ἔπειτα Ποσειδάωνι ἄνακτι
εὔχετο χεῖρ' ὀρέγων εἰς οὐρανὸν ἀστερόεντα·
'κλῦθι, Ποσείδαον γαιήοχε κυανοχαῖτα,
εἰ ἐτεόν γε σός εἰμι, πατὴρ δ' ἐμὸς εὔχεαι εἶναι,
δὸς μὴ Ὀδυσσῆα πτολιπόρθιον οἴκαδ' ἱκέσθαι 530
υἱὸν Λαέρτεω, Ἰθάκῃ ἔνι οἰκί' ἔχοντα.
ἀλλ' εἴ οἱ μοῖρ' ἐστὶ φίλους τ' ἰδέειν καὶ ἱκέσθαι
οἶκον ἐϋκτίμενον καὶ ἑὴν ἐς πατρίδα γαῖαν,
ὀψὲ κακῶς ἔλθοι, ὀλέσας ἄπο πάντας ἑταίρους,
νηὸς ἐπ' ἀλλοτρίης, εὕροι δ' ἐν πήματα οἴκῳ.' 535
"ὣς ἔφατ' εὐχόμενος, τοῦ δ' ἔκλυε κυανοχαίτης.
αὐτὰρ ὅ γ' ἐξαῦτις πολὺ μείζονα λᾶαν ἀείρας
ἧκ' ἐπιδινήσας, ἐπέρεισε δὲ ἶν' ἀπέλεθρον,
κὰδ δ' ἔβαλεν μετόπισθε νεὸς κυανοπρῴροιο
τυτθόν, ἐδεύησεν δ' οἰήιον ἄκρον ἱκέσθαι. 540
ἐκλύσθη δὲ θάλασσα κατερχομένης ὑπὸ πέτρης·
τὴν δὲ πρόσω φέρε κῦμα, θέμωσε δὲ χέρσον ἱκέσθαι.
"ἀλλ' ὅτε δὴ τὴν νῆσον ἀφικόμεθ', ἔνθα περ ἄλλαι
νῆες ἐΰσσελμοι μένον ἀθρόαι, ἀμφὶ δ' ἑταῖροι

vidente, um dos grandes, Télemo, filho de Êurimo,
incomparável em adivinhações. Exerceu
sua arte até à velhice. Tudo o que aconteceu foi   510
predito por ele, que minha visão seria arruinada
por Odisseu. Eu aguardava sempre a vinda de um
homem alto, vistoso, favorecido por uma força
descomunal, e agora me aparece um baixinho, uma
nulidade, um fracote, vazou-me o olho depois de   515
ter-me enchido a cara com vinho. Volta, Odisseu,
terás dádivas de hóspede. A pedido meu, o Abala-
Terra, o celebrado, te dará escolta. Sou filho dele,
ele não se cansa de dizer que é meu pai. Minha cura
está nas mãos só dele. De ninguém mais, seja deus   520
bem-aventurado, seja alguém dos mortais.' Não me
demorei. Dei-lhe resposta taco a taco: 'Sabes qual
é minha vontade? Tirar-te o sopro, a vida. Se
dependesse de mim, estarias no Hades, terra dos
sem-olhos. Lá nem o Abala-Terra te restituirá a   525
visão.' Foi a praga que lhe roguei. O desgraçado
levantou as mãos e dirigiu uma prece a seu protetor:
'Ouve-me, Posidon, de cabelos escuros como as
profundezas do mar, se de fato és meu pai, não
permitas que Odisseu volte para casa. Falo do filho   530
de Laertes com domicílio em Ítaca. Digamos que a
Moira lhe garanta rever os amigos, retornar a seu
fortificado palácio, pisar o solo pátrio. Nesse caso,
retarda tudo isso. Pereçam todos os companheiros,
volte em nau estranha, encontre desgraça em casa.'   535
Foi o que pediu. O Cabeleira-Negra lhe deu ouvidos.
O gigante ergueu um penedo ainda maior,
arremessou-o em giros com ímpeto ciclópico. O
baque levantou ondas atrás do barco de proa negra,
a pouca distância da ponta do leme. O mar bramiu   540
ao seco soco da rocha. O fluxo nos empurrou para
a terra. Sentimos próximo o solo. Chegados à ilha
onde as naus restantes reunidas nos aguardavam,
cercadas por companheiros desfeitos em lágrimas,

ἥατ' ὀδυρόμενοι, ἡμέας ποτιδέγμενοι αἰεί, 545
νῆα μὲν ἔνθ' ἐλθόντες ἐκέλσαμεν ἐν ψαμάθοισιν,
ἐκ δὲ καὶ αὐτοὶ βῆμεν ἐπὶ ῥηγμῖνι θαλάσσης.
μῆλα δὲ Κύκλωπος γλαφυρῆς ἐκ νηὸς ἑλόντες
δασσάμεθ', ὡς μή τίς μοι ἀτεμβόμενος κίοι ἴσης.
ἀρνειὸν δ' ἐμοὶ οἴῳ ἐυκνήμιδες ἑταῖροι 550
μήλων δαιομένων δόσαν ἔξοχα: τὸν δ' ἐπὶ θινὶ
Ζηνὶ κελαινεφέι Κρονίδῃ, ὃς πᾶσιν ἀνάσσει,
ῥέξας μηρί' ἔκαιον: ὁ δ' οὐκ ἐμπάζετο ἱρῶν,
ἀλλ' ὅ γε μερμήριξεν ὅπως ἀπολοίατο πᾶσαι
νῆες ἐύσσελμοι καὶ ἐμοὶ ἐρίηρες ἑταῖροι. 555
  "ὣς τότε μὲν πρόπαν ἦμαρ ἐς ἠέλιον καταδύντα
ἥμεθα δαινύμενοι κρέα τ' ἄσπετα καὶ μέθυ ἡδύ:
ἦμος δ' ἠέλιος κατέδυ καὶ ἐπὶ κνέφας ἦλθε,
δὴ τότε κοιμήθημεν ἐπὶ ῥηγμῖνι θαλάσσης.
ἦμος δ' ἠριγένεια φάνη ῥοδοδάκτυλος Ἠώς, 560
δὴ τότ' ἐγὼν ἑτάροισιν ἐποτρύνας ἐκέλευσα
αὐτούς τ' ἀμβαίνειν ἀνά τε πρυμνήσια λῦσαι:
οἱ δ' αἶψ' εἴσβαινον καὶ ἐπὶ κληῖσι καθῖζον,
ἑξῆς δ' ἑζόμενοι πολιὴν ἅλα τύπτον ἐρετμοῖς.
  "ἔνθεν δὲ προτέρω πλέομεν ἀκαχήμενοι ἦτορ, 565
ἄσμενοι ἐκ θανάτοιο, φίλους ὀλέσαντες ἑταίρους.

anelantes e apreensivos, arrastamos o navio para 545
a praia. Nós próprios saltamos ao solo batido pelas
ondas inquietas do mar. Baixamos do oco da nave
o rebanho do Globolho, repartimos as reses em
lotes fraternos ao gosto de todos. Coube a mim o
carneiro grande por decisão de meus amigos. Eu 550
o sacrifiquei na praia a Zeus Cronida, de nuvens
negras cercado, rei de todos. Mas o fumo das
coxas do macho assado não deliciaram as narinas
de Zeus. Povoavam-lhe a mente meu naufrágio,
destroços futuros, gemidos de companheiros 555
votados à morte. Banqueteamo-nos até o sol se
recolher. Saboreamos fartas porções de carne e a
delícia do vinho. Acolheu-nos então o sono,
acomodados na areia ao embalo do mar ressonante.
Acordou-nos a Aurora, a deusa dos róseos dedos. 560
Eu próprio tratei de acordar meus companheiros.
Animei-os a embarcar, a soltar as amarras. Prestos
se dispuseram a ocupar os bancos. As proas
rompem as ondas ao ritmo dos remos. Partimos dali
de coração apertado. Salvos da morte singramos, 565
mas pesarosos da perda de muitos dos nossos."

ΟΔΥΣΣΕΙΑΣ Κ

"Αἰολίην δ' ἐς νῆσον ἀφικόμεθ': ἔνθα δ' ἔναιεν
Αἴολος Ἱπποτάδης, φίλος ἀθανάτοισι θεοῖσιν,
πλωτῇ ἐνὶ νήσῳ: πᾶσαν δέ τέ μιν πέρι τεῖχος
χάλκεον ἄρρηκτον, λισσὴ δ' ἀναδέδρομε πέτρη.
τοῦ καὶ δώδεκα παῖδες ἐνὶ μεγάροις γεγάασιν, 05
ἓξ μὲν θυγατέρες, ἓξ δ' υἱέες ἡβώοντες:
ἔνθ' ὅ γε θυγατέρας πόρεν υἱάσιν εἶναι ἀκοίτις.
οἱ δ' αἰεὶ παρὰ πατρὶ φίλῳ καὶ μητέρι κεδνῇ
δαίνυνται, παρὰ δέ σφιν ὀνείατα μυρία κεῖται,
κνισῆεν δέ τε δῶμα περιστεναχίζεται αὐλῇ 10
ἤματα: νύκτας δ' αὖτε παρ' αἰδοίῃς ἀλόχοισιν
εὕδουσ' ἔν τε τάπησι καὶ ἐν τρητοῖσι λέχεσσι.
καὶ μὲν τῶν ἱκόμεσθα πόλιν καὶ δώματα καλά.
μῆνα δὲ πάντα φίλει με καὶ ἐξερέεινεν ἕκαστα,
Ἴλιον Ἀργείων τε νέας καὶ νόστον Ἀχαιῶν: 15
καὶ μὲν ἐγὼ τῷ πάντα κατὰ μοῖραν κατέλεξα.
ἀλλ' ὅτε δὴ καὶ ἐγὼν ὁδὸν ᾔτεον ἠδ' ἐκέλευον
πεμπέμεν, οὐδέ τι κεῖνος ἀνήνατο, τεῦχε δὲ πομπήν.
δῶκε δέ μ' ἐκδείρας ἀσκὸν βοὸς ἐννεώροιο,
ἔνθα δὲ βυκτάων ἀνέμων κατέδησε κέλευθα: 20
κεῖνον γὰρ ταμίην ἀνέμων ποίησε Κρονίων,
ἠμὲν παυέμεναι ἠδ' ὀρνύμεν, ὅν κ' ἐθέλῃσι.
νηὶ δ' ἐνὶ γλαφυρῇ κατέδει μέρμιθι φαεινῇ
ἀργυρέῃ, ἵνα μή τι παραπνεύσῃ ὀλίγον περ:
αὐτὰρ ἐμοὶ πνοιὴν Ζεφύρου προέηκεν ἀῆναι, 25
ὄφρα φέροι νῆάς τε καὶ αὐτούς: οὐδ' ἄρ' ἔμελλεν
ἐκτελέειν: αὐτῶν γὰρ ἀπωλόμεθ' ἀφραδίῃσιν.
"ἐννῆμαρ μὲν ὁμῶς πλέομεν νύκτας τε καὶ ἦμαρ,
τῇ δεκάτῃ δ' ἤδη ἀνεφαίνετο πατρὶς ἄρουρα,
καὶ δὴ πυρπολέοντας ἐλεύσσομεν ἐγγὺς ἐόντες: 30
ἔνθ' ἐμὲ μὲν γλυκὺς ὕπνος ἐπήλυθε κεκμηῶτα,
αἰεὶ γὰρ πόδα νηὸς ἐνώμων, οὐδέ τῳ ἄλλῳ
δῶχ' ἑτάρων, ἵνα θᾶσσον ἱκοίμεθα πατρίδα γαῖαν:
οἱ δ' ἕταροι ἐπέεσσι πρὸς ἀλλήλους ἀγόρευον,

Canto 10

"Abordamos Eólia, terra em que vive um amigo
dos deuses imortais, Éolo, filho de Hípotes.
A ilha, circundada de brônzeo muro infragível,
flutua. Lá se eleva liso penedo. Moram com ele,
no mesmo palácio, doze rebentos: seis filhas   05
e seis filhos adultos. Éolo ofereceu em casamento
as seis filhas aos seis filhos. Vivem todos com o
pai, muito afetuoso, e com a prestimosa mãe. Tomam
todas as refeições juntos, renomadamente fartas.
De dia recendem escolhidas iguarias no palácio   10
cercado de cantos. À noite as mulheres dormem nos
braços de seus maridos em leitos finos e fofos
tapetes. Lá chegamos: belas casas, bela cidade.
Éolo hospedou-me por um mês inteiro, ávido de
notícias sobre Ílion, sobre a frota argiva, sobre o   15
retorno dos aqueus. Contei-lhe tudo com detalhes.
Quando lhe pedi ajuda para voltar à minha
terra, não me disse 'não'. Fez o que pôde:
esfolou um boi, rês de nove anos, fez um saco e
nele acorrentou o curso dos ventos ressonantes. O   20
Cronida o constituíra guarda das correntes aéreas.
Sublevá-las ou contê-las dependia só dele. Éolo
prendeu o saco no porão do navio para evitar a
evasão até do mais reles ventinho. O fio de prata
luzia. O sopro de Zéfiro foi o único solto para   25
conduzir minhas naus e meus companheiros. Nem
assim alcançamos a meta. Nossa própria tolice
provocou o desastre. Nove dias e nove noites
navegamos constantes. No décimo – já emergiam
as plagas pátrias – estávamos tão próximos que   30
divisamos fogos. Extenuado, rendo-me ao sono,
uma delícia. Minha era a manobra da escota, não
a confiava a outrem. Chegaríamos assim mais
ligeiro à ilha. Formou-se uma conspiração entre

καί μ' ἔφασαν χρυσόν τε καὶ ἄργυρον οἴκαδ' ἄγεσθαι 35
δῶρα παρ' Αἰόλου μεγαλήτορος Ἱπποτάδαο.
ὧδε δέ τις εἴπεσκεν ἰδὼν ἐς πλησίον ἄλλον·
"'ὢ πόποι, ὡς ὅδε πᾶσι φίλος καὶ τίμιός ἐστιν
ἀνθρώποις, ὅτεών τε πόλιν καὶ γαῖαν ἵκηται.
πολλὰ μὲν ἐκ Τροίης ἄγεται κειμήλια καλὰ 40
ληίδος, ἡμεῖς δ' αὖτε ὁμὴν ὁδὸν ἐκτελέσαντες
οἴκαδε νισσόμεθα κενεὰς σὺν χεῖρας ἔχοντες·
καὶ νῦν οἱ τάδ' ἔδωκε χαριζόμενος φιλότητι
Αἴολος. ἀλλ' ἄγε θᾶσσον ἰδώμεθα ὅττι τάδ' ἐστίν,
ὅσσος τις χρυσός τε καὶ ἄργυρος ἀσκῷ ἔνεστιν.' 45
"ὣς ἔφασαν, βουλὴ δὲ κακὴ νίκησεν ἑταίρων·
ἀσκὸν μὲν λῦσαν, ἄνεμοι δ' ἐκ πάντες ὄρουσαν.
τοὺς δ' αἶψ' ἁρπάξασα φέρεν πόντονδε θύελλα
κλαίοντας, γαίης ἄπο πατρίδος. αὐτὰρ ἐγώ γε
ἐγρόμενος κατὰ θυμὸν ἀμύμονα μερμήριξα, 50
ἠὲ πεσὼν ἐκ νηὸς ἀποφθίμην ἐνὶ πόντῳ,
ἦ ἀκέων τλαίην καὶ ἔτι ζωοῖσι μετείην.
ἀλλ' ἔτλην καὶ ἔμεινα, καλυψάμενος δ' ἐνὶ νηὶ
κείμην. αἱ δ' ἐφέροντο κακῇ ἀνέμοιο θυέλλῃ
αὖτις ἐπ' Αἰολίην νῆσον, στενάχοντο δ' ἑταῖροι. 55
"ἔνθα δ' ἐπ' ἠπείρου βῆμεν καὶ ἀφυσσάμεθ' ὕδωρ,
αἶψα δὲ δεῖπνον ἕλοντο θοῇς παρὰ νηυσὶν ἑταῖροι.
αὐτὰρ ἐπεὶ σίτοιό τ' ἐπασσάμεθ' ἠδὲ ποτῆτος,
δὴ τότ' ἐγὼ κήρυκά τ' ὀπασσάμενος καὶ ἑταῖρον
βῆν εἰς Αἰόλου κλυτὰ δώματα· τὸν δ' ἐκίχανον 60
δαινύμενον παρὰ ᾗ τ' ἀλόχῳ καὶ οἷσι τέκεσσιν.
ἐλθόντες δ' ἐς δῶμα παρὰ σταθμοῖσιν ἐπ' οὐδοῦ
ἑζόμεθ'· οἱ δ' ἀνὰ θυμὸν ἐθάμβεον ἔκ τ' ἐρέοντο·
"'πῶς ἦλθες, Ὀδυσεῦ; τίς τοι κακὸς ἔχραε δαίμων;
ἦ μέν σ' ἐνδυκέως ἀπεπέμπομεν, ὄφρ' ἀφίκοιο 65
πατρίδα σὴν καὶ δῶμα καὶ εἴ πού τοι φίλον ἐστίν.'
"ὣς φάσαν, αὐτὰρ ἐγὼ μετεφώνεον ἀχνύμενος κῆρ·
"ἄασάν μ' ἕταροί τε κακοὶ πρὸς τοῖσί τε ὕπνος
σχέτλιος. ἀλλ' ἀκέσασθε, φίλοι· δύναμις γὰρ ἐν ὑμῖν.'
"ὣς ἐφάμην μαλακοῖσι καθαπτόμενος ἐπέεσσιν, 70
οἱ δ' ἄνεῳ ἐγένοντο· πατὴρ δ' ἠμείβετο μύθῳ·

meus companheiros. Suspeitavam que eu escondia 35
ouro e prata, dom de Éolo, filho do generoso
Hípotes. Transmitiam a suspeita ao primeiro
que encontravam: 'Veja só! Ele é admirado e
festejado por todos, não importa a cidade ou a
terra que visite. Imenso e belo é o tesouro que traz 40
de Troia, e nós, que percorremos o mesmo trajeto,
voltamos para casa de mãos vazias. Acresce
o de agora, o que lhe ofertou Éolo, como preito
de amizade. Rápido! Vejamos o que ele traz,
a reserva de ouro e prata, guardada no saco.' 45
Era o que se dizia. Venceu o conselho desastrado.
Aberto o saco, rebelaram-se todos os ventos.
Uma tempestade arrastou-nos ao mar profundo.
Longe ficou a pátria. Era de chorar. Acordei.
Sentimentos opostos guerreavam no meu peito. 50
Atiro-me nas águas, morro na salsugem, ou
engulo o mal em silêncio e continuo vivo?
Enfiei-me na cama e elegi a vida. Tempestade
nefasta devolveu a frota a Eólia. Os meus
ululavam. Desembarcamos e nos abastecemos 55
de água. Meus companheiros prepararam
uma refeição junto às naus ligeiras. Satisfeita
a fome e saciada a sede, escolhi um arauto
e um companheiro para retornar ao renomado
palácio de Éolo. Encontrei-o sentado à mesa 60
em companhia da mulher e dos filhos. Lá
chegados, sentamo-nos no solar, perto do
umbral. Tomados de espanto, veio a pergunta:
'Tu aqui, Odisseu? Que maléfica divindade te
persegue? Saíste muito bem aparelhado para 65
alcançar tua terra, teu palácio, o que te é caro.'
O coração em frangalhos, respondi à repreensão:
'Companheiros e sono em hora imprópria me
desgraçaram. O remédio está em vossas mãos.'
Quis cativá-los com palavras de humildade. 70
Silêncio total! A resposta veio do pai: 'Some

"'ἔρρ' ἐκ νήσου θᾶσσον, ἐλέγχιστε ζωόντων·
οὐ γάρ μοι θέμις ἐστὶ κομιζέμεν οὐδ' ἀποπέμπειν
ἄνδρα τόν, ὅς κε θεοῖσιν ἀπέχθηται μακάρεσσιν·
ἔρρε, ἐπεὶ ἄρα θεοῖσιν ἀπεχθόμενος τόδ' ἱκάνεις.' 75
"ὣς εἰπὼν ἀπέπεμπε δόμων βαρέα στενάχοντα.

ἔνθεν δὲ προτέρω πλέομεν ἀκαχήμενοι ἦτορ.
τείρετο δ' ἀνδρῶν θυμὸς ὑπ' εἰρεσίης ἀλεγεινῆς
ἡμετέρῃ ματίῃ, ἐπεὶ οὐκέτι φαίνετο πομπή.
ἑξῆμαρ μὲν ὁμῶς πλέομεν νύκτας τε καὶ ἦμαρ, 80
ἑβδομάτῃ δ' ἱκόμεσθα Λάμου αἰπὺ πτολίεθρον,
Τηλέπυλον Λαιστρυγονίην, ὅθι ποιμένα ποιμὴν
ἠπύει εἰσελάων, ὁ δέ τ' ἐξελάων ὑπακούει.
ἔνθα κ' ἄυπνος ἀνὴρ δοιοὺς ἐξήρατο μισθούς,
τὸν μὲν βουκολέων, τὸν δ' ἄργυφα μῆλα νομεύων· 85
ἐγγὺς γὰρ νυκτός τε καὶ ἤματός εἰσι κέλευθοι.
ἔνθ' ἐπεὶ ἐς λιμένα κλυτὸν ἤλθομεν, ὃν πέρι πέτρη
ἠλίβατος τετύχηκε διαμπερὲς ἀμφοτέρωθεν,
ἀκταὶ δὲ προβλῆτες ἐναντίαι ἀλλήλῃσιν
ἐν στόματι προύχουσιν, ἀραιὴ δ' εἴσοδός ἐστιν, 90
ἔνθ' οἵ γ' εἴσω πάντες ἔχον νέας ἀμφιελίσσας.
αἱ μὲν ἄρ' ἔντοσθεν λιμένος κοίλοιο δέδεντο
πλησίαι· οὐ μὲν γάρ ποτ' ἀέξετο κῦμά γ' ἐν αὐτῷ,
οὔτε μέγ' οὔτ' ὀλίγον, λευκὴ δ' ἦν ἀμφὶ γαλήνη·
αὐτὰρ ἐγὼν οἶος σχέθον ἔξω νῆα μέλαιναν, 95
αὐτοῦ ἐπ' ἐσχατιῇ, πέτρης ἐκ πείσματα δήσας·
ἔστην δὲ σκοπιὴν ἐς παιπαλόεσσαν ἀνελθών.
ἔνθα μὲν οὔτε βοῶν οὔτ' ἀνδρῶν φαίνετο ἔργα,
καπνὸν δ' οἶον ὁρῶμεν ἀπὸ χθονὸς ἀίσσοντα.
δὴ τότ' ἐγὼν ἑτάρους προΐειν πεύθεσθαι ἰόντας, 100
οἵ τινες ἀνέρες εἶεν ἐπὶ χθονὶ σῖτον ἔδοντες,
ἄνδρε δύω κρίνας, τρίτατον κήρυχ' ἅμ' ὀπάσσας.
οἱ δ' ἴσαν ἐκβάντες λείην ὁδόν, ᾗ περ ἅμαξαι
ἄστυδ' ἀφ' ὑψηλῶν ὀρέων κατάγινεον ὕλην,
κούρῃ δὲ ξύμβληντο πρὸ ἄστεος ὑδρευούσῃ, 105
θυγατέρ' ἰφθίμῃ Λαιστρυγόνος Ἀντιφάταο.

dos meus olhos. Pulha! Pilantra! Peste! Não
tenho o direito de ajudar um homem como tu.
Os deuses bem-aventurados te odeiam. Fora!
Me procuraste porque os imortais te desprezam.' 75
Ele correu comigo. Eu soluçava, chorava, gemia.

"O que fazer? Seguimos viagem desesperados.
Os remos subiam moles, sem entusiasmo algum.
A besteira foi nossa. Onde procurar ajuda? Seis
vezes veio a noite, seis vezes raiou o dia. No 80
sétimo chegamos à poderosa fortaleza de Lamo,
em Telépio, Lestrigônia. Lá o pastor que entra
saúda o pastor que sai. Quem escuta responde. Lá
um homem sem sono poderia dobrar o salário,
tangendo bois e apascentando ovelhas de branco 85
velo, tanto se aproximam ali os caminhos do dia e
da noite. Entramos num porto magnífico, flanqueado
por rocha escarpada e sem fenda, à esquerda e à
direita. Dois cabos avançam e estreitam a barra.
Pequeníssima é a fenda da boca. Os companheiros 90
introduziram na enseada as naus bojudas. Abrigadas
no recôncavo, ataram-nas uma na outra, pois não
se levantam ondas, nem grandes nem pequenas.
Luminosa dilata-se a calmaria. Só eu não introduzi
minha embarcação na enseada. Preferi prendê-la nas 95
rochas em uma das extremidades. Ganhei o alto de
uma elevação rochosa. Lá de cima não se viam
campos arados nem jardins. Fumo subindo da terra
e só. Resolvi enviar uma embaixada para explorar
a ilha. Eu queria saber que variedade de comedores 100
de pão residiam ali. Julguei que dois companheiros
acompanhados de um arauto eram suficientes.
Saltaram da nau e tomaram uma estrada aplainada,
usada para levar lenha de um monte à cidade. Perto
da cidade, deram com uma jovem. Era linda, filha 105
do lestrigão Antífates. Ela se dirigia à Fonte do Urso,

ἡ μὲν ἄρ' ἐς κρήνην κατεβήσετο καλλιρέεθρον
Ἀρτακίην· ἔνθεν γὰρ ὕδωρ προτὶ ἄστυ φέρεσκον·
οἱ δὲ παριστάμενοι προσεφώνεον ἔκ τ' ἐρέοντο
ὅς τις τῶνδ' εἴη βασιλεὺς καὶ οἷσιν ἀνάσσοι· 110
ἡ δὲ μάλ' αὐτίκα πατρὸς ἐπέφραδεν ὑψερεφὲς δῶ.
οἱ δ' ἐπεὶ εἰσῆλθον κλυτὰ δώματα, τὴν δὲ γυναῖκα
εὗρον, ὅσην τ' ὄρεος κορυφήν, κατὰ δ' ἔστυγον αὐτήν.
ἡ δ' αἶψ' ἐξ ἀγορῆς ἐκάλει κλυτὸν Ἀντιφατῆα,
ὃν πόσιν, ὃς δὴ τοῖσιν ἐμήσατο λυγρὸν ὄλεθρον. 115
αὐτίχ' ἕνα μάρψας ἑτάρων ὡπλίσσατο δεῖπνον·
τὼ δὲ δύ' ἀΐξαντε φυγῇ ἐπὶ νῆας ἱκέσθην.
αὐτὰρ ὁ τεῦχε βοὴν διὰ ἄστεος· οἱ δ' ἀΐοντες
φοίτων ἴφθιμοι Λαιστρυγόνες ἄλλοθεν ἄλλος,
μυρίοι, οὐκ ἄνδρεσσιν ἐοικότες, ἀλλὰ Γίγασιν. 120
οἵ ῥ' ἀπὸ πετράων ἀνδραχθέσι χερμαδίοισιν
βάλλον· ἄφαρ δὲ κακὸς κόναβος κατὰ νῆας ὀρώρει
ἀνδρῶν τ' ὀλλυμένων νηῶν θ' ἅμα ἀγνυμενάων·
ἰχθῦς δ' ὣς πείροντες ἀτερπέα δαῖτα φέροντο.
ὄφρ' οἱ τοὺς ὄλεκον λιμένος πολυβενθέος ἐντός, 125
τόφρα δ' ἐγὼ ξίφος ὀξὺ ἐρυσσάμενος παρὰ μηροῦ
τῷ ἀπὸ πείσματ' ἔκοψα νεὸς κυανοπρῴροιο.
αἶψα δ' ἐμοῖς ἑτάροισιν ἐποτρύνας ἐκέλευσα
ἐμβαλέειν κώπῃς, ἵν' ὑπὲκ κακότητα φύγοιμεν·
οἱ δ' ἅλα πάντες ἀνέρριψαν, δείσαντες ὄλεθρον. 130
ἀσπασίως δ' ἐς πόντον ἐπηρεφέας φύγε πέτρας
νηῦς ἐμή· αὐτὰρ αἱ ἄλλαι ἀολλέες αὐτόθ' ὄλοντο.
"ἔνθεν δὲ προτέρω πλέομεν ἀκαχήμενοι ἦτορ,
ἄσμενοι ἐκ θανάτοιο, φίλους ὀλέσαντες ἑταίρους.

Αἰαίην δ' ἐς νῆσον ἀφικόμεθ'· ἔνθα δ' ἔναιε 135
Κίρκη εὐπλόκαμος, δεινὴ θεὸς αὐδήεσσα,
αὐτοκασιγνήτη ὀλοόφρονος Αἰήταο·
ἄμφω δ' ἐκγεγάτην φαεσιμβρότου Ἠελίοιο
μητρός τ' ἐκ Πέρσης, τὴν Ὠκεανὸς τέκε παῖδα.
ἔνθα δ' ἐπ' ἀκτῆς νηὶ κατηγαγόμεσθα σιωπῇ 140
ναύλοχον ἐς λιμένα, καί τις θεὸς ἡγεμόνευεν.

onde borbulhava água cristalina. Tinha vindo para
voltar abastecida à cidade. Meus homens, acercando-
se dela, perguntaram pelo povo, pelo rei. Ela lhes
apontou, em resposta, o elevado teto da casa   110
paterna. Acompanharam-na. A mansão esplendia.
Foram recebidos pela senhora, alta como o pico
de uma monte. Tremeram de medo. Sem tardar,
ela mandou avisar Antífates, seu esposo, homem
notável. Ele estava numa reunião. Decidiu destruir   115
os meus. Destinou à refeição o primeiro que lhe caiu
nas mãos. Os outros dois chisparam em direção à
frota. O rei levou o alarma à cidade. Os lestrigões
acorreram, destemidos, de todas as partes. Eram
milhares. De homens eles não tinham nada. Eram   120
gigantes. Fomos lapidados. Do alto das falésias
chovem penedos. Tumulto sobe das naus, aterrador.
Gritos de morte. Estalos de tábuas. Racham ao
soco de rochas. Os canibais fisgam meus homens
e os destinam à ceia como peixes. No decorrer   125
da matança no interior da baía, puxei da espada
cortante, presa à coxa, parti as amarras que
prendiam minha nau escura. Meus homens
receberam ordens de se porem aos remos, força
requeria a fuga da morte. Meu navio escapou da   130
saraivada de rochas. Em mar alto jubilei. Os outros
não tiveram a mesma sorte. Pereceram todos. De
coração pesado, distanciamo-nos da terra fatídica,
felizes por estarmos vivos, tristes pelos mortos.

"Aportamos em Eeia, ilha de Circe, famosa por suas   135
tranças benfeitas. O canto fluía de seus lábios.
Era irmã de Eeta, maquinador de perversidades.
Ambos nasceram de Hélio, Luz-dos-Homens. A mãe,
filha do Oceano, se chama Perse. Sem dizer palavra
conduzimos o navio a porto seguro. Navegamos,   140
guiados por um deus. Desembarcamos. Dois dias e

ἔνθα τότ' ἐκβάντες δύο τ' ἤματα καὶ δύο νύκτας
κείμεθ' ὁμοῦ καμάτῳ τε καὶ ἄλγεσι θυμὸν ἔδοντες.
ἀλλ' ὅτε δὴ τρίτον ἦμαρ ἐυπλόκαμος τέλεσ' Ἠώς,
καὶ τότ' ἐγὼν ἐμὸν ἔγχος ἑλὼν καὶ φάσγανον ὀξὺ   145
καρπαλίμως παρὰ νηὸς ἀνήιον ἐς περιωπήν,
εἴ πως ἔργα ἴδοιμι βροτῶν ἐνοπήν τε πυθοίμην.
ἔστην δὲ σκοπιὴν ἐς παιπαλόεσσαν ἀνελθών,
καί μοι ἐείσατο καπνὸς ἀπὸ χθονὸς εὐρυοδείης,
Κίρκης ἐν μεγάροισι, διὰ δρυμὰ πυκνὰ καὶ ὕλην.   150
μερμήριξα δ' ἔπειτα κατὰ φρένα καὶ κατὰ θυμὸν
ἐλθεῖν ἠδὲ πυθέσθαι, ἐπεὶ ἴδον αἴθοπα καπνόν.
ὧδε δέ μοι φρονέοντι δοάσσατο κέρδιον εἶναι,
πρῶτ' ἐλθόντ' ἐπὶ νῆα θοὴν καὶ θῖνα θαλάσσης
δεῖπνον ἑταίροισιν δόμεναι προέμεν τε πυθέσθαι.   155
ἀλλ' ὅτε δὴ σχεδὸν ἦα κιὼν νεὸς ἀμφιελίσσης,
καὶ τότε τίς με θεῶν ὀλοφύρατο μοῦνον ἐόντα,
ὅς ῥά μοι ὑψίκερων ἔλαφον μέγαν εἰς ὁδὸν αὐτὴν
ἧκεν. ὁ μὲν ποταμόνδε κατήιεν ἐκ νομοῦ ὕλης
πιόμενος· δὴ γάρ μιν ἔχεν μένος ἠελίοιο.   160
τὸν δ' ἐγὼ ἐκβαίνοντα κατ' ἄκνηστιν μέσα νῶτα
πλῆξα· τὸ δ' ἀντικρὺ δόρυ χάλκεον ἐξεπέρησε,
κὰδ δ' ἔπεσ' ἐν κονίῃσι μακών, ἀπὸ δ' ἔπτατο θυμός.
τῷ δ' ἐγὼ ἐμβαίνων δόρυ χάλκεον ἐξ ὠτειλῆς
εἰρυσάμην· τὸ μὲν αὖθι κατακλίνας ἐπὶ γαίῃ   165
εἴασ'· αὐτὰρ ἐγὼ σπασάμην ῥῶπάς τε λύγους τε,
πεῖσμα δ', ὅσον τ' ὄργυιαν, ἐυστρεφὲς ἀμφοτέρωθεν
πλεξάμενος συνέδησα πόδας δεινοῖο πελώρου,
βῆν δὲ καταλοφάδεια φέρων ἐπὶ νῆα μέλαιναν
ἔγχει ἐρειδόμενος, ἐπεὶ οὔ πως ἦεν ἐπ' ὤμου   170
χειρὶ φέρειν ἑτέρῃ· μάλα γὰρ μέγα θηρίον ἦεν.
κὰδ δ' ἔβαλον προπάροιθε νεός, ἀνέγειρα δ' ἑταίρους
μειλιχίοις ἐπέεσσι παρασταδὸν ἄνδρα ἕκαστον·
"ὦ φίλοι, οὐ γάρ πω καταδυσόμεθ' ἀχνύμενοί περ
εἰς Ἀίδαο δόμους, πρὶν μόρσιμον ἦμαρ ἐπέλθῃ·   175
ἀλλ' ἄγετ', ὄφρ' ἐν νηὶ θοῇ βρῶσίς τε πόσις τε,
μνησόμεθα βρώμης, μηδὲ τρυχώμεθα λιμῷ.'
"ὣς ἐφάμην, οἱ δ' ὦκα ἐμοῖς ἐπέεσσι πίθοντο,

duas noites sem fazer nada. Dores devoravam-nos
o coração. Mas quando a Aurora anunciou a alvorada
do terceiro dia, animei-me a subir a uma elevação,
armado de lança e de lâmina cortante. Elegi o monte   145
como posto de observação na esperança de divisar
indícios de presença humana, alguma voz. Do alto
da colina, pus-me a observar. Uma coluna parecia
fumo num território em que se desenhavam muitos
caminhos. Seria o palácio de Circe cercado de   150
carvalhais? Em meu peito inquietavam-se planos.
Deveria inquirir a origem do fumo? Antes de tomar
uma decisão, pareceu-me avisado retornar à nau
fundeada nas areias do mar, oferecer uma refeição
a meus amigos e enviar alguém para informações.   155
Meus passos já se moviam próximos do navio.
Um deus, não sei qual, socorreu-me na desolação:
a alta galhada de um cervo deteve meus passos.
Veio do bosque, dirigia-se ao rio, procurava água.
O calor da manhã aguçava-lhe a sede. Minha lança   160
atingiu a coluna no centro das costas. A ponta da
arma apareceu no flanco oposto. O baque do corpo
levantou pó, exalou a vida com um último mé.
De pé firmado no corpo da presa, arranquei o ferro.
Depositei a arma no chão ao lado do animal abatido.   165
Com cipós e vimes, colhidos ali mesmo, produzi,
habilmente trançados, uma braça de corda. Tratei
de atar os pés da caça singular. Com ela nas costas,
dirigi-me à nau negra, apoiado na lança. Teria sido
impossível transportá-la em só um dos meus ombros.   170
O portento exigia todas as minhas forças. Arrojei a
besta diante da nau. Procurei animar pessoalmente
cada um dos meus companheiros com fraseado gentil:
'Embora grandes sejam os contratempos, ainda não é
hora de baixar ao Reino Sombrio. O dia fatídico não é   175
este. Sirvam-se à vontade dos nossos suprimentos.
É tempo de festa. De fome não vamos morrer.' Meus
homens estavam atentos às minhas palavras. Caíram

ἐκ δὲ καλυψάμενοι παρὰ θῖν' ἁλὸς ἀτρυγέτοιο
θηήσαντ' ἔλαφον· μάλα γὰρ μέγα θηρίον ἦεν.   180
αὐτὰρ ἐπεὶ τάρπησαν ὁρώμενοι ὀφθαλμοῖσιν,
χεῖρας νιψάμενοι τεύχοντ' ἐρικυδέα δαῖτα.
ὣς τότε μὲν πρόπαν ἦμαρ ἐς ἠέλιον καταδύντα
ἥμεθα δαινύμενοι κρέα τ' ἄσπετα καὶ μέθυ ἡδύ·
ἦμος δ' ἠέλιος κατέδυ καὶ ἐπὶ κνέφας ἦλθε,   185
δὴ τότε κοιμήθημεν ἐπὶ ῥηγμῖνι θαλάσσης.
ἦμος δ' ἠριγένεια φάνη ῥοδοδάκτυλος Ἠώς,
καὶ τότ' ἐγὼν ἀγορὴν θέμενος μετὰ πᾶσιν ἔειπον·
"'κέκλυτέ μευ μύθων, κακά περ πάσχοντες ἑταῖροι·
ὦ φίλοι, οὐ γάρ τ' ἴδμεν, ὅπῃ ζόφος οὐδ' ὅπῃ ἠώς,   190
οὐδ' ὅπῃ ἠέλιος φαεσίμβροτος εἶσ' ὑπὸ γαῖαν,
οὐδ' ὅπῃ ἀννεῖται· ἀλλὰ φραζώμεθα θᾶσσον
εἴ τις ἔτ' ἔσται μῆτις. ἐγὼ δ' οὔκ οἴομαι εἶναι.
εἶδον γὰρ σκοπιὴν ἐς παιπαλόεσσαν ἀνελθὼν
νῆσον, τὴν πέρι πόντος ἀπείριτος ἐστεφάνωται·   195
αὐτὴ δὲ χθαμαλὴ κεῖται· καπνὸν δ' ἐνὶ μέσσῃ
ἔδρακον ὀφθαλμοῖσι διὰ δρυμὰ πυκνὰ καὶ ὕλην.'
"ὣς ἐφάμην, τοῖσιν δὲ κατεκλάσθη φίλον ἦτορ
μνησαμένοις ἔργων Λαιστρυγόνος Ἀντιφάταο
Κύκλωπός τε βίης μεγαλήτορος, ἀνδροφάγοιο.   200
κλαῖον δὲ λιγέως θαλερὸν κατὰ δάκρυ χέοντες·
ἀλλ' οὐ γάρ τις πρῆξις ἐγίγνετο μυρομένοισιν.
"αὐτὰρ ἐγὼ δίχα πάντας ἐϋκνήμιδας ἑταίρους
ἠρίθμεον, ἀρχὸν δὲ μετ' ἀμφοτέροισιν ὄπασσα·
τῶν μὲν ἐγὼν ἦρχον, τῶν δ' Εὐρύλοχος θεοειδής.   205
κλήρους δ' ἐν κυνέῃ χαλκήρεϊ πάλλομεν ὦκα·
ἐκ δ' ἔθορε κλῆρος μεγαλήτορος Εὐρυλόχοιο.
βῆ δ' ἰέναι, ἅμα τῷ γε δύω καὶ εἴκοσ' ἑταῖροι
κλαίοντες· κατὰ δ' ἄμμε λίπον γοόωντας ὄπισθεν.
εὗρον δ' ἐν βήσσῃσι τετυγμένα δώματα Κίρκης   210
ξεστοῖσιν λάεσσι, περισκέπτῳ ἐνὶ χώρῳ·
ἀμφὶ δέ μιν λύκοι ἦσαν ὀρέστεροι ἠδὲ λέοντες,
τοὺς αὐτὴ κατέθελξεν, ἐπεὶ κακὰ φάρμακ' ἔδωκεν.
οὐδ' οἵ γ' ὡρμήθησαν ἐπ' ἀνδράσιν, ἀλλ' ἄρα τοί γε
οὐρῇσιν μακρῇσι περισσαίνοντες ἀνέσταν.   215

ao chão os mantos que envolviam suas faces. A peça
enchia-lhes a vista. Impressionou-os o tamanho. 180
Saciaram primeiro os olhos, lavaram as mãos
e começaram a preparar o banquete. Passaram
o dia em festa até o sol se pôr. Saboreamos
assados, regados com a delícia do nosso vinho.
Envolvidos na bruma escura, finda a luz do dia, a 185
areia do mar recebeu nossos corpos saciados. Veio
a Aurora, luziram os dedos rosados. Convoquei
uma reunião e tomei a palavra: 'Amigos, embora
tenham sofrido muito, considerem isto: Onde
estamos? Onde fica o ocidente? Onde nasce o Sol? 190
Onde se esconde depois de aquecer os mortais?
O que vamos fazer? Alguém faz proposta?
Eu não tenho nenhuma. Da pedra em que estive
ontem, meus olhos percorreram a ilha cercada
pelo azul de um mar sem fronteiras. O território 195
é plano. De olhos bem abertos, notei uma coluna
de fumo elevar-se de um bosque cerrado.' O
tom do meu discurso rompeu-lhes o coração,
lembrados do lestrigão Antífates e do Ciclope de
força descomunal, o comedor de gente. O choro 200
lhes veio farto. As lágrimas corriam copiosas.
Dividi, entretanto, em duas partes meus grevados
companheiros, cada um sob o comando de um
chefe. Eu ficaria na direção de um, do outro seria
comandante Euríloco, de aspecto divino. Senhas 205
misturadas num capacete dividiram os grupos.
Euríloco, herói decidido, foi escolhido por sorteio.
Partiu com vinte e dois em cujas faces as lágrimas
ainda não tinham secado. Gemiam também os que
ficaram comigo. Os outros localizaram num vale o 210
palácio de Circe, todo de pedras polidas, num sítio
selvoso, habitado por lobos e leões monteses, na
verdade, homens encantados com drogas poderosas.
Essas feras não atacam homens, receberam-nos
com giros festivos, com longos acenos de cauda 215

ὡς δ' ὅτ' ἂν ἀμφὶ ἄνακτα κύνες δαίτηθεν ἰόντα
σαίνωσ', αἰεὶ γάρ τε φέρει μειλίγματα θυμοῦ,
ὣς τοὺς ἀμφὶ λύκοι κρατερώνυχες ἠδὲ λέοντες
σαῖνον· τοὶ δ' ἔδεισαν, ἐπεὶ ἴδον αἰνὰ πέλωρα.
ἔσταν δ' ἐν προθύροισι θεᾶς καλλιπλοκάμοιο, 220
Κίρκης δ' ἔνδον ἄκουον ἀειδούσης ὀπὶ καλῇ,
ἱστὸν ἐποιχομένης μέγαν ἄμβροτον, οἷα θεάων
λεπτά τε καὶ χαρίεντα καὶ ἀγλαὰ ἔργα πέλονται.
τοῖσι δὲ μύθων ἦρχε Πολίτης ὄρχαμος ἀνδρῶν,
ὅς μοι κήδιστος ἑτάρων ἦν κεδνότατός τε· 225
"ὦ φίλοι, ἔνδον γάρ τις ἐποιχομένη μέγαν ἱστὸν
καλὸν ἀοιδιάει, δάπεδον δ' ἅπαν ἀμφιμέμυκεν,
ἢ θεὸς ἠὲ γυνή· ἀλλὰ φθεγγώμεθα θᾶσσον.'
"ὣς ἄρ' ἐφώνησεν, τοὶ δὲ φθέγγοντο καλεῦντες.
ἡ δ' αἶψ' ἐξελθοῦσα θύρας ὤιξε φαεινὰς 230
καὶ κάλει· οἱ δ' ἅμα πάντες ἀιδρείῃσιν ἕποντο·
Εὐρύλοχος δ' ὑπέμεινεν, ὀισάμενος δόλον εἶναι.
εἷσεν δ' εἰσαγαγοῦσα κατὰ κλισμούς τε θρόνους τε,
ἐν δέ σφιν τυρόν τε καὶ ἄλφιτα καὶ μέλι χλωρὸν
οἴνῳ Πραμνείῳ ἐκύκα· ἀνέμισγε δὲ σίτῳ 235
φάρμακα λύγρ', ἵνα πάγχυ λαθοίατο πατρίδος αἴης.
αὐτὰρ ἐπεὶ δῶκέν τε καὶ ἔκπιον, αὐτίκ' ἔπειτα
ῥάβδῳ πεπληγυῖα κατὰ συφεοῖσιν ἐέργνυ.
οἱ δὲ συῶν μὲν ἔχον κεφαλὰς φωνήν τε τρίχας τε
καὶ δέμας, αὐτὰρ νοῦς ἦν ἔμπεδος, ὡς τὸ πάρος περ. 240
ὣς οἱ μὲν κλαίοντες ἐέρχατο, τοῖσι δὲ Κίρκη
πάρ ῥ' ἄκυλον βάλανόν τε βάλεν καρπόν τε κρανείης
ἔδμεναι, οἷα σύες χαμαιευνάδες αἰὲν ἔδουσιν.
"Εὐρύλοχος δ' αἶψ' ἦλθε θοὴν ἐπὶ νῆα μέλαιναν
ἀγγελίην ἑτάρων ἐρέων καὶ ἀδευκέα πότμον. 245
οὐδέ τι ἐκφάσθαι δύνατο ἔπος ἱέμενός περ,
κῆρ ἄχεϊ μεγάλῳ βεβολημένος· ἐν δέ οἱ ὄσσε
δακρυόφιν πίμπλαντο, γόον δ' ὠίετο θυμός.
ἀλλ' ὅτε δή μιν πάντες ἀγασσάμεθ' ἐξερέοντες,
καὶ τότε τῶν ἄλλων ἑτάρων κατέλεξεν ὄλεθρον· 250
"'ἤιομεν, ὡς ἐκέλευες, ἀνὰ δρυμά, φαίδιμ' Ὀδυσσεῦ·
εὕρομεν ἐν βήσσῃσι τετυγμένα δώματα καλὰ

à maneira dos cães que cercam festivos o dono ao
fim de uma ceia na expectativa de petiscos. Assim
procediam lobos e leões de garras inofensivas. Não
obstante, as feras, embora mansas, apavoravam.
Postadas na soleira do palácio da deusa das formosas   220
madeixas, deliciavam-se com as modulações da voz
sedutora de Circe. Ela tecia uma tela imensa, leve,
luzente, imortal, obra de deusa. Veio o conselho de
Polites, guia destro, o mais querido dos meus
companheiros: 'Lá dentro alguém de voz sedutora   225
move-se junto ao tear de grandes proporções, treme
o vestíbulo. É deusa? Mulher? Não importa,
anunciemo-nos.' Os outros se puseram a gritar. Ela
não nos fez esperar. Abriu a porta. O brilho nos
ofuscou. Ninguém recusou o convite. Menos   230
Euríloco. Não se moveu. Suspeitava engodo.
Circe, mostrando-lhes o caminho, ofereceu-lhes
assentos. Preparou-lhes uma mistura de queijo,
farinha de cevada, mel fulvo e vinho de Pramno.
Juntou ao preparado drogas fulminantes com   235
poderes de apagar totalmente lembranças da
pátria. Ao provarem o mingau preparado por ela,
Circe os tocou com uma varinha e os prendeu
numa pocilga. De porcos tinham a cabeça, a voz,
as cerdas e o corpo. A inteligência, entretanto,   240
permaneceu de pé. Grunhiam chorosos. Circe
tratava-os com azinhas, bolotas, cornizolos.
Ela lhes oferecia a ração habitual de porcos.
Euríloco voltou às pressas ao navio escuro
com a notícia infausta da inglória sorte dos   245
camaradas. As palavras não lhe saíam da boca.
Tentou em vão. Dor no coração. Os olhos, um
mar de lágrimas. Retorcia-se arrasado. O peito
arfava. Gemia. O espanto era geral. Faziam-lhe
perguntas. Veio o relato da ruína dos outros: 250
'Atravessamos o carvalhal, Odisseu, como
mandaste. No vale encontramos o palácio. É

ξεστοῖσιν λάεσσι, περισκέπτῳ ἐνὶ χώρῳ.
ἔνθα δέ τις μέγαν ἱστὸν ἐποιχομένη λίγ' ἄειδεν,
ἢ θεὸς ἠὲ γυνή: τοὶ δὲ φθέγγοντο καλεῦντες. 255
ἡ δ' αἶψ' ἐξελθοῦσα θύρας ὤϊξε φαεινὰς
καὶ κάλει: οἱ δ' ἅμα πάντες ἀϊδρείῃσιν ἕποντο:
αὐτὰρ ἐγὼν ὑπέμεινα, ὀϊσάμενος δόλον εἶναι.
οἱ δ' ἅμ' ἀϊστώθησαν ἀολλέες, οὐδέ τις αὐτῶν
ἐξεφάνη: δηρὸν δὲ καθήμενος ἐσκοπίαζον.' 260
"ὣς ἔφατ', αὐτὰρ ἐγὼ περὶ μὲν ξίφος ἀργυρόηλον
ὤμοιιν βαλόμην, μέγα χάλκεον, ἀμφὶ δὲ τόξα:
τὸν δ' ἂψ ἠνώγεα αὐτὴν ὁδὸν ἡγήσασθαι.
αὐτὰρ ὅ γ' ἀμφοτέρῃσι λαβὼν ἐλλίσσετο γούνων
καί μ' ὀλοφυρόμενος ἔπεα πτερόεντα προσηύδα: 265
"'μή μ' ἄγε κεῖσ' ἀέκοντα, διοτρεφές, ἀλλὰ λίπ' αὐτοῦ.
οἶδα γάρ, ὡς οὔτ' αὐτὸς ἐλεύσεαι οὔτε τιν' ἄλλον
ἄξεις σῶν ἑτάρων. ἀλλὰ ξὺν τοίσδεσι θᾶσσον
φεύγωμεν: ἔτι γάρ κεν ἀλύξαιμεν κακὸν ἦμαρ.'
"ὣς ἔφατ', αὐτὰρ ἐγώ μιν ἀμειβόμενος προσέειπον: 270
Εὐρύλοχ', ἦ τοι μὲν σὺ μέν' αὐτοῦ τῷδ' ἐνὶ χώρῳ
ἔσθων καὶ πίνων κοίλῃ παρὰ νηὶ μελαίνῃ:
αὐτὰρ ἐγὼν εἶμι, κρατερὴ δέ μοι ἔπλετ' ἀνάγκη.'
"ὣς εἰπὼν παρὰ νηὸς ἀνήϊον ἠδὲ θαλάσσης.
ἀλλ' ὅτε δὴ ἄρ' ἔμελλον ἰὼν ἱερὰς ἀνὰ βήσσας 275
Κίρκης ἵξεσθαι πολυφαρμάκου ἐς μέγα δῶμα,
ἔνθα μοι Ἑρμείας χρυσόρραπις ἀντεβόλησεν
ἐρχομένῳ πρὸς δῶμα, νεηνίῃ ἀνδρὶ ἐοικώς,
πρῶτον ὑπηνήτῃ, τοῦ περ χαριεστάτη ἥβη:
ἔν τ' ἄρα μοι φῦ χειρί, ἔπος τ' ἔφατ' ἔκ τ' ὀνόμαζε: 280
"'πῇ δὴ αὖτ', ὦ δύστηνε, δι' ἄκριας ἔρχεαι οἶος,
χώρου ἄϊδρις ἐών; ἕταροι δέ τοι οἵδ' ἐνὶ Κίρκης
ἔρχαται ὥς τε σύες πυκινοὺς κευθμῶνας ἔχοντες.
ἦ τοὺς λυσόμενος δεῦρ' ἔρχεαι; οὐδέ σέ φημι
αὐτὸν νοστήσειν, μενέεις δὲ σύ γ', ἔνθα περ ἄλλοι. 285
ἀλλ' ἄγε δή σε κακῶν ἐκλύσομαι ἠδὲ σαώσω.
τῆ, τόδε φάρμακον ἐσθλὸν ἔχων ἐς δώματα Κίρκης
ἔρχευ, ὅ κέν τοι κρατὸς ἀλάλκῃσιν κακὸν ἦμαρ.
πάντα δέ τοι ἐρέω ὀλοφώϊα δήνεα Κίρκης.

belo. As pedras brilham. Árvores cobrem o
terreno. Se é mulher ou deusa, eu não sei. Mas
tralha no tear. Canta e encanta. Os nossos a 255
chamaram. Não demorou, apareceu. Abriu as
portas. Ofuscaram-nos de tão lindas. Os nossos,
enlouquecidos, seguiram. E eu, ali, duro. Sabia
que era truque. Sumiram. Onde foram parar eu
não sei. Nenhum deles reapareceu. E esperei um 260
tempão. Informado, ajustei nos ombros minha
longa espada cravejada de prata, apanhei o arco,
pedi-lhe que me mostrasse o caminho.' Arrasado,
ele me agarrou, implorou de joelhos. Gemia
mais que falava. As palavras voavam-lhe da boca: 265
'Não, pupilo de Zeus, não posso. Quero ficar aqui.
De lá tu não voltas. Nem os outros. Te garanto.
Não salvarás ninguém. Fujamos, os que estamos
aqui. Nosso dia fatídico não é este. Não achas?'
Não dei ouvidos a essa baboseira. Retruquei severo: 270
'Fica, Euríloco, aí onde estás plantado. Enche a
barriga, enche a cara. Arromba a adega. Mas eu vou.
A necessidade me obriga. E ela é poderosa!' Foi o
que eu disse. Afastei-me do navio e do mar. Eu
já me encontrava no vale sagrado, bem próximo do 275
famigerado palácio da bruxa dos fatídicos remédios.
Quem encontro? Hermes. Reconheci-o pelo caduceu
de ouro. Eu não tinha errado o caminho. Tinha a
aparência de um garoto no primeiro buço, a idade da
sedução. Estendendo-me a mão, entabula conversa: 280
'Tu por aqui? Sozinho nestes matos? Não temes?
Conheces o chão que pisas? Queres saber dos amigos
que enviaste à casa de Circe? Vivem em cercados
como porcos. Queres libertá-los? Declaro que nem
tu te salvarás. Ficarás preso como os outros. Coragem! 285
Estou aqui para teu bem. Com minha ajuda poderás
escapar. Toma esta droga. É das poderosas. Munido
dela podes combater os poderes de Circe. Este
remédio desvia tua cabeça do golpe fatal. Conto tudo:

τεύξει τοι κυκεῶ, βαλέει δ' ἐν φάρμακα σίτῳ. 290
ἀλλ' οὐδ' ὣς θέλξαι σε δυνήσεται· οὐ γὰρ ἐάσει
φάρμακον ἐσθλόν, ὅ τοι δώσω, ἐρέω δὲ ἕκαστα.
ὁππότε κεν Κίρκη σ' ἐλάσῃ περιμήκεϊ ῥάβδῳ,
δὴ τότε σὺ ξίφος ὀξὺ ἐρυσσάμενος παρὰ μηροῦ
Κίρκῃ ἐπαῖξαι, ὥς τε κτάμεναι μενεαίνων. 295
ἡ δέ σ' ὑποδείσασα κελήσεται εὐνηθῆναι·
ἔνθα σὺ μηκέτ' ἔπειτ' ἀπανήνασθαι θεοῦ εὐνήν,
ὄφρα κέ τοι λύσῃ θ' ἑτάρους αὐτόν τε κομίσσῃ·
ἀλλὰ κέλεσθαί μιν μακάρων μέγαν ὅρκον ὀμόσσαι,
μή τί τοι αὐτῷ πῆμα κακὸν βουλευσέμεν ἄλλο, 300
μή σ' ἀπογυμνωθέντα κακὸν καὶ ἀνήνορα θήῃ.'
"ὣς ἄρα φωνήσας πόρε φάρμακον ἀργεϊφόντης
ἐκ γαίης ἐρύσας, καί μοι φύσιν αὐτοῦ ἔδειξε.
ῥίζῃ μὲν μέλαν ἔσκε, γάλακτι δὲ εἴκελον ἄνθος·
μῶλυ δέ μιν καλέουσι θεοί· χαλεπὸν δέ τ' ὀρύσσειν 305
ἀνδράσι γε θνητοῖσι, θεοὶ δέ τε πάντα δύνανται.
Ἑρμείας μὲν ἔπειτ' ἀπέβη πρὸς μακρὸν Ὄλυμπον
νῆσον ἀν' ὑλήεσσαν, ἐγὼ δ' ἐς δώματα Κίρκης
ἤια, πολλὰ δέ μοι κραδίη πόρφυρε κιόντι.
ἔστην δ' εἰνὶ θύρῃσι θεᾶς καλλιπλοκάμοιο· 310
ἔνθα στὰς ἐβόησα, θεὰ δέ μευ ἔκλυεν αὐδῆς.
ἡ δ' αἶψ' ἐξελθοῦσα θύρας ᾤξε φαεινὰς
καὶ κάλει· αὐτὰρ ἐγὼν ἑπόμην ἀκαχήμενος ἦτορ.
εἷσε δέ μ' εἰσαγαγοῦσα ἐπὶ θρόνου ἀργυροήλου
καλοῦ δαιδαλέου· ὑπὸ δὲ θρῆνυς ποσὶν ἦεν· 315
τεῦχε δέ μοι κυκεῶ χρυσέῳ δέπαι, ὄφρα πίοιμι,
ἐν δέ τε φάρμακον ἧκε, κακὰ φρονέουσ' ἐνὶ θυμῷ.
αὐτὰρ ἐπεὶ δῶκέν τε καὶ ἔκπιον, οὐδέ μ' ἔθελξε,
ῥάβδῳ πεπληγυῖα ἔπος τ' ἔφατ' ἔκ τ' ὀνόμαζεν·
'ἔρχεο νῦν συφεόνδε, μετ' ἄλλων λέξο ἑταίρων.' 320
"ὣς φάτ', ἐγὼ δ' ἄορ ὀξὺ ἐρυσσάμενος παρὰ μηροῦ
Κίρκῃ ἐπήιξα ὥς τε κτάμεναι μενεαίνων.
ἡ δὲ μέγα ἰάχουσα ὑπέδραμε καὶ λάβε γούνων,
καί μ' ὀλοφυρομένη ἔπεα πτερόεντα προσηύδα·
"'τίς πόθεν εἰς ἀνδρῶν; πόθι τοι πόλις ἠδὲ τοκῆες; 325
θαῦμά μ' ἔχει ὡς οὔ τι πιὼν τάδε φάρμακ' ἐθέλχθης·

os truques, as magias de Circe. Primeiro, o mingau, o 290
veneno vem de mistura. O feitiço dela não pega em ti.
O antiveneno que te passo não deixa. O efeito não
demora. Cuidado! Circe virá com uma vara comprida.
Aí arrancas da aspada que trazes na coxa. Avança
sobre ela como se quisesses matá-la. Assustada, ela 295
tentará levar-te para a cama. Não rejeites o convite.
A liberdade de teus companheiros depende dela. Quem
deverá socorrer-te é ela. E não te esqueças de exigir
que te preste o juramento solene dos bem-aventurados
para que não venha com outras insídias ruinosas. Sem 300
armas e sem roupa , ela poderia inutilizar tua virilidade.'
Hermes, o matador, instruiu-me bem. Arrancou uma
erva da terra e me explicou as virtudes que ela tinha.
A raiz era preta, mas a flor era clara, leitosa. Os deuses
a conhecem por móli. Arrancá-la é muito difícil para 305
os homens mortais, enquanto que os deuses podem tudo.
Depois disso, Hermes partiu da ilha selvática para o
elevado Olimpo. Prossegui na marcha à morada de
Circe. Eu caminhava, e meu coração corcoveava. Na
soleira da deusa dos belos cabelos, eu me detive. 310
Gritei. Eu gritar e ela me atender foi um vapt-vupt.
Percebi o brilho e a beleza da porta que a deusa girou.
Acompanhei-a de coração assustado. Ela me ofereceu
uma poltrona cravejada de prata, uma verdadeira
obra de arte. Uma banqueta para os pés. A beberagem 315
ela preparou numa taça de ouro. Era para mim. Mal-
intencionada, largou uma droga no líquido. Ofereceu,
bebi. Mas o feitiço não pegou em mim. Chegou a vez
da vara, acompanhada de palavras de bruxa: 'Já para
o chiqueiro, lá não te faltará companheiro'. Mal 320
terminou de falar, arranquei a espada e fui pra
cima dela como se quisesse matá-la. Uivando que
nem cadela, ela se atirou no chão, abraçou meus
joelhos e, ainda molhada de choro, as palavras lhe
saíram da boca: 'Vens donde? Tua gente? Cidade? 325
País? Estou espantada. Como resististe ao feitiço

οὐδὲ γὰρ οὐδέ τις ἄλλος ἀνὴρ τάδε φάρμακ' ἀνέτλη,
ὅς κε πίῃ καὶ πρῶτον ἀμείψεται ἕρκος ὀδόντων.
σοὶ δέ τις ἐν στήθεσσιν ἀκήλητος νόος ἐστίν.
ἦ σύ γ' Ὀδυσσεύς ἐσσι πολύτροπος, ὅν τέ μοι αἰεὶ 330
φάσκεν ἐλεύσεσθαι χρυσόρραπις ἀργεϊφόντης,
ἐκ Τροίης ἀνιόντα θοῇ σὺν νηὶ μελαίνῃ.
ἀλλ' ἄγε δὴ κολεῷ μὲν ἄορ θέο, νῶι δ' ἔπειτα
εὐνῆς ἡμετέρης ἐπιβείομεν, ὄφρα μιγέντε
εὐνῇ καὶ φιλότητι πεποίθομεν ἀλλήλοισιν.' 335
"ὣς ἔφατ', αὐτὰρ ἐγώ μιν ἀμειβόμενος προσέειπον·
'ὦ Κίρκη, πῶς γάρ με κέλεαι σοὶ ἤπιον εἶναι,
ἥ μοι σῦς μὲν ἔθηκας ἐνὶ μεγάροισιν ἑταίρους,
αὐτὸν δ' ἐνθάδ' ἔχουσα δολοφρονέουσα κελεύεις
ἐς θάλαμόν τ' ἰέναι καὶ σῆς ἐπιβήμεναι εὐνῆς, 340
ὄφρα με γυμνωθέντα κακὸν καὶ ἀνήνορα θήῃς.
οὐδ' ἂν ἐγώ γ' ἐθέλοιμι τεῆς ἐπιβήμεναι εὐνῆς,
εἰ μή μοι τλαίης γε, θεά, μέγαν ὅρκον ὀμόσσαι
μή τί μοι αὐτῷ πῆμα κακὸν βουλευσέμεν ἄλλο.'
"ὣς ἐφάμην, ἡ δ' αὐτίκ' ἀπώμνυεν, ὡς ἐκέλευον. 345
αὐτὰρ ἐπεί ῥ' ὄμοσέν τε τελεύτησέν τε τὸν ὅρκον,
καὶ τότ' ἐγὼ Κίρκης ἐπέβην περικαλλέος εὐνῆς.
"ἀμφίπολοι δ' ἄρα τέως μὲν ἐνὶ μεγάροισι πένοντο
τέσσαρες, αἵ οἱ δῶμα κάτα δρήστειραι ἔασι·
γίγνονται δ' ἄρα ταί γ' ἔκ τε κρηνέων ἀπό τ' ἀλσέων 350
ἔκ θ' ἱερῶν ποταμῶν, οἵ τ' εἰς ἅλαδε προρέουσι.
τάων ἡ μὲν ἔβαλλε θρόνοις ἔνι ῥήγεα καλὰ
πορφύρεα καθύπερθ', ὑπένερθε δὲ λῖθ' ὑπέβαλλεν·
ἡ δ' ἑτέρη προπάροιθε θρόνων ἐτίταινε τραπέζας
ἀργυρέας, ἐπὶ δέ σφι τίθει χρύσεια κάνεια· 355
ἡ δὲ τρίτη κρητῆρι μελίφρονα οἶνον ἐκίρνα
ἡδὺν ἐν ἀργυρέῳ, νέμε δὲ χρύσεια κύπελλα·
ἡ δὲ τετάρτη ὕδωρ ἐφόρει καὶ πῦρ ἀνέκαιε
πολλὸν ὑπὸ τρίποδι μεγάλῳ· ἰαίνετο δ' ὕδωρ.
αὐτὰρ ἐπεὶ δὴ ζέσσεν ὕδωρ ἐνὶ ἤνοπι χαλκῷ, 360
ἔς ῥ' ἀσάμινθον ἕσασα λό' ἐκ τρίποδος μεγάλοιο,
θυμῆρες κεράσασα, κατὰ κρατός τε καὶ ὤμων,
ὄφρα μοι ἐκ κάματον θυμοφθόρον εἵλετο γυίων.

da droga? És o único. Não me lembro de outro.
Ninguém! O veneno age logo que atravessa a
cerca dos dentes. Tens no teu peito uma força que
resiste ao feitiço. És Odisseu? O matador de Argos[15], 330
o do bastão de ouro, me falou muito de ti, que,
voltando de Troia numa nau negra e rápida, passarias
por aqui. Está bem! Enfia tua espada na bainha e
vem para a minha cama. Quero dormir contigo. Te
garanto que na hora do prazer nós nos entenderemos.' 335
A cantada foi essa. Usei de inteligência na resposta:
'Circe querida, como podes esperar que eu seja gentil
contigo, sabendo que transformaste meus camaradas
em porcos aqui mesmo, na tua própria casa? Tu os
prendeste. Convidas-me para dormir contigo. É traição? 340
Queres que largue a espada? Vais arrancar-me os
culhões? Não me entendas mal. Eu vou. Quero. Mas
antes exijo que me jures. Falo de juramento forte. Não
quero ser ferido por ti e não admito que faças mal
aos meus.' Foi minha proposta. Jurou como eu tinha 345
pedido. Esperei que terminasse. Só me movi depois
da última palavra. Foi assim que acabei na cama
(esplêndida!) da deusa. Jovens que a auxiliavam
em seus afazeres – eram quatro – cuidavam da
da casa. Vinham de fontes, de bosques, de rios 350
sagrados que derramam as águas no mar salgado.
Uma delas revestia as poltronas com tapetes
de púrpura. Panos de linho serviam de forro. Outra
dispunha mesas de prata diante das poltronas –
luziam – e distribuía sobre elas cestinhos de ouro. A 355
terceira preparava o vinho. O gosto adocicado
lembrava o mel. As taças eram de ouro. Uma trípode
das grandes era a ocupação da quarta. Cuidava da
chama que aquecia a água. Temperada no bronze
resplendente destinava-se a meu banho. O tamanho da 360
trípode ajustava-se a meu corpo. Ela me banhou.
Lavou cabeça e ombros. O cansaço que amargura
a vida fugiu-me dos membros. Lavado e ungido – o

αὐτὰρ ἐπεὶ λοῦσέν τε καὶ ἔχρισεν λίπ' ἐλαίῳ,
ἀμφὶ δέ με χλαῖναν καλὴν βάλεν ἠδὲ χιτῶνα, 365
εἷσε δέ μ' εἰσαγαγοῦσα ἐπὶ θρόνου ἀργυροήλου
καλοῦ δαιδαλέου, ὑπὸ δὲ θρῆνυς ποσὶν ἦεν·
χέρνιβα δ' ἀμφίπολος προχόῳ ἐπέχευε φέρουσα
καλῇ χρυσείῃ, ὑπὲρ ἀργυρέοιο λέβητος,
νίψασθαι· παρὰ δὲ ξεστὴν ἐτάνυσσε τράπεζαν. 370
σῖτον δ' αἰδοίη ταμίη παρέθηκε φέρουσα,
εἴδατα πόλλ' ἐπιθεῖσα, χαριζομένη παρεόντων.
ἐσθέμεναι δ' ἐκέλευεν· ἐμῷ δ' οὐχ ἥνδανε θυμῷ,
ἀλλ' ἥμην ἀλλοφρονέων, κακὰ δ' ὄσσετο θυμός.
"Κίρκη δ' ὡς ἐνόησεν ἔμ' ἥμενον οὐδ' ἐπὶ σίτῳ 375
χεῖρας ἰάλλοντα, κρατερὸν δέ με πένθος ἔχοντα,
ἄγχι παρισταμένη ἔπεα πτερόεντα προσηύδα·
" 'τίφθ' οὕτως, Ὀδυσεῦ, κατ' ἄρ' ἕζεαι ἶσος ἀναύδῳ,
θυμὸν ἔδων, βρώμης δ' οὐχ ἅπτεαι οὐδὲ ποτῆτος;
ἦ τινά που δόλον ἄλλον ὀίεαι· οὐδέ τί σε χρὴ 380
δειδίμεν· ἤδη γάρ τοι ἀπώμοσα καρτερὸν ὅρκον.'
"ὣς ἔφατ', αὐτὰρ ἐγώ μιν ἀμειβόμενος προσέειπον·
'ὦ Κίρκη, τίς γάρ κεν ἀνήρ, ὃς ἐναίσιμος εἴη,
πρὶν τλαίη πάσσασθαι ἐδητύος ἠδὲ ποτῆτος,
πρὶν λύσασθ' ἑτάρους καὶ ἐν ὀφθαλμοῖσιν ἰδέσθαι; 385
ἀλλ' εἰ δὴ πρόφρασσα πιεῖν φαγέμεν τε κελεύεις,
λῦσον, ἵν' ὀφθαλμοῖσιν ἴδω ἐρίηρας ἑταίρους.'
"ὣς ἐφάμην, Κίρκη δὲ διὲκ μεγάροιο βεβήκει
ῥάβδον ἔχουσ' ἐν χειρί, θύρας δ' ἀνέῳξε συφειοῦ,
ἐκ δ' ἔλασεν σιάλοισιν ἐοικότας ἐννεώροισιν. 390
οἱ μὲν ἔπειτ' ἔστησαν ἐναντίοι, ἡ δὲ δι' αὐτῶν
ἐρχομένη προσάλειφεν ἑκάστῳ φάρμακον ἄλλο.
τῶν δ' ἐκ μὲν μελέων τρίχες ἔρρεον, ἃς πρὶν ἔφυσε
φάρμακον οὐλόμενον, τό σφιν πόρε πότνια Κίρκη·
ἄνδρες δ' ἂψ ἐγένοντο νεώτεροι ἢ πάρος ἦσαν, 395
καὶ πολὺ καλλίονες καὶ μείζονες εἰσοράασθαι.
ἔγνωσαν δέ μ' ἐκεῖνοι ἔφυν τ' ἐν χερσὶν ἕκαστος.
πᾶσιν δ' ἱμερόεις ὑπέδυ γόος, ἀμφὶ δὲ δῶμα
σμερδαλέον κονάβιζε· θεὰ δ' ἐλέαιρε καὶ αὐτή.
"ἡ δέ μευ ἄγχι στᾶσα προσηύδα δῖα θεάων· 400

óleo era de qualidade – lançou-me um manto – o
tecido era excepcional – sobre a túnica. Fui levado
a uma poltrona cravejada de prata, obra que honraria
Dédalo. Meus pés descansaram numa banqueta. Dum
jarro de ouro nas mãos de uma camareira jorra a água
sobre minhas mãos, postas numa bacia de prata.
Aparece uma mesa primorosamente limpa. Uma
governanta ofereceu-me pão e outras iguarias. A
generosidade dela regalava-me de tudo. Rogou-me
que me servisse. Não me animei. Minha cabeça
estava conturbada. Eu respirava desgraça. Circe notou
que meus dedos não se mexiam. Os manjares não
me atraíam. O peito me doía. Tocou meus
ouvidos o rumor esvoaçante das palavras dela:
'Te comportas como se tivesses perdido a língua.
Em vez de bebida e comida, devoras teu próprio
coração. Pensas que eu esteja tramando alguma
coisa? Jurei. Não jurei? Jurei forte.' A fala da
deusa não me tranquilizou: 'Circe, que pessoa
sadia se atreveria a tocar em pratos ou copos antes
de saber libertos seus amigos, antes de enxergá-los
com os próprios olhos? Se de fato estás interessada
em que eu coma e beba, solta meus companheiros,
quero ver meus bravos remadores.' Ela, sensível ao
que eu disse, deixou a sala e se dirigiu ao chiqueiro.
Abriu as portas de vara na mão. Surgiram porcos
gordos com a aparência de nove anos. Alinhados
em sua frente, ela passa por eles e lhes aplica uma
droga oposta à anterior. Caem as cerdas que lhes
cobriam os membros, obra do preparado que
Circe lhes administrara há pouco. Voltaram a ser
homens, bem mais jovens que antes. Reaparecem
mais belos e de maior estatura. Abraçaram-me
calorosamente ao me reconhecerem. Percebi
lágrimas saudosas nos olhos de todos. Gemidos
comoveram o palácio inteiro. Até a deusa sentiu-se
abalada. Notei-o no que ela me falou: 'Divino

'διογενὲς Λαερτιάδη, πολυμήχαν' Ὀδυσσεῦ,
ἔρχεο νῦν ἐπὶ νῆα θοὴν καὶ θῖνα θαλάσσης.
νῆα μὲν ἂρ πάμπρωτον ἐρύσσατε ἤπειρόνδε,
κτήματα δ' ἐν σπήεσσι πελάσσατε ὅπλα τε πάντα:
αὐτὸς δ' ἂψ ἰέναι καὶ ἄγειν ἐρίηρας ἑταίρους.' 405

"ὣς ἔφατ', αὐτὰρ ἐμοί γ' ἐπεπείθετο θυμὸς ἀγήνωρ,
βῆν δ' ἰέναι ἐπὶ νῆα θοὴν καὶ θῖνα θαλάσσης.
εὗρον ἔπειτ' ἐπὶ νηὶ θοῇ ἐρίηρας ἑταίρους
οἴκτρ' ὀλοφυρομένους, θαλερὸν κατὰ δάκρυ χέοντας.
ὡς δ' ὅτ' ἂν ἄγραυλοι πόριες περὶ βοῦς ἀγελαίας, 410
ἐλθούσας ἐς κόπρον, ἐπὴν βοτάνης κορέσωνται,
πᾶσαι ἅμα σκαίρουσιν ἐναντίαι: οὐδ' ἔτι σηκοὶ
ἴσχουσ', ἀλλ' ἁδινὸν μυκώμεναι ἀμφιθέουσι
μητέρας: ὣς ἔμ' ἐκεῖνοι ἐπεὶ ἴδον ὀφθαλμοῖσι,
δακρυόεντες ἔχυντο: δόκησε δ' ἄρα σφίσι θυμὸς 415
ὣς ἔμεν, ὡς εἰ πατρίδ' ἱκοίατο καὶ πόλιν αὐτὴν
τρηχείης Ἰθάκης, ἵνα τ' ἔτραφεν ἠδ' ἐγένοντο.
καί μ' ὀλοφυρόμενοι ἔπεα πτερόεντα προσηύδων:
"'σοὶ μὲν νοστήσαντι, διοτρεφές, ὡς ἐχάρημεν,
ὡς εἴ τ' εἰς Ἰθάκην ἀφικοίμεθα πατρίδα γαῖαν: 420
ἀλλ' ἄγε, τῶν ἄλλων ἑτάρων κατάλεξον ὄλεθρον.'
"ὣς ἔφαν, αὐτὰρ ἐγὼ προσέφην μαλακοῖς ἐπέεσσι:
'νῆα μὲν ἂρ πάμπρωτον ἐρύσσομεν ἤπειρόνδε,
κτήματα δ' ἐν σπήεσσι πελάσσομεν ὅπλα τε πάντα:
αὐτοὶ δ' ὀτρύνεσθε ἐμοὶ ἅμα πάντες ἕπεσθαι, 425
ὄφρα ἴδηθ' ἑτάρους ἱεροῖς ἐν δώμασι Κίρκης
πίνοντας καὶ ἔδοντας: ἐπηετανὸν γὰρ ἔχουσιν.'
"ὣς ἐφάμην, οἱ δ' ὦκα ἐμοῖς ἐπέεσσι πίθοντο.
Εὐρύλοχος δέ μοι οἶος ἐρύκανε πάντας ἑταίρους:
καί σφεας φωνήσας ἔπεα πτερόεντα προσηύδα: 430
"'ἆ δειλοί, πόσ' ἴμεν; τί κακῶν ἱμείρετε τούτων;
Κίρκης ἐς μέγαρον καταβήμεναι, ἥ κεν ἅπαντας
ἢ σῦς ἠὲ λύκους ποιήσεται ἠὲ λέοντας,
οἵ κέν οἱ μέγα δῶμα φυλάσσοιμεν καὶ ἀνάγκῃ,
ὥς περ Κύκλωψ ἔρξ', ὅτε οἱ μέσσαυλον ἵκοντο 435

filho de Laertes, ardiloso Odisseu, vai. Tua nau
ligeira e as areias do mar te esperam. Arrasta
teu barco para um lugar seco. Guarda teus tesouros
e tuas armas numa gruta. Retorna ao meu palácio
com todos os teus companheiros.' Não me opus. 405

"O conselho de Circe me pareceu sensato. Era
o que eu devia fazer: procurar meu navio, ancorado
na praia. Encontrei meus remadores em lágrimas.
Estavam tristes, acabrunhados. Pareciam bezerros
encurralados, aos saltos em torno das vacas 410
ao retornarem da pastagem saciadas – tumulto
convergente de mugidos, nem laços nem vaqueiros
os seguram. As mães, é só o que desejam. Veio-me
à mente essa cena quando vi a agitação dos meus.
Imaginei o que se passava neles. Era como se 415
tivessem reencontrado a rude Ítaca, terra que os
viu nascer, gleba que os alimentou. As palavras que
proferiram esvoaçavam tristonhas: 'Vens como
um manjar dos deuses. Nos trazes o sabor do solo,
o perfume da sonhada Ítaca. Rimos entre lágrimas. 420
O que aconteceu aos nossos? Pereceram? Respondi
com palavras tranquilizadoras: 'Vim para certas
providências: antes de tudo convém trazer o navio
à terra. As armas serão guardadas numa caverna.
Quero que todos me acompanhem. Vocês verão 425
nossos companheiros na mansão de Circe. Comes
e bebes não faltam. Há provisões para anos.'
Seguiram minhas instruções à risca. Menos
Euríloco. Tentou impedir que me seguissem. Suas
advertências voejavam: 'Querem ir para onde, 430
desgraçados? Procuram a ruína? Querem descer à
casa de Circe? Sabem o que vai acontecer? Vamos
virar porcos, lobos e leões. Seremos forçados
a guardar a casa dela. Lembram-se do Ciclope?
Companheiros nossos entraram na propriedade 435

ἡμέτεροι ἕταροι, σὺν δ' ὁ θρασὺς εἵπετ' Ὀδυσσεύς·
τούτου γὰρ καὶ κεῖνοι ἀτασθαλίῃσιν ὄλοντο.'
"ὣς ἔφατ', αὐτὰρ ἐγώ γε μετὰ φρεσὶ μερμήριξα,
σπασσάμενος τανύηκες ἄορ παχέος παρὰ μηροῦ,
τῷ οἱ ἀποπλήξας κεφαλὴν οὖδάσδε πελάσσαι,   440
καὶ πηῷ περ ἐόντι μάλα σχεδόν· ἀλλά μ' ἑταῖροι
μειλιχίοις ἐπέεσσιν ἐρήτυον ἄλλοθεν ἄλλος·
"'διογενές, τοῦτον μὲν ἐάσομεν, εἰ σὺ κελεύεις,
αὐτοῦ πὰρ νηΐ τε μένειν καὶ νῆα ἔρυσθαι·
ἡμῖν δ' ἡγεμόνευ' ἱερὰ πρὸς δώματα Κίρκης.'   445
"ὣς φάμενοι παρὰ νηὸς ἀνήϊον ἠδὲ θαλάσσης.
οὐδὲ μὲν Εὐρύλοχος κοίλῃ παρὰ νηΐ λέλειπτο,
ἀλλ' ἕπετ'· ἔδεισεν γὰρ ἐμὴν ἔκπαγλον ἐνιπήν.

"τόφρα δὲ τοὺς ἄλλους ἑτάρους ἐν δώμασι Κίρκη
ἐνδυκέως λοῦσέν τε καὶ ἔχρισεν λίπ' ἐλαίῳ,   450
ἀμφὶ δ' ἄρα χλαίνας οὔλας βάλεν ἠδὲ χιτῶνας·
δαινυμένους δ' ἐῢ πάντας ἐφεύρομεν ἐν μεγάροισιν.
οἱ δ' ἐπεὶ ἀλλήλους εἶδον φράσσαντό τ' ἐσάντα,
κλαῖον ὀδυρόμενοι, περὶ δὲ στεναχίζετο δῶμα.
ἡ δέ μευ ἄγχι στᾶσα προσηύδα δῖα θεάων·   455
"Διογενὲς Λαερτιάδη, πολυμήχαν' Ὀδυσσεῦ,
μηκέτι νῦν θαλερὸν γόον ὄρνυτε· οἶδα καὶ αὐτὴ
ἠμὲν ὅσ' ἐν πόντῳ πάθετ' ἄλγεα ἰχθυόεντι,
ἠδ' ὅσ' ἀνάρσιοι ἄνδρες ἐδηλήσαντ' ἐπὶ χέρσου.
ἀλλ' ἄγετ' ἐσθίετε βρώμην καὶ πίνετε οἶνον,   460
εἰς ὅ κεν αὖτις θυμὸν ἐνὶ στήθεσσι λάβητε,
οἷον ὅτε πρώτιστον ἐλείπετε πατρίδα γαῖαν
τρηχείης Ἰθάκης. νῦν δ' ἀσκελέες καὶ ἄθυμοι,
αἰὲν ἄλης χαλεπῆς μεμνημένοι, οὐδέ ποθ' ὕμιν
θυμὸς ἐν εὐφροσύνῃ, ἐπεὶ ἦ μάλα πολλὰ πέποσθε.' 465
"ὣς ἔφαθ', ἡμῖν δ' αὖτ' ἐπεπείθετο θυμὸς ἀγήνωρ.
ἔνθα μὲν ἤματα πάντα τελεσφόρον εἰς ἐνιαυτὸν
ἥμεθα δαινύμενοι κρέα τ' ἄσπετα καὶ μέθυ ἡδύ·

dele. Acompanharam Odisseu. Foi um desastre. A
loucura deste os levou à perdição.' Foi um desaforo.
Deu-me vontade de puxar da espada que eu trazia
presa na coxa e passar-lhe o fio no pescoço. Queria
ver a cabeça dele rolar pelo chão. E era meu   440
parente! Os companheiros me detiveram. Vieram
palavras serenas de todos os lados: 'Calma,
chefe! Dá-lhe ordens para que permaneça.
Puxar e cuidar do navio será tarefa dele. Nós te
acompanharemos ao palácio de Circe.' Acertado   445
isso, deixaram a praia comigo. Nem Euríloco
permaneceu no oco do navio. Assustado com
minha atitude, seguiu-me com os outros.

"Circe foi solícita com os companheiros que tinham
ficado lá. Ofereceu-lhes banho e óleo. Além das   450
túnicas, apresentou-lhes mantos. Na sala, a deusa
preparou um banquete para todos. Quando
os dois grupos se viram olho no olho, choraram
de alegria. Júbilo lacrimoso encheu o palácio.
Aproximando-se, falou a divina entre divinas: 455
'Divino Odisseu, inventivo filho de Laertes, posso
saber o motivo dessas lamentações? Ouço gritos.
Bem sei o que vocês sofreram nos mares
povoados de peixes, não ignoro que enfrentastes
ataques severos na terra. Comam e bebam agora   460
para que volte a alegria que os animava quando,
já faz anos, deixaram o solo pátrio, a pedregosa
Ítaca. Vocês estão abatidos e desanimados, com a
cabeça voltada aos trabalhos no mar e o coração
longe da alegria. Padecimentos e nada mais.' Essas 465
palavras nos revitalizaram o coração. Lá
permanecemos ociosos, dia após dia, por um ano,
saboreando assados e bebendo vinho.

ἀλλ' ὅτε δή ῥ' ἐνιαυτὸς ἔην, περὶ δ' ἔτραπον ὧραι
μηνῶν φθινόντων, περὶ δ' ἤματα μακρὰ τελέσθη, 470
καὶ τότε μ' ἐκκαλέσαντες ἔφαν ἐρίηρες ἑταῖροι·
"'δαιμόνι', ἤδη νῦν μιμνήσκεο πατρίδος αἴης,
εἴ τοι θέσφατόν ἐστι σαωθῆναι καὶ ἱκέσθαι
οἶκον ἐς ὑψόροφον καὶ σὴν ἐς πατρίδα γαῖαν.'
"ὡς ἔφαν, αὐτὰρ ἐμοί γ' ἐπεπείθετο θυμὸς ἀγήνωρ. 475
ὣς τότε μὲν πρόπαν ἦμαρ ἐς ἠέλιον καταδύντα
ἥμεθα, δαινύμενοι κρέα τ' ἄσπετα καὶ μέθυ ἡδύ·
ἦμος δ' ἠέλιος κατέδυ καὶ ἐπὶ κνέφας ἦλθεν,
οἱ μὲν κοιμήσαντο κατὰ μέγαρα σκιόεντα.
αὐτὰρ ἐγὼ Κίρκης ἐπιβὰς περικαλλέος εὐνῆς 480
γούνων ἐλλιτάνευσα, θεὰ δέ μευ ἔκλυεν αὐδῆς·
καί μιν φωνήσας ἔπεα πτερόεντα προσηύδων·
"'ὦ Κίρκη, τέλεσόν μοι ὑπόσχεσιν ἥν περ ὑπέστης,
οἴκαδε πεμψέμεναι· θυμὸς δέ μοι ἔσσυται ἤδη,
ἠδ' ἄλλων ἑτάρων, οἵ μευ φθινύθουσι φίλον κῆρ 485
ἀμφ' ἔμ' ὀδυρόμενοι, ὅτε πού σύ γε νόσφι γένηαι.'
"ὣς ἐφάμην, ἡ δ' αὐτίκ' ἀμείβετο δῖα θεάων·
'διογενὲς Λαερτιάδη, πολυμήχαν' Ὀδυσσεῦ,
μηκέτι νῦν ἀέκοντες ἐμῷ ἐνὶ μίμνετε οἴκῳ.
ἀλλ' ἄλλην χρὴ πρῶτον ὁδὸν τελέσαι καὶ ἱκέσθαι 490
εἰς Ἀΐδαο δόμους καὶ ἐπαινῆς Περσεφονείης,
ψυχῇ χρησομένους Θηβαίου Τειρεσίαο,
μάντηος ἀλαοῦ, τοῦ τε φρένες ἔμπεδοί εἰσι·
τῷ καὶ τεθνηῶτι νόον πόρε Περσεφόνεια,
οἴῳ πεπνῦσθαι, τοὶ δὲ σκιαὶ ἀΐσσουσιν.' 495
"ὣς ἔφατ', αὐτὰρ ἐμοί γε κατεκλάσθη φίλον ἦτορ·
κλαῖον δ' ἐν λεχέεσσι καθήμενος, οὐδέ νύ μοι κῆρ
ἤθελ' ἔτι ζώειν καὶ ὁρᾶν φάος ἠελίοιο.
αὐτὰρ ἐπεὶ κλαίων τε κυλινδόμενος τ' ἐκορέσθην,
καὶ τότε δή μιν ἔπεσσιν ἀμειβόμενος προσέειπον· 500
"'ὦ Κίρκη, τίς γὰρ ταύτην ὁδὸν ἡγεμονεύσει;
εἰς Ἀΐδος δ' οὔ πώ τις ἀφίκετο νηῒ μελαίνῃ.'
"ὣς ἐφάμην, ἡ δ' αὐτίκ' ἀμείβετο δῖα θεάων·
'διογενὲς Λαερτιάδη, πολυμήχαν' Ὀδυσσεῦ,
μή τί τοι ἡγεμόνος γε ποθὴ παρὰ νηῒ μελέσθω, 505

'Volveu o ano, volveram as estações e os meses,
espichavam-se os dias. Meus queridos amigos 470
me chamaram à parte com advertências: 'Estás
enfeitiçado. Não achas que já é tempo de pensarmos
na pátria? O que te reserva o destino? Não é o
regresso a teu palácio e à terra que te viu nascer?'
Estas palavras mexeram com meus brios. O dia 475
passou como os outros. Comemos e bebemos até
anoitecer. Ociosos lambemos os lábios e nos
enchemos de vinho. O sol se pôs, alargou-se o manto
da noite, os meus se espalharam pela sala escura
à procura dos leitos. Como sempre, subi ao leito 480
de Circe. Esplêndido! Abraçado aos joelhos divinos,
supliquei. Minhas palavras bateram em ouvidos
atentos: 'Chegou a hora de cumprires a promessa
que me fizeste, consentir que eu volte para casa.
Este é o desejo do nosso coração, meu e dos nossos 485
companheiros. É tu te ausentares, vejo-me cercado
por eles com seus lamentos. Eles me abalam.' Divina
foi a resposta da deusa: 'Industrioso Odisseu, meu
divino companheiro, não é minha intenção retê-los
em minha casa contra a vontade de vocês. Advirto, 490
no entanto, que ainda outra viagem se impõe, uma
visita ao reino de Hades e da assombrosa Perséfone
Deverás consultar a sombra de Tirésias, o vidente
cego. A morte não abalou as qualidades dele. Só a
ele Perséfone consentiu a lucidez e o saber depois 495
de morto. Os demais não passam de sombras.' As
palavras dela me partiram o coração. Fiquei sentado
na cama aos prantos. Fugiu-me a vontade de viver,
de me deliciar com os raios do sol. Farto de choro,
cansado de me rolar na cama, animei-me a responder. 500
Ponderei: 'Circe, quem nos pilotará nesse caminho?
Ninguém alcançou jamais o Hades em nau negra.'
A divina entre divinas não retardou a resposta: 'Tens
muitos recursos, Odisseu, divino filho de Laertes.
Não te preocupes com piloto. Não te fará falta. O 505

ἱστὸν δὲ στήσας, ἀνά θ' ἱστία λευκὰ πετάσσας
ἧσθαι: τὴν δέ κέ τοι πνοιὴ Βορέαο φέρῃσιν.
ἀλλ' ὁπότ' ἂν δὴ νηὶ δι' Ὠκεανοῖο περήσῃς,
ἔνθ' ἀκτή τε λάχεια καὶ ἄλσεα Περσεφονείης,
μακραί τ' αἴγειροι καὶ ἰτέαι ὠλεσίκαρποι,   510
νῆα μὲν αὐτοῦ κέλσαι ἐπ' Ὠκεανῷ βαθυδίνῃ,
αὐτὸς δ' εἰς Ἀίδεω ἰέναι δόμον εὐρώεντα.
ἔνθα μὲν εἰς Ἀχέροντα Πυριφλεγέθων τε ῥέουσιν
Κώκυτός θ', ὃς δὴ Στυγὸς ὕδατός ἐστιν ἀπορρώξ,
πέτρη τε ξύνεσίς τε δύω ποταμῶν ἐριδούπων: 515
ἔνθα δ' ἔπειθ', ἥρως, χριμφθεὶς πέλας, ὥς σε κελεύω,
βόθρον ὀρύξαι, ὅσον τε πυγούσιον ἔνθα καὶ ἔνθα,
ἀμφ' αὐτῷ δὲ χοὴν χεῖσθαι πᾶσιν νεκύεσσιν,
πρῶτα μελικρήτῳ, μετέπειτα δὲ ἡδέι οἴνῳ,
τὸ τρίτον αὖθ' ὕδατι: ἐπὶ δ' ἄλφιτα λευκὰ παλύνειν.   520
πολλὰ δὲ γουνοῦσθαι νεκύων ἀμενηνὰ κάρηνα,
ἐλθὼν εἰς Ἰθάκην στεῖραν βοῦν, ἥ τις ἀρίστη,
ῥέξειν ἐν μεγάροισι πυρήν τ' ἐμπλησέμεν ἐσθλῶν,
Τειρεσίῃ δ' ἀπάνευθεν ὄιν ἱερευσέμεν οἴῳ
παμμέλαν', ὃς μήλοισι μεταπρέπει ὑμετέροισιν.   525
αὐτὰρ ἐπὴν εὐχῇσι λίσῃ κλυτὰ ἔθνεα νεκρῶν,
ἔνθ' ὄιν ἀρνειὸν ῥέζειν θῆλύν τε μέλαιναν
εἰς Ἔρεβος στρέψας, αὐτὸς δ' ἀπονόσφι τραπέσθαι
ἱέμενος ποταμοῖο ῥοάων: ἔνθα δὲ πολλαὶ
ψυχαὶ ἐλεύσονται νεκύων κατατεθνηώτων.   530
δὴ τότ' ἔπειθ' ἑτάροισιν ἐποτρῦναι καὶ ἀνῶξαι
μῆλα, τὰ δὴ κατάκειτ' ἐσφαγμένα νηλέι χαλκῷ,
δείραντας κατακῆαι, ἐπεύξασθαι δὲ θεοῖσιν,
ἰφθίμῳ τ' Ἀίδῃ καὶ ἐπαινῇ Περσεφονείῃ:
αὐτὸς δὲ ξίφος ὀξὺ ἐρυσσάμενος παρὰ μηροῦ   535
ἧσθαι, μηδὲ ἐᾶν νεκύων ἀμενηνὰ κάρηνα
αἵματος ἆσσον ἴμεν, πρὶν Τειρεσίαο πυθέσθαι.
ἔνθα τοι αὐτίκα μάντις ἐλεύσεται, ὄρχαμε λαῶν,
ὅς κέν τοι εἴπῃσιν ὁδὸν καὶ μέτρα κελεύθου
νόστον θ', ὡς ἐπὶ πόντον ἐλεύσεαι ἰχθυόεντα.'   540
"ὣς ἔφατ', αὐτίκα δὲ χρυσόθρονος ἤλυθεν Ἠώς.
ἀμφὶ δέ με χλαῖνάν τε χιτῶνά τε εἵματα ἕσσεν:

mastro erguido sustentará a alva vela desfraldada.
Descansa. O sopro de Bóreas fará o trabalho. Quando
tua embarcação tiver atravessado o Oceano, chegarás
a uma costa plana e aos bosques de Perséfone, verás
altos álamos e salgueiros de frutos falhos. Aí deverás 510
firmar tua nau às margens do Oceano de vórtices
vorazes. Teus próprios pés te levarão ao negro paço
de Hades. Lá o Rio do Fogo e o Cocito, um braço
da águas do Estige, desembocam no Aqueronte. Uma
rocha assinala a confluência das duas correntes. 515
Achega-te, procede conforme te digo. Cava um fosso
de um côvado quadrado. Vaza libações nas bordas
em homenagem a todos os mortos. Começa com a
mescla de leite e mel. O vinho doce vem depois,
seguido de água. Espalha, por fim, farinha de cevada. 520
Dobra muito os joelhos às desvalidas cabeças dos
mortos. Promete-lhes o sacrifício de uma vaca estéril,
das melhores, e raro incenso, de regresso a teu palácio.
A Tirésias promete, só a ele, uma ovelha toda negra,
a mais vistosa de todo o teu rebanho. Concluída a 525
invocação aos ilustres povos dos que já partiram,
sacrifica um carneiro e uma ovelha negra, torcendo-
lhes a cabeça ao Érebo, mas tu mesmo deverás olhar
para a oceânica corrente. Receberás então a visita de
inúmeras psiques de pessoas que viveram em outros 530
tempos. Teus homens, por ordem tua, deverão esfolar
e queimar os animais abatidos pela inclemência do
ferro. Vossas invocações deverão elevar-se ao trono
dos deuses, o poderoso Hades e a aterradora Perséfone. 535
Permanecerás de espada nua ao lado do fosso. Não
permitas que as esqueléticas cabeças dos mortos
se aproximem do sangue antes de ouvires Tirésias.
Não tardará a presença do sacerdote, conselheiro de
muitos. Dele saberás por onde regressar e a extensão
do caminho. Ele te dirá como percorrer as águas 540
povoadas de peixes.' Instruiu-me assim já perto da
hora em que a Aurora desponta em seu trono de ouro.

αὐτὴ δ' ἀργύφεον φᾶρος μέγα ἕννυτο νύμφη,
λεπτὸν καὶ χαρίεν, περὶ δὲ ζώνην βάλετ' ἰξυῖ
καλὴν χρυσείην, κεφαλῇ δ' ἐπέθηκε καλύπτρην. 545
αὐτὰρ ἐγὼ διὰ δώματ' ἰὼν ὤτρυνον ἑταίρους
μειλιχίοις ἐπέεσσι παρασταδὸν ἄνδρα ἕκαστον:
"'μηκέτι νῦν εὕδοντες ἀωτεῖτε γλυκὺν ὕπνον,
ἀλλ' ἴομεν: δὴ γάρ μοι ἐπέφραδε πότνια Κίρκη.'
"ὣς ἐφάμην, τοῖσιν δ' ἐπεπείθετο θυμὸς ἀγήνωρ. 550
οὐδὲ μὲν οὐδ' ἔνθεν περ ἀπήμονας ἦγον ἑταίρους.
Ἐλπήνωρ δέ τις ἔσκε νεώτατος, οὔτε τι λίην
ἄλκιμος ἐν πολέμῳ οὔτε φρεσὶν ᾗσιν ἀρηρώς:
ὅς μοι ἄνευθ' ἑτάρων ἱεροῖς ἐν δώμασι Κίρκης,
ψύχεος ἱμείρων, κατελέξατο οἰνοβαρείων. 555
κινυμένων δ' ἑτάρων ὅμαδον καὶ δοῦπον ἀκούσας
ἐξαπίνης ἀνόρουσε καὶ ἐκλάθετο φρεσὶν ᾗσιν
ἄψορρον καταβῆναι ἰὼν ἐς κλίμακα μακρήν,
ἀλλὰ καταντικρὺ τέγεος πέσεν: ἐκ δέ οἱ αὐχὴν
ἀστραγάλων ἐάγη, ψυχὴ δ' Ἄϊδόσδε κατῆλθεν. 560
"ἐρχομένοισι δὲ τοῖσιν ἐγὼ μετὰ μῦθον ἔειπον:
'φάσθε νύ που οἴκόνδε φίλην ἐς πατρίδα γαῖαν
ἔρχεσθ': ἄλλην δ' ἧμιν ὁδὸν τεκμήρατο Κίρκη,
εἰς Ἀίδαο δόμους καὶ ἐπαινῆς Περσεφονείης
ψυχῇ χρησομένους Θηβαίου Τειρεσίαο.' 565
"ὣς ἐφάμην, τοῖσιν δὲ κατεκλάσθη φίλον ἦτορ,
ἑζόμενοι δὲ κατ' αὖθι γόων τίλλοντό τε χαίτας:
ἀλλ' οὐ γάρ τις πρῆξις ἐγίγνετο μυρομένοισιν.
"ἀλλ' ὅτε δή ῥ' ἐπὶ νῆα θοὴν καὶ θῖνα θαλάσσης
ᾖομεν ἀχνύμενοι θαλερὸν κατὰ δάκρυ χέοντες, 570
τόφρα δ' ἄρ' οἰχομένη Κίρκη παρὰ νηὶ μελαίνῃ
ἀρνειὸν κατέδησεν ὄϊν θῆλύν τε μέλαιναν,
ῥεῖα παρεξελθοῦσα: τίς ἂν θεὸν οὐκ ἐθέλοντα
ὀφθαλμοῖσιν ἴδοιτ' ἢ ἔνθ' ἢ ἔνθα κιόντα;

Manto e túnica foi a roupa com que me cobriu a ninfa.
Ela própria se apresentou numa estola ampla, leve,
suave. Resplandecente cinto de ouro estreitou-lhe a 545
cintura. Um véu cobria-lhe a cabeça. Percorrendo
o palácio, desperto os camaradas. Procurei encorajar
cada um deles num tom suave: 'Vocês passaram uma
noite tranquila. Querem viajar? Circe, senhora nossa,
consente que partamos.' Meu convite levantou-lhes 550
o ânimo. Não demorou, cobriu-os a sombra da tristeza.
Certo Elpenor, o mais moço de todos – na luta ele não
se distiguia, inteligente ele também não era – tocado
pela bebida e desejoso de ar fresco, resolveu dormir
no terraço longe dos outros. Perturbado pela agitação, 555
surpreso com o barulho, levantou-se de repente. De
cabeça zonza, esqueceu-se do lugar. Em vez de buscar
a grande escada, avançou em linha reta. Caiu do terraço
e quebrou o pescoço. Foi fatal. A psique foi parar
nos tenebrosos domínios de Hades. Quando me reuni 560
com os meus fui obrigado a lhes revelar tudo:
'Pensam que voltaremos imediatamente para casa?
Diverso é o caminho previsto por Circe. Daqui vamos
ao palácio de Hades e de Perséfone, a tenebrosa,
para consultar a sombra do tebano Tirésias.' Meu 565
discurso abalou o entusiasmo dos meus. Não se
levantavam. Tristes, arrancavam os cabelos. O que
fazer? Chorar não adiantava nada. Dirigimo-nos
à nau, às areias do mar. Não vencemos a vontade
de chorar. As lágrimas caíam em cascatas. 570
Encontramos atados um carneiro e uma ovelha
preta, providência de Circe. Passou por nós sem que
a notássemos. Os olhos não percebem divindade
que não quer ser vista. Um deus vai para onde quer.

ΟΔΥΣΣΕΙΑΣ Λ

"αὐτὰρ ἐπεί ῥ' ἐπὶ νῆα κατήλθομεν ἠδὲ θάλασσαν,
νῆα μὲν ἂρ πάμπρωτον ἐρύσσαμεν εἰς ἅλα δῖαν,
ἐν δ' ἱστὸν τιθέμεσθα καὶ ἱστία νηὶ μελαίνῃ,
ἐν δὲ τὰ μῆλα λαβόντες ἐβήσαμεν, ἂν δὲ καὶ αὐτοὶ
βαίνομεν ἀχνύμενοι θαλερὸν κατὰ δάκρυ χέοντες.   05
ἡμῖν δ' αὖ κατόπισθε νεὸς κυανοπρῴροιο
ἴκμενον οὖρον ἵει πλησίστιον, ἐσθλὸν ἑταῖρον,
Κίρκη εὐπλόκαμος, δεινὴ θεὸς αὐδήεσσα.
ἡμεῖς δ' ὅπλα ἕκαστα πονησάμενοι κατὰ νῆα
ἥμεθα· τὴν δ' ἄνεμός τε κυβερνήτης τ' ἴθυνε.   10
τῆς δὲ πανημερίης τέταθ' ἱστία ποντοπορούσης·
δύσετό τ' ἠέλιος σκιόωντό τε πᾶσαι ἀγυιαί.
"ἡ δ' ἐς πείραθ' ἵκανε βαθυρρόου Ὠκεανοῖο.
ἔνθα δὲ Κιμμερίων ἀνδρῶν δῆμός τε πόλις τε,
ἠέρι καὶ νεφέλῃ κεκαλυμμένοι· οὐδέ ποτ' αὐτοὺς   15
ἠέλιος φαέθων καταδέρκεται ἀκτίνεσσιν,
οὔθ' ὁπότ' ἂν στείχῃσι πρὸς οὐρανὸν ἀστερόεντα,
οὔθ' ὅτ' ἂν ἂψ ἐπὶ γαῖαν ἀπ' οὐρανόθεν προτράπηται,
ἀλλ' ἐπὶ νὺξ ὀλοὴ τέταται δειλοῖσι βροτοῖσι.
νῆα μὲν ἔνθ' ἐλθόντες ἐκέλσαμεν, ἐκ δὲ τὰ μῆλα   20
εἱλόμεθ'· αὐτοὶ δ' αὖτε παρὰ ῥόον Ὠκεανοῖο
ᾔομεν, ὄφρ' ἐς χῶρον ἀφικόμεθ', ὃν φράσε Κίρκη.
"ἔνθ' ἱερήια μὲν Περιμήδης Εὐρύλοχός τε
ἔσχον· ἐγὼ δ' ἄορ ὀξὺ ἐρυσσάμενος παρὰ μηροῦ
βόθρον ὄρυξ' ὅσσον τε πυγούσιον ἔνθα καὶ ἔνθα,   25
ἀμφ' αὐτῷ δὲ χοὴν χεόμην πᾶσιν νεκύεσσι,
πρῶτα μελικρήτῳ, μετέπειτα δὲ ἡδέι οἴνῳ,
τὸ τρίτον αὖθ' ὕδατι· ἐπὶ δ' ἄλφιτα λευκὰ πάλυνον.
πολλὰ δὲ γουνούμην νεκύων ἀμενηνὰ κάρηνα,
ἐλθὼν εἰς Ἰθάκην στεῖραν βοῦν, ἥ τις ἀρίστη,   30
ῥέξειν ἐν μεγάροισι πυρήν τ' ἐμπλησέμεν ἐσθλῶν,
Τειρεσίῃ δ' ἀπάνευθεν ὄιν ἱερευσέμεν οἴῳ
παμμέλαν', ὃς μήλοισι μεταπρέπει ἡμετέροισι.
τοὺς δ' ἐπεὶ εὐχωλῇσι λιτῇσί τε, ἔθνεα νεκρῶν,

Canto 11

"Chegados ao navio, nossa primeira providência
foi arrastá-lo para as divinas águas salgadas.
Firmado o mastro, içamos a vela. Embarcadas
as ovelhas, subimos. Estávamos tristes. Lágrimas
não paravam de correr. Para nosso bem, Circe, 05
de belos cabelos e de celeste canto, enviou
o vento que nos impelia. Ao ímpeto do aéreo
companheiro a vela da negra nau se enfunava.
Tudo preparado, cada um tomou o seu lugar.
Confiamos a rota ao sopro e ao piloto. O barco, de 10
vela desfraldada, cortou o mar o dia todo. Quando,
com o pôr do sol, obscureceram-se todas as vias,
alcançamos o extremo do Oceano de profundas
correntes. Lá fica uma cidade de homens raros, os
cimérios, envolta em névoa sombria. Hélio, de raios 15
luminosos, não logra contemplá-la quando percorre
o caminho que sobe ao céu estrelado nem quando,
ao declinar, baixa os olhos, lá do alto para a terra.
Noite compacta esconde aqueles homens desditos.
Lá chegados, aportamos e tratamos de desembarcar 20
as reses. Ladeamos a pé as correntes do Oceano
até alcançarmos o lugar de que Circe nos falara.
Perimédies e Euríloco seguravam os animais para
o sacrifício. Puxei da espada que trazia comigo
e me pus a cavar o fosso de um côvado de lado. 25
Seguindo as instruções, procedi à libação a todos
os mortos: a mistura de mel, vinho, água e um
bocado de farinha. Repetidas vezes dobrei os
joelhos às cabeças inanes dos mortos. Prometi-
lhes, devolvido a Ítaca, uma vaca não parida, 30
das melhores – dádivas ardentes. Eu deveria oferecer
só a Tirésias uma ovelha toda negra, a mais
apreciada do meu rebanho. Invoquei, então, com
rezas fortes e preces, o povo dos que já partiram.

ἐλλισάμην, τὰ δὲ μῆλα λαβὼν ἀπεδειροτόμησα 35
ἐς βόθρον, ῥέε δ' αἷμα κελαινεφές· αἱ δ' ἀγέροντο
ψυχαὶ ὑπὲξ Ἐρέβευς νεκύων κατατεθνηώτων.
νύμφαι τ' ἠΐθεοί τε πολύτλητοί τε γέροντες
παρθενικαί τ' ἀταλαὶ νεοπενθέα θυμὸν ἔχουσαι,
πολλοὶ δ' οὐτάμενοι χαλκήρεσιν ἐγχείῃσιν, 40
ἄνδρες ἀρηΐφατοι βεβροτωμένα τεύχε' ἔχοντες·
οἳ πολλοὶ περὶ βόθρον ἐφοίτων ἄλλοθεν ἄλλος
θεσπεσίῃ ἰαχῇ· ἐμὲ δὲ χλωρὸν δέος ᾕρει.
δὴ τότ' ἔπειθ' ἑτάροισιν ἐποτρύνας ἐκέλευσα
μῆλα, τὰ δὴ κατέκειτ' ἐσφαγμένα νηλέι χαλκῷ, 45
δείραντας κατακῆαι, ἐπεύξασθαι δὲ θεοῖσιν,
ἰφθίμῳ τ' Ἀΐδῃ καὶ ἐπαινῇ Περσεφονείῃ·
αὐτὸς δὲ ξίφος ὀξὺ ἐρυσσάμενος παρὰ μηροῦ
ἥμην, οὐδ' εἴων νεκύων ἀμενηνὰ κάρηνα
αἵματος ἆσσον ἴμεν, πρὶν Τειρεσίαο πυθέσθαι. 50
"πρώτη δὲ ψυχὴ Ἐλπήνορος ἦλθεν ἑταίρου·
οὐ γάρ πω ἐτέθαπτο ὑπὸ χθονὸς εὐρυοδείης·
σῶμα γὰρ ἐν Κίρκης μεγάρῳ κατελείπομεν ἡμεῖς
ἄκλαυτον καὶ ἄθαπτον, ἐπεὶ πόνος ἄλλος ἔπειγε.
τὸν μὲν ἐγὼ δάκρυσα ἰδὼν ἐλέησά τε θυμῷ, 55
καί μιν φωνήσας ἔπεα πτερόεντα προσηύδων·
"Ἐλπῆνορ, πῶς ἦλθες ὑπὸ ζόφον ἠερόεντα;
ἔφθης πεζὸς ἰὼν ἢ ἐγὼ σὺν νηὶ μελαίνῃ.
"ὣς ἐφάμην, ὁ δέ μ' οἰμώξας ἠμείβετο μύθῳ·
'διογενὲς Λαερτιάδη, πολυμήχαν' Ὀδυσσεῦ, 60
ἆσέ με δαίμονος αἶσα κακὴ καὶ ἀθέσφατος οἶνος.
Κίρκης δ' ἐν μεγάρῳ καταλέγμενος οὐκ ἐνόησα
ἄψορρον καταβῆναι ἰὼν ἐς κλίμακα μακρήν,
ἀλλὰ καταντικρὺ τέγεος πέσον· ἐκ δέ μοι αὐχὴν
ἀστραγάλων ἐάγη, ψυχὴ δ' Ἄϊδόσδε κατῆλθε. 65
νῦν δέ σε τῶν ὄπιθεν γουνάζομαι, οὐ παρεόντων,
πρός τ' ἀλόχου καὶ πατρός, ὅ σ' ἔτρεφε τυτθὸν ἐόντα,
Τηλεμάχου θ', ὃν μοῦνον ἐνὶ μεγάροισιν ἔλειπες·
οἶδα γὰρ ὡς ἐνθένδε κιὼν δόμου ἐξ Ἀΐδαο
νῆσον ἐς Αἰαίην σχήσεις ἐυεργέα νῆα· 70
ἔνθα σ' ἔπειτα, ἄναξ, κέλομαι μνήσασθαι ἐμεῖο.

Agarrei os animais e os degolei em cima da
fossa. Jorra negro o sangue. Procedentes do Érebo
congregam-se, em grupos, as psiques de finados:
noivas, moços, anciãos castigados pela vida,
virgens viçosas, afligidas por dores novas, exércitos
de feridos por bronze guerreiro, favoritos de Ares,
ainda em suas armaduras manchadas de sangue.
Multidões, de todos os lados, atropelavam-se em
torno da fossa. O alarido deixou-me pálido
de medo. Exortei os meus a queimarem as vítimas
estendidas no chão, abatidas e esfoladas com ferro
cruel, erguendo mãos súplices aos deuses: Hades,
o poderoso, e Perséfone, a assombrosa. Eu próprio,
empunhando ameaçador a espada fiada, impedia
vigilante que as esqueléticas cabeças dos mortos
provassem do sangue antes de interrogar Tirésias.
A sombra de Elpenor, de corpo exposto sobre a
terra de largos caminhos, foi a primeira a chegar.
Tínhamos abandonado o companheiro sem choro,
insepulto no palácio de Circe, premidos por novas
urgências. As lágrimas dele comoveram meu peito.
Palavras minhas envolveram-no aladas: 'Elpenor,
tu aqui? Como chegaste a esta terra bolorenta?
Teus pés são mais velozes do que minha nau.'
Ele suspirou. Repetiu o que eu já devia saber:
'Ardiloso Odisseu, filho de Laertes, sou um
desgraçado. Um deus me persegue. Bebi além da
conta. Precisava de ar fresco. Resolvi dormir no
terraço. O barulho me acordou. Em vez de procurar
a escada, caminhei em linha reta. Pisei no vazio.
Caí. Quebrei o pescoço. Terminei aqui. E aqui de
joelhos me tens. Suplico-te em nome de tua esposa,
de teu pai, que cuidou de ti quando balbuciavas,
rogo por Telêmaco, teu filho único que vive lá
no teu palácio. Saindo daqui, teu navio te levará a
Eeia. Lembra-te de mim, quando lá chegares.
Não abandones meu corpo sem me prantear, sem

μή μ' ἄκλαυτον ἄθαπτον ἰὼν ὄπιθεν καταλείπειν
νοσφισθείς, μή τοί τι θεῶν μήνιμα γένωμαι,
ἀλλά με κακκῆαι σὺν τεύχεσιν, ἅσσα μοι ἔστιν,
σῆμά τέ μοι χεῦαι πολιῆς ἐπὶ θινὶ θαλάσσης, 75
ἀνδρὸς δυστήνοιο καὶ ἐσσομένοισι πυθέσθαι.
ταῦτά τέ μοι τελέσαι πῆξαί τ' ἐπὶ τύμβῳ ἐρετμόν,
τῷ καὶ ζωὸς ἔρεσσον ἐὼν μετ' ἐμοῖς ἑτάροισιν.'
"ὣς ἔφατ', αὐτὰρ ἐγώ μιν ἀμειβόμενος προσέειπον·
'ταῦτά τοι, ὦ δύστηνε, τελευτήσω τε καὶ ἔρξω.' 80
"νῶι μὲν ὣς ἐπέεσσιν ἀμειβομένω στυγεροῖσιν
ἥμεθ', ἐγὼ μὲν ἄνευθεν ἐφ' αἵματι φάσγανον ἴσχων,
εἴδωλον δ' ἑτέρωθεν ἑταίρου πόλλ' ἀγόρευεν·
"ἦλθε δ' ἐπὶ ψυχὴ μητρὸς κατατεθνηυίης,
Αὐτολύκου θυγάτηρ μεγαλήτορος Ἀντίκλεια, 85
τὴν ζωὴν κατέλειπον ἰὼν εἰς Ἴλιον ἱρήν.
τὴν μὲν ἐγὼ δάκρυσα ἰδὼν ἐλέησά τε θυμῷ·
ἀλλ' οὐδ' ὣς εἴων προτέρην, πυκινόν περ ἀχεύων,
αἵματος ἆσσον ἴμεν, πρὶν Τειρεσίαο πυθέσθαι.
"ἦλθε δ' ἐπὶ ψυχὴ Θηβαίου Τειρεσίαο 90
χρύσεον σκῆπτρον ἔχων, ἐμὲ δ' ἔγνω καὶ προσέειπεν·
'διογενὲς Λαερτιάδη, πολυμήχαν' Ὀδυσσεῦ,
τίπτ' αὖτ', ὦ δύστηνε, λιπὼν φάος ἠελίοιο
ἤλυθες, ὄφρα ἴδῃ νέκυας καὶ ἀτερπέα χῶρον;
ἀλλ' ἀποχάζεο βόθρου, ἄπισχε δὲ φάσγανον ὀξύ, 95
αἵματος ὄφρα πίω καί τοι νημερτέα εἴπω.'
"ὣς φάτ', ἐγὼ δ' ἀναχασσάμενος ξίφος ἀργυρόηλον
κουλεῷ ἐγκατέπηξ'. ὁ δ' ἐπεὶ πίεν αἷμα κελαινόν,
καὶ τότε δή μ' ἐπέεσσι προσηύδα μάντις ἀμύμων·
"'νόστον δίζηαι μελιηδέα, φαίδιμ' Ὀδυσσεῦ· 100
τὸν δέ τοι ἀργαλέον θήσει θεός· οὐ γὰρ ὀίω
λήσειν ἐννοσίγαιον, ὅ τοι κότον ἔνθετο θυμῷ
χωόμενος ὅτι οἱ υἱὸν φίλον ἐξαλάωσας.
ἀλλ' ἔτι μέν κε καὶ ὣς κακά περ πάσχοντες ἵκοισθε,
αἴ κ' ἐθέλῃς σὸν θυμὸν ἐρυκακέειν καὶ ἑταίρων, 105
ὁππότε κε πρῶτον πελάσῃς εὐεργέα νῆα
Θρινακίῃ νήσῳ, προφυγὼν ἰοειδέα πόντον,
βοσκομένας δ' εὕρητε βόας καὶ ἴφια μῆλα

me sepultar. Teu desleixo poderia enfurecer os
divinos. Para evitá-lo, queima meus ossos com
minhas armas. Ergue um monumento em minha
memória nas areias do mar pardacento para   75
os vindouros se lembrarem de mim. Cumpre esses
ritos. Planta em minha sepultura o remo que eu
movia no grêmio dos meus companheiros.'
Ao suplicante eu assegurei determinado: 'Fica
tranquilo, desastrado. O que me rogaste farei.'   80
Trocávamos estas lúgubres palavras: eu, deste
lado, minha espada sobre o sangue; do lado de lá,
a sombra do meu amigo espichava a conversa. Veio
a sombra da minha mãe recentemente falecida,
minha amada Anticleia, filha de Autólico. Quando   85
parti para Ílion, ela ainda vivia. Ao percebê-la
em lágrimas, meu coração se comoveu. Contra
meus sentimentos, retardei a fala com ela. Eu
precisava de Tirésias. Reservava o sangue para
ele.[16] Chegou a sombra do sábio tebano. Apoiado   90
em seu cetro de ouro, ele falou: 'Divino filho de
Laertes, ardiloso Odisseu, que vieste fazer aqui?
Deixaste a luz de Hélio por quê? Para ver mortos?
Conhecer o reino sem risos? Deixa livre o fosso.
Baixa o fio dessa espada. Sem experimentar esse   95
sangue, não direi coisas livres de erro.' Obedeci.
Minha espada, a dos cravos de prata, foi parar
na bainha. Depois de provar o sangue escuro,
falou-me com fidedignas palavras proféticas:
'Buscas o mel do regresso? Te custará caro. Um   100
dos celestes não te deixará escapar. Refiro-me ao
Abala-Terra. A cólera enegrece-lhe o coração.
Cegaste o filho dele. Ele o amava. Ainda assim,
com sofrimento poderás alcançar o que desejas,
se fores comedido, tu e teus companheiros. Teu   105
navio aportará primeiro em Trinácia, superados
numerosos perigos no mar violeta. Encontrareis
pastagens povoadas de bois, ovelhas e cabras,

Ἠελίου, ὅς πάντ' ἐφορᾷ καὶ πάντ' ἐπακούει.
τὰς εἰ μέν κ' ἀσινέας ἐάᾳς νόστου τε μέδηαι, 110
καί κεν ἔτ' εἰς Ἰθάκην κακά περ πάσχοντες ἵκοισθε·
εἰ δέ κε σίναι, τότε τοι τεκμαίρομ' ὄλεθρον,
νηΐ τε καὶ ἑτάροις. αὐτὸς δ' εἴ πέρ κεν ἀλύξῃς,
ὀψὲ κακῶς νεῖαι, ὀλέσας ἄπο πάντας ἑταίρους,
νηὸς ἐπ' ἀλλοτρίης· δήεις δ' ἐν πήματα οἴκῳ, 115
ἄνδρας ὑπερφιάλους, οἵ τοι βίοτον κατέδουσι
μνώμενοι ἀντιθέην ἄλοχον καὶ ἔδνα διδόντες.
ἀλλ' ἦ τοι κείνων γε βίας ἀποτίσεαι ἐλθών·
αὐτὰρ ἐπὴν μνηστῆρας ἐνὶ μεγάροισι τεοῖσι
κτείνῃς ἠὲ δόλῳ ἢ ἀμφαδὸν ὀξέϊ χαλκῷ, 120
ἔρχεσθαι δὴ ἔπειτα λαβὼν ἐυῆρες ἐρετμόν,
εἰς ὅ κε τοὺς ἀφίκηαι οἳ οὐκ ἴσασι θάλασσαν
ἀνέρες, οὐδέ θ' ἅλεσσι μεμιγμένον εἶδαρ ἔδουσιν·
οὐδ' ἄρα τοί γ' ἴσασι νέας φοινικοπαρῄους
οὐδ' ἐυήρε' ἐρετμά, τά τε πτερὰ νηυσὶ πέλονται. 125
σῆμα δέ τοι ἐρέω μάλ' ἀριφραδές, οὐδέ σε λήσει·
ὁππότε κεν δή τοι συμβλήμενος ἄλλος ὁδίτης
φήῃ ἀθηρηλοιγὸν ἔχειν ἀνὰ φαιδίμῳ ὤμῳ,
καὶ τότε δὴ γαίῃ πήξας ἐυῆρες ἐρετμόν,
ῥέξας ἱερὰ καλὰ Ποσειδάωνι ἄνακτι, 130
ἀρνειὸν ταῦρόν τε συῶν τ' ἐπιβήτορα κάπρον,
οἴκαδ' ἀποστείχειν ἔρδειν θ' ἱερὰς ἑκατόμβας
ἀθανάτοισι θεοῖσι, τοὶ οὐρανὸν εὐρὺν ἔχουσι,
πᾶσι μάλ' ἑξείης. θάνατος δέ τοι ἐξ ἁλὸς αὐτῷ
ἀβληχρὸς μάλα τοῖος ἐλεύσεται, ὅς κέ σε πέφνῃ 135
γήραι ὕπο λιπαρῷ ἀρημένον· ἀμφὶ δὲ λαοὶ
ὄλβιοι ἔσσονται. τὰ δέ τοι νημερτέα εἴρω.'
"ὣς ἔφατ', αὐτὰρ ἐγώ μιν ἀμειβόμενος προσέειπον·
"Τειρεσίη, τὰ μὲν ἄρ που ἐπέκλωσαν θεοὶ αὐτοί.
ἀλλ' ἄγε μοι τόδε εἰπὲ καὶ ἀτρεκέως κατάλεξον· 140
μητρὸς τήνδ' ὁρόω ψυχὴν κατατεθνηυίης·
ἡ δ' ἀκέουσ' ἧσται σχεδὸν αἵματος, οὐδ' ἑὸν υἱὸν
ἔτλη ἐσάντα ἰδεῖν οὐδὲ προτιμυθήσασθαι.
εἰπέ, ἄναξ, πῶς κέν με ἀναγνοίη τὸν ἐόντα;"
"ὣς ἐφάμην, ὁ δέ μ' αὐτίκ' ἀμειβόμενος προσέειπεν· 145

rebanhos de Hélio que vê e escuta tudo. Se não
molestardes as reses, se fixardes as mentes só 110
no regresso, chegareis a Ítaca, ainda que intensos
sejam os trabalhos. Mas se houver infração, certa é
a ruína da nau e dos teus. Poderás escapar, mas
tarde, depois de perder teus companheiros. Uma
embarcação estranha te deixará na pátria. Acharás 115
em tua casa situação adversa, insolentes. Eles
dilapidam teus bens, assediam tua mulher com a
promessa de gordos presentes. Tua chegada será, é
certo, um golpe à insolência deles. Cercarás os
pretendentes em teu palácio, recorrendo a truques, 120
ou os aniquilarás a golpes de espada em combate
aberto. Toma, então, um bem-talhado remo e ruma
a povos que desconheçam o baile das ondas sonoras
do mar, gente que não costuma temperar alimentos
com sal, gente que nunca viu embarcações de rubro 125
flanco, ignorantes do manejo de remos, asas de ágeis
navios. Eu te darei o sinal. Guarda-o bem. Não o
esqueças. Quando outro caminhante te encontrar,
supondo que é pá o remo no teu ombro, fincarás na
terra a lâmina que fere as águas, sacrifícios farás ao 130
Senhor dos mares: um carneiro, um touro, um porco
que trepa. Poderás, então, voltar para casa e ofertar
hecatombes a todos os imortais, governantes do
vasto céu. Obediente a estes ritos, alcançarás morte
suave longe do mar, debilitado por velhice tranquila. 135
Terminarás teus dias cercado de homens venturosos.
As palavras que te digo não errarão o alvo.' Reagi
às previsões do vidente com estas ponderações:
'Tirésias, interpretas, por certo, o que os deuses
me teceram. Rogo-te ainda outro esclarecimento: 140
vejo a sombra de minha mãe falecida. Ela se
mantém silenciosa junto ao sangue sem levantar
os olhos ao filho nem ousar falar-me. Dize-me,
senhor, que devo fazer para que ela me reconheça.'
Ele reagiu a meu pedido com esta recomendação: 145

"ῥηΐδιόν τοι ἔπος ἐρέω καὶ ἐπὶ φρεσὶ θήσω.
ὅν τινα μέν κεν ἐᾷς νεκύων κατατεθνηώτων
αἵματος ἆσσον ἴμεν, ὁ δέ τοι νημερτὲς ἐνίψει·
ᾧ δέ κ' ἐπιφθονέῃς, ὁ δέ τοι πάλιν εἶσιν ὀπίσσω.'
"ὣς φαμένη ψυχὴ μὲν ἔβη δόμον Ἄιδος εἴσω 150
Τειρεσίαο ἄνακτος, ἐπεὶ κατὰ θέσφατ' ἔλεξεν·
αὐτὰρ ἐγὼν αὐτοῦ μένον ἔμπεδον, ὄφρ' ἐπὶ μήτηρ
ἤλυθε καὶ πίεν αἷμα κελαινεφές· αὐτίκα δ' ἔγνω,
καί μ' ὀλοφυρομένη ἔπεα πτερόεντα προσηύδα·
"'τέκνον ἐμόν, πῶς ἦλθες ὑπὸ ζόφον ἠερόεντα 155
ζωὸς ἐών; χαλεπὸν δὲ τάδε ζωοῖσιν ὁρᾶσθαι.
μέσσῳ γὰρ μεγάλοι ποταμοὶ καὶ δεινὰ ῥέεθρα,
Ὠκεανὸς μὲν πρῶτα, τὸν οὔ πως ἔστι περῆσαι
πεζὸν ἐόντ', ἢν μή τις ἔχῃ ἐυεργέα νῆα.
ἦ νῦν δὴ Τροίηθεν ἀλώμενος ἐνθάδ' ἱκάνεις 160
νηί τε καὶ ἑτάροισι πολὺν χρόνον; οὐδέ πω ἦλθες
εἰς Ἰθάκην, οὐδ' εἶδες ἐνὶ μεγάροισι γυναῖκα;"
"ὣς ἔφατ', αὐτὰρ ἐγώ μιν ἀμειβόμενος προσέειπον·
'μῆτερ ἐμή, χρειώ με κατήγαγεν εἰς Ἀίδαο
ψυχῇ χρησόμενον Θηβαίου Τειρεσίαο· 165
οὐ γάρ πω σχεδὸν ἦλθον Ἀχαιΐδος, οὐδέ πω ἁμῆς
γῆς ἐπέβην, ἀλλ' αἰὲν ἔχων ἀλάλημαι ὀιζύν,
ἐξ οὗ τὰ πρώτισθ' ἑπόμην Ἀγαμέμνονι δίῳ
Ἴλιον εἰς ἐύπωλον, ἵνα Τρώεσσι μαχοίμην.
ἀλλ' ἄγε μοι τόδε εἰπὲ καὶ ἀτρεκέως κατάλεξον· 170
τίς νύ σε κὴρ ἐδάμασσε τανηλεγέος θανάτοιο;
ἦ δολιχὴ νοῦσος, ἦ Ἄρτεμις ἰοχέαιρα
οἷς ἀγανοῖς βελέεσσιν ἐποιχομένη κατέπεφνεν;
εἰπὲ δέ μοι πατρός τε καὶ υἱέος, ὃν κατέλειπον,
ἢ ἔτι πὰρ κείνοισιν ἐμὸν γέρας, ἦέ τις ἤδη 175
ἀνδρῶν ἄλλος ἔχει, ἐμὲ δ' οὐκέτι φασὶ νέεσθαι.
εἰπὲ δέ μοι μνηστῆς ἀλόχου βουλήν τε νόον τε,
ἠὲ μένει παρὰ παιδὶ καὶ ἔμπεδα πάντα φυλάσσει
ἦ ἤδη μιν ἔγημεν Ἀχαιῶν ὅς τις ἄριστος.'
"ὣς ἐφάμην, ἡ δ' αὐτίκ' ἀμείβετο πότνια μήτηρ· 180
'καὶ λίην κείνη γε μένει τετληότι θυμῷ
σοῖσιν ἐνὶ μεγάροισιν· ὀιζυραὶ δέ οἱ αἰεὶ

'Fácil de cumprir será o que deixo em tua mente.
Todos os mortos que, com teu consentimento, se
aproximarem do sangue te responderão sem erro,
mas os recusados te voltarão as costas.' Foram
essas as últimas palavras de Tirésias, o senhor. 150
Findo o que tinha a me revelar, retornou à casa de
Hades. Aguardei a aproximação de minha mãe,
desejosa de provar o sangue de vapor escuro. Ao
me reconhecer, sons esvoaçaram de sua boca:
'Como vieste, filho, a este lugar tenebroso sem que 155
a vida te tenha deixado? A vivos não é fácil ver
o que vês. Há rios caudalosos e correntes perigosas
a transpor. A começar pelo Oceano. Quem ousaria
atravessá-lo a pé? Só com nau poderosa. Vens de
Troia? Depois de quanto tempo? Te perdeste por 160
aí com embarcação e companheiros? Ainda não
chegaste a Ítaca para ver teu palácio e tua mulher?'
Retruquei ponderadamente a essa voz indagativa:
'Mãezinha, a necessidade me trouxe ao Hades. Vim
para me aconselhar com a sombra de Tirésias. 165
Estou muito longe dos aqueus, ainda não cheguei à
minha terra. Padeci muito. Navego sem rumo. Já
vai longe o ano em que embarquei com destino à
hípica Ílion sob o comando de Agamênon para
combater os troianos. Quero que me contes tudo. 170
Que desgraça atraiu a morte impiedosa?
Padeceste de doença prolongada? Foste vítima
dos projéteis suaves da frecheira Ártemis? Fala-
me do meu pai e do filho que deixei. Meus bens
ainda estão nas mãos deles? Um outro se apossou 175
do que é meu? Acham que não voltarei? Fala-me
da minha mulher. O que sente ela?
O que pensa? Nosso filho está com ela? Ela cuida
do que é nosso ou um aqueu, um dos nobres,
a levou?' A resposta da minha querida mãe foi esta: 180
'Ela te espera. Que coração paciente! Ela não sai do
palácio. Passa as noites gemendo. De dia, ela chora.

φθίνουσιν νύκτες τε καὶ ἤματα δάκρυ χεούσῃ.
σὸν δ' οὔ πώ τις ἔχει καλὸν γέρας, ἀλλὰ ἕκηλος
Τηλέμαχος τεμένεα νέμεται καὶ δαῖτας ἐίσας   185
δαίνυται, ἃς ἐπέοικε δικασπόλον ἄνδρ' ἀλεγύνειν·
πάντες γὰρ καλέουσι. πατὴρ δὲ σὸς αὐτόθι μίμνει
ἀγρῷ, οὐδὲ πόλινδε κατέρχεται. οὐδέ οἱ εὐναὶ
δέμνια καὶ χλαῖναι καὶ ῥήγεα σιγαλόεντα,
ἀλλ' ὅ γε χεῖμα μὲν εὕδει ὅθι δμῶες ἐνὶ οἴκῳ,   190
ἐν κόνι ἄγχι πυρός, κακὰ δὲ χροῒ εἵματα εἶται·
αὐτὰρ ἐπὴν ἔλθῃσι θέρος τεθαλυῖά τ' ὀπώρη,
πάντῃ οἱ κατὰ γουνὸν ἀλωῆς οἰνοπέδοιο
φύλλων κεκλιμένων χθαμαλαὶ βεβλήαται εὐναί.
ἔνθ' ὅ γε κεῖτ' ἀχέων, μέγα δὲ φρεσὶ πένθος ἀέξει   195
σὸν νόστον ποθέων, χαλεπὸν δ' ἐπὶ γῆρας ἱκάνει.
οὕτω γὰρ καὶ ἐγὼν ὀλόμην καὶ πότμον ἐπέσπον·
οὔτ' ἐμέ γ' ἐν μεγάροισιν ἐΰσκοπος ἰοχέαιρα
οἷς ἀγανοῖς βελέεσσιν ἐποιχομένη κατέπεφνεν,
οὔτε τις οὖν μοι νοῦσος ἐπήλυθεν, ἥ τε μάλιστα   200
τηκεδόνι στυγερῇ μελέων ἐξείλετο θυμόν·
ἀλλά με σός τε πόθος σά τε μήδεα, φαίδιμ' Ὀδυσσεῦ,
σή τ' ἀγανοφροσύνη μελιηδέα θυμὸν ἀπηύρα.'
"ὣς ἔφατ', αὐτὰρ ἐγώ γ' ἔθελον φρεσὶ μερμηρίξας
μητρὸς ἐμῆς ψυχὴν ἑλέειν κατατεθνηυίης.   205
τρὶς μὲν ἐφωρμήθην, ἑλέειν τέ με θυμὸς ἀνώγει,
τρὶς δέ μοι ἐκ χειρῶν σκιῇ εἴκελον ἢ καὶ ὀνείρῳ
ἔπτατ'. ἐμοὶ δ' ἄχος ὀξὺ γενέσκετο κηρόθι μᾶλλον,
καί μιν φωνήσας ἔπεα πτερόεντα προσηύδων·
"'μῆτερ ἐμή, τί νύ μ' οὐ μίμνεις ἑλέειν μεμαῶτα,   210
ὄφρα καὶ εἰν Ἀΐδαο φίλας περὶ χεῖρε βαλόντε
ἀμφοτέρω κρυεροῖο τεταρπώμεσθα γόοιο;
ἦ τί μοι εἴδωλον τόδ' ἀγαυὴ Περσεφόνεια
ὤτρυν', ὄφρ' ἔτι μᾶλλον ὀδυρόμενος στεναχίζω;"
"ὣς ἐφάμην, ἡ δ' αὐτίκ' ἀμείβετο πότνια μήτηρ·   215
'ὤ μοι, τέκνον ἐμόν, περὶ πάντων κάμμορε φωτῶν,
οὔ τί σε Περσεφόνεια Διὸς θυγάτηρ ἀπαφίσκει,
ἀλλ' αὕτη δίκη ἐστὶ βροτῶν, ὅτε τίς κε θάνῃσιν·
οὐ γὰρ ἔτι σάρκας τε καὶ ὀστέα ἶνες ἔχουσιν,

Lágrimas lhe rolam pela face. Ninguém ainda se
apossou do teu poder. Quem administra teus bens
é ela. Ninguém o contesta. Frequenta banquetes, 185
praxe na vida de um príncipe que administra a
justiça. Todos o convidam. Teu pai vive no campo,
não costuma ir à cidade. Dispensa colchões macios,
tapetes, almofadas de seda. Durante o inverno,
ele dorme com os escravos em casa, na cinza, 190
junto à lareira. Veste grosseira cobre-lhe o corpo.
Quando chega o verão e o outono opulento de frutos,
aí seu leito é em qualquer lugar, no jardim, na vinha
sobre as folhas que forram o chão. Recolhe-se
tristonho, a dor cresce-lhe no peito, sonha com teu 195
retorno que não acontece. Curva-o o peso dos anos.
Assim pereci também eu e cumpri o meu destino.
Não foram os dardos de Ártemis, a flecheira, que
me abateram carinhosamente em minha casa, nem
fui colhida por nenhuma enfermidade que me 200
tivesse sugado a força dos ossos para me debilitar.
Matou-me a saudade, as preocupações por ti, meu
querido Odisseu. O afeto tornou-me amarga a vida.'
Essas palavras me abalaram. Desejei aproximar-me
com ternura daquela que me deu a vida, abraçá-la. 205
Três vezes tentei estreitá-la nos braços, guiada pelo
coração. Três vezes ela me escapou. Era só imagem,
sonho. A dor, uma espada, penetrou no meu coração.
Minha angústia agitou as asas de palavras minhas:
'Por que te esquivas, mãezinha, por que não te 210
rendes a meu afeto? Não podemos abraçar-nos na
Morte para aliviar em lágrimas o tormento que nos
consome?' Enviou-me a impiedosa Perséfone um
fantasma para aguçar a amargura que me envenena?
Tocou-me os ouvidos acariciante a voz materna: 215
'Filhinho, deplorável entre deploráveis, não sou
ilusão de Perséfone, filha de Zeus. A lei que rege
os mortais determina que os tendões soltem a
carne e os ossos dos que expiram. A força ardente

ἀλλὰ τὰ μέν τε πυρὸς κρατερὸν μένος αἰθομένοιο 220
δαμνᾷ, ἐπεί κε πρῶτα λίπῃ λεύκ' ὀστέα θυμός,
ψυχὴ δ' ἠΰτ' ὄνειρος ἀποπταμένη πεπότηται.
ἀλλὰ φόωσδε τάχιστα λιλαίεο· ταῦτα δὲ πάντα
ἴσθ', ἵνα καὶ μετόπισθε τεῇ εἴπῃσθα γυναικί.'
"νῶϊ μὲν ὣς ἐπέεσσιν ἀμειβόμεθ', αἱ δὲ γυναῖκες 225
ἤλυθον, ὤτρυνεν γὰρ ἀγαυὴ Περσεφόνεια,
ὅσσαι ἀριστήων ἄλοχοι ἔσαν ἠδὲ θύγατρες.
αἱ δ' ἀμφ' αἷμα κελαινὸν ἀολλέες ἠγερέθοντο,
αὐτὰρ ἐγὼ βούλευον ὅπως ἐρέοιμι ἑκάστην.
ἥδε δέ μοι κατὰ θυμὸν ἀρίστη φαίνετο βουλή· 230
σπασσάμενος τανύηκες ἄορ παχέος παρὰ μηροῦ
οὐκ εἴων πίνειν ἅμα πάσας αἷμα κελαινόν.
αἱ δὲ προμνηστῖναι ἐπήϊσαν, ἠδὲ ἑκάστη
ὃν γόνον ἐξαγόρευεν· ἐγὼ δ' ἐρέεινον ἁπάσας.
"ἔνθ' ἦ τοι πρώτην Τυρὼ ἴδον εὐπατέρειαν, 235
ἣ φάτο Σαλμωνῆος ἀμύμονος ἔκγονος εἶναι,
φῆ δὲ Κρηθῆος γυνὴ ἔμμεναι Αἰολίδαο·
ἣ ποταμοῦ ἠράσσατ' Ἐνιπῆος θείοιο,
ὃς πολὺ κάλλιστος ποταμῶν ἐπὶ γαῖαν ἵησι,
καί ῥ' ἐπ' Ἐνιπῆος πωλέσκετο καλὰ ῥέεθρα. 240
τῷ δ' ἄρα εἰσάμενος γαιήοχος ἐννοσίγαιος
ἐν προχοῇς ποταμοῦ παρελέξατο δινήεντος·
πορφύρεον δ' ἄρα κῦμα περιστάθη, οὔρεϊ ἶσον,
κυρτωθέν, κρύψεν δὲ θεὸν θνητήν τε γυναῖκα.
λῦσε δὲ παρθενίην ζώνην, κατὰ δ' ὕπνον ἔχευεν. 245
αὐτὰρ ἐπεί ῥ' ἐτέλεσσε θεὸς φιλοτήσια ἔργα,
ἔν τ' ἄρα οἱ φῦ χειρί, ἔπος τ' ἔφατ' ἔκ τ' ὀνόμαζε·
"'χαῖρε, γύναι, φιλότητι· περιπλομένου δ' ἐνιαυτοῦ
τέξεις ἀγλαὰ τέκνα, ἐπεὶ οὐκ ἀποφώλιοι εὐναὶ
ἀθανάτων· σὺ δὲ τοὺς κομέειν ἀτιταλλέμεναί τε. 250
νῦν δ' ἔρχευ πρὸς δῶμα, καὶ ἴσχεο μηδ' ὀνομήνῃς·
αὐτὰρ ἐγώ τοί εἰμι Ποσειδάων ἐνοσίχθων.'
"ὣς εἰπὼν ὑπὸ πόντον ἐδύσετο κυμαίνοντα.
ἡ δ' ὑποκυσαμένη Πελίην τέκε καὶ Νηλῆα,
τὼ κρατερὼ θεράποντε Διὸς μεγάλοιο γενέσθην 255
ἀμφοτέρω· Πελίης μὲν ἐν εὐρυχόρῳ Ἰαωλκῷ

o fogo reduz o corpo a cinzas. Quando a vida se 220
etira da óssea brancura também a psique bate leves
sas e se dissolve como um sonho. Apressa-te,
egressa à luz o quanto antes, guarda na memória o
ue viste para que possas transmiti-lo a tua mulher.'
Enquanto trocávamos palavras, apinharam-se 225
mulheres, incitadas por Perséfone, companheiras
de leito e filhas de heróis. Reunidas em torno do
angue, eu deliberava sobre a maneira de abordar
ada uma delas. Esta decisão pareceu-me de todas
a melhor: desembainhando a espada, presa ao 230
fêmur, julguei conveniente não permitir que se
aproximassem todas ao mesmo tempo. Admitindo
uma de cada vez, dei a todas a oportunidade de
falarem sobre sua linhagem. Notei Tiro, ponteando,
mulher de alta estirpe. Disse ser descendente de 235
Salmoneu, herói notável. Teve como esposo Creteu,
descendente de Éolo. Tiro andava apaixonada por
um rio, Enipeu, indubitavelmente o mais belo
dos que fluem sobre a superfície terrestre, donde
o desejo de passear às margens sedutoras do amado. 240
Assumindo o aspecto dele, o Guarda-Terra dormiu
com ela junto à foz turbilhonante do rio. Uma onda
se empina sombreada à altura de um monte para
esconder a venturosa mortal em braços divinos.
De cinto afrouxado por mãos celestes, ela adormeceu. 245
Concluído o delicioso encontro, o imortal toma
a mãozinha da mortal e lhe cochicha ao ouvido:
'Não esqueças este momento. No transcurso de um
ano, serás mãe de crianças luminosas. Nunca será
infecundo o aconchego carinhoso a um peito divino. 250
Teus cuidados os farão crescer. Guarda silêncio. Não
reveles meu nome. Sou Posidon, o Abala-Terra',
o Senhor dos mares falou e submergiu nas ondas
azuis. Ela, grávida, foi mãe de Neleu e Pélias.
Ambos são poderosos servidores do grande Zeus. 255
Pélias reinou em Iolco, rica em rebanhos e danças.

ναῖε πολύρρηνος, ὁ δ' ἄρ' ἐν Πύλῳ ἠμαθόεντι.
τοὺς δ' ἑτέρους Κρηθῆι τέκεν βασίλεια γυναικῶν,
Αἴσονά τ' ἠδὲ Φέρητ' Ἀμυθάονά θ' ἱππιοχάρμην.
"τὴν δὲ μετ' Ἀντιόπην ἴδον, Ἀσωποῖο θύγατρα,   260
ἣ δὴ καὶ Διὸς εὔχετ' ἐν ἀγκοίνῃσιν ἰαῦσαι,
καί ῥ' ἔτεκεν δύο παῖδ', Ἀμφίονά τε Ζῆθόν τε,
οἳ πρῶτοι Θήβης ἕδος ἔκτισαν ἑπταπύλοιο,
πύργωσάν τ', ἐπεὶ οὐ μὲν ἀπύργωτόν γ' ἐδύναντο
ναιέμεν εὐρύχορον Θήβην, κρατερώ περ ἐόντε.   265

"τὴν δὲ μετ' Ἀλκμήνην ἴδον, Ἀμφιτρύωνος ἄκοιτιν,
ἥ ῥ' Ἡρακλῆα θρασυμέμνονα θυμολέοντα
γείνατ' ἐν ἀγκοίνῃσι Διὸς μεγάλοιο μιγεῖσα·
καὶ Μεγάρην, Κρείοντος ὑπερθύμοιο θύγατρα,
τὴν ἔχεν Ἀμφιτρύωνος υἱὸς μένος αἰὲν ἀτειρής.   270

"μητέρα τ' Οἰδιπόδαο ἴδον, καλὴν Ἐπικάστην,
ἣ μέγα ἔργον ἔρεξεν ἀιδρείῃσι νόοιο
γημαμένη ᾧ υἷι· ὁ δ' ὃν πατέρ' ἐξεναρίξας
γῆμεν· ἄφαρ δ' ἀνάπυστα θεοὶ θέσαν ἀνθρώποισιν.
ἀλλ' ὁ μὲν ἐν Θήβῃ πολυηράτῳ ἄλγεα πάσχων   275
Καδμείων ἤνασσε θεῶν ὀλοὰς διὰ βουλάς·
ἡ δ' ἔβη εἰς Ἀίδαο πυλάρταο κρατεροῖο,
ἁψαμένη βρόχον αἰπὺν ἀφ' ὑψηλοῖο μελάθρου,
ᾧ ἄχεϊ σχομένη· τῷ δ' ἄλγεα κάλλιπ' ὀπίσσω
πολλὰ μάλ', ὅσσα τε μητρὸς Ἐρινύες ἐκτελέουσιν.   280

"καὶ Χλῶριν εἶδον περικαλλέα, τήν ποτε Νηλεὺς
γῆμεν ἑὸν διὰ κάλλος, ἐπεὶ πόρε μυρία ἕδνα,
ὁπλοτάτην κούρην Ἀμφίονος Ἰασίδαο,
ὅς ποτ' ἐν Ὀρχομενῷ Μινυείῳ ἶφι ἄνασσεν·
ἡ δὲ Πύλου βασίλευε, τέκεν δέ οἱ ἀγλαὰ τέκνα,   285
Νέστορά τε Χρόνιον τε Περικλύμενόν τ' ἀγέρωχον.
τοῖσι δ' ἐπ' ἰφθίμην Πηρὼ τέκε, θαῦμα βροτοῖσι,
τὴν πάντες μνώοντο περικτίται· οὐδ' ἄρα Νηλεὺς
τῷ ἐδίδου ὃς μὴ ἕλικας βόας εὐρυμετώπους
ἐκ Φυλάκης ἐλάσειε βίης Ἰφικληείης   290

A arenosa Pilo foi o território de seu irmão, Neleu.
Com Creteu, esta rainha teve outros filhos: Eson,
Ferete e Amitaon, campeão em corrida de carros.
Apareceu-me depois Antíope, filha de Asopo. Ter   260
dormido com Zeus era a glória dela. Teve dele
dois filhos: Anfião e Zeto, fundadores de Tebas.
Ergueram torres. Cercaram a cidade com uma
muralha de sete portas. Sem forte proteção, seria
impossível viver na cidade das célebres danças.   265

"Vi, depois, Alcmena, a esposa de Anfitrião. Esta,
passando pelos braços do grande Zeus, teve
Héracles, herói com têmpera de aço e coração
de leão. Vislumbrei também Mégara, filha de
Creonte, esposa do filho imbatível de Anfitrião.   270

"A mãe de Édipo eu vi, a bela Epicasta[17], culpada de
grave crime, cometido na ignorância, ao casar com
seu filho. Este uniu-se à mãe depois de matar o pai.
Não demorou, os homens, alertados pelos deuses,
descobriram o crime. Enfrentou muitas dificuldades   275
na aprazível Tebas no decurso de seu reinado. Os
deuses não aprovaram seu enlace. Epicasta desceu ao
Hades, palácio de sólidas portas. Enforcou-se com
um laço em trave alta. Deixou ao filho herança
de dores. As Erínias[18] da mãe trataram de executá-las. 280

"Vi Clóris. Atraído pela formosura dela, Neleu a
escolheu como esposa, mediante ricos presentes,
última filha de Anfião, filho de Iaso, senhor de
Orcômeno, capital dos mínios. Foi rainha de Pilos
e mãe de filhos esplêndidos: Nestor, Crômio,   285
Periclímeno, guerreiros notáveis. E gerou Pero,
maravilhosa, um espanto. Na vizinhança, todos a
queriam como esposa. Mas Neleu a reservou para
aquele que reconduzisse de Fílace os bois de larga
testa, arrebatandando-os de Íficlo, que ciosamente os 290

ἀργαλέας· τὰς δ' οἶος ὑπέσχετο μάντις ἀμύμων
ἐξελάαν· χαλεπὴ δὲ θεοῦ κατὰ μοῖρα πέδησε,
δεσμοί τ' ἀργαλέοι καὶ βουκόλοι ἀγροιῶται.
ἀλλ' ὅτε δὴ μῆνές τε καὶ ἡμέραι ἐξετελεῦντο
ἂψ περιτελλομένου ἔτεος καὶ ἐπήλυθον ὧραι,   295
καὶ τότε δή μιν ἔλυσε βίη Ἰφικληείη,
θέσφατα πάντ' εἰπόντα· Διὸς δ' ἐτελείετο βουλή.

"καὶ Λήδην εἶδον, τὴν Τυνδαρέου παράκοιτιν,
ἥ ῥ' ὑπὸ Τυνδαρέῳ κρατερόφρονε γείνατο παῖδε,
Κάστορά θ' ἱππόδαμον καὶ πὺξ ἀγαθὸν Πολυδεύκεα,   300
τοὺς ἄμφω ζωοὺς κατέχει φυσίζοος αἶα·
οἳ καὶ νέρθεν γῆς τιμὴν πρὸς Ζηνὸς ἔχοντες
ἄλλοτε μὲν ζώουσ' ἑτερήμεροι, ἄλλοτε δ' αὖτε
τεθνᾶσιν· τιμὴν δὲ λελόγχασιν ἶσα θεοῖσι.

"τὴν δὲ μετ' Ἰφιμέδειαν, Ἀλωῆος παράκοιτιν   305
εἴσιδον, ἣ δὴ φάσκε Ποσειδάωνι μιγῆναι,
καί ῥ' ἔτεκεν δύο παῖδε, μινυνθαδίω δ' ἐγενέσθην,
Ὦτόν τ' ἀντίθεον τηλεκλειτόν τ' Ἐφιάλτην,
οὓς δὴ μηκίστους θρέψε ζείδωρος ἄρουρα
καὶ πολὺ καλλίστους μετά γε κλυτὸν Ὠρίωνα·   310
ἐννέωροι γὰρ τοί γε καὶ ἐννεαπήχεες ἦσαν
εὖρος, ἀτὰρ μῆκός γε γενέσθην ἐννεόργυιοι.
οἵ ῥα καὶ ἀθανάτοισιν ἀπειλήτην ἐν Ὀλύμπῳ
φυλόπιδα στήσειν πολυάικος πολέμοιο.
Ὄσσαν ἐπ' Οὐλύμπῳ μέμασαν θέμεν, αὐτὰρ ἐπ' Ὄσσῃ   315
Πήλιον εἰνοσίφυλλον, ἵν' οὐρανὸς ἀμβατὸς εἴη.
καί νύ κεν ἐξετέλεσσαν, εἰ ἥβης μέτρον ἵκοντο·
ἀλλ' ὄλεσεν Διὸς υἱός, ὃν ἠύκομος τέκε Λητώ,
ἀμφοτέρω, πρίν σφωιν ὑπὸ κροτάφοισιν ἰούλους
ἀνθῆσαι πυκάσαι τε γένυς εὐανθέι λάχνῃ.   320

"Φαίδρην τε Πρόκριν τε ἴδον καλήν τ' Ἀριάδνην,
κούρην Μίνωος ὀλοόφρονος, ἥν ποτε Θησεὺς
ἐκ Κρήτης ἐς γουνὸν Ἀθηνάων ἱεράων
ἦγε μέν, οὐδ' ἀπόνητο· πάρος δέ μιν Ἄρτεμις ἔκτα
Δίῃ ἐν ἀμφιρύτῃ Διονύσου μαρτυρίῃσιν.   325

guardava. Um vidente sagaz garantiu-lhe realizar
a tarefa, embora difícil. Severa determinação divina
o deteve, boiadeiros do campo o prenderam com
pesadas cadeias. Meses e dias se escoaram. Decorreu
um ano, volveram as estações. Só então o forte 295
Íficlo o libertou, por lhe haver revelado a vontade
divina. Cumpriu-se assim o desígnio de Zeus.

"Leda eu vi, a mulher que dormia com Tindareu.
Desse herói ela teve dois filhos corajosos: Castor,
domador de cavalos, e Pólux, exímio pugilista. Um 300
e outro vivem, embora cobertos pela terra produtiva.
Privilegiados por um favor concedido por Zeus,
alternam vida e morte: passam um dia com vivos,
outro com mortos. Recebem assim honra divina.

"Depois de Leda, veio Ifimédia, que dormia com 305
Aloeu. Contou que tivera um caso com Posidon.
Deu-lhe dois filhos de vida curta: Oto, de aspecto
divino, e Efialto, conhecido de muitos. A gleba
fez deles gigantes. Foram, sem dúvida, os mais
encorpados depois do renomado Órion. Nove 310
anos e nove côvados de largura. A altura era a
largura tresdobrada. Esses rapazes ousaram atacar
os imortais no Olimpo. Queriam deflagrar nas
alturas tumultos de guerra. Passou-lhes pelo
bestunto montar o Ossa sobre o Olimpo e empoleirar 315
o Pélio nas costas deste. Escalariam assim o céu. Se
chegassem à maturidade, o projeto seria viável. Mas
Apolo, filho de Zeus e da Leto dos belos cabelos,
entornou o caldo. Ele os aniquilou antes de a barba lhes
subir às fontes, antes de a penugem lhes cobrir a face. 320

"Vi Fedra, vi Prócris e vi Ariadne, filha de Minos,
rei de projetos tenebrosos. A intenção de Teseu
foi tirá-la de Creta para levá-la à colina da sagrada
Atenas. O plano foi frustrado por Ártemis, que,
enraivecida por fuxicos de Dioniso, a matou em Dia. 325

"Μαῖράν τε Κλυμένην τε ἴδον στυγερήν τ' Ἐριφύλην,
ἣ χρυσὸν φίλου ἀνδρὸς ἐδέξατο τιμήεντα.
πάσας δ' οὐκ ἂν ἐγὼ μυθήσομαι οὐδ' ὀνομήνω,
ὅσσας ἡρώων ἀλόχους ἴδον ἠδὲ θύγατρας·
πρὶν γάρ κεν καὶ νὺξ φθῖτ' ἄμβροτος. ἀλλὰ καὶ ὥρη   330
εὕδειν, ἢ ἐπὶ νῆα θοὴν ἐλθόντ' ἐς ἑταίρους
ἢ αὐτοῦ· πομπὴ δὲ θεοῖς ὑμῖν τε μελήσει."

ὣς ἔφαθ', οἱ δ' ἄρα πάντες ἀκὴν ἐγένοντο σιωπῇ,
κηληθμῷ δ' ἔσχοντο κατὰ μέγαρα σκιόεντα.
τοῖσιν δ' Ἀρήτη λευκώλενος ἤρχετο μύθων·   335
"Φαίηκες, πῶς ὔμμιν ἀνὴρ ὅδε φαίνεται εἶναι
εἶδός τε μέγεθός τε ἰδὲ φρένας ἔνδον ἐίσας;
ξεῖνος δ' αὖτ' ἐμός ἐστιν, ἕκαστος δ' ἔμμορε τιμῆς·
τῷ μὴ ἐπειγόμενοι ἀποπέμπετε, μηδὲ τὰ δῶρα
οὕτω χρηΐζοντι κολούετε· πολλὰ γὰρ ὑμῖν   340
κτήματ' ἐνὶ μεγάροισι θεῶν ἰότητι κέονται."
τοῖσι δὲ καὶ μετέειπε γέρων ἥρως Ἐχένηος,
ὃς δὴ Φαιήκων ἀνδρῶν προγενέστερος ἦεν·
"ὦ φίλοι, οὐ μὰν ἧμιν ἀπὸ σκοποῦ οὐδ' ἀπὸ δόξης
μυθεῖται βασίλεια περίφρων· ἀλλὰ πίθεσθε.   345
Ἀλκινόου δ' ἐκ τοῦδ' ἔχεται ἔργον τε ἔπος τε."
τὸν δ' αὖτ' Ἀλκίνοος ἀπαμείβετο φώνησέν τε·
"τοῦτο μὲν οὕτω δὴ ἔσται ἔπος, αἴ κεν ἐγώ γε
ζωὸς Φαιήκεσσι φιληρέτμοισιν ἀνάσσω·
ξεῖνος δὲ τλήτω μάλα περ νόστοιο χατίζων   350
ἔμπης οὖν ἐπιμεῖναι ἐς αὔριον, εἰς ὅ κε πᾶσαν
δωτίνην τελέσω· πομπὴ δ' ἄνδρεσσι μελήσει
πᾶσι, μάλιστα δ' ἐμοί· τοῦ γὰρ κράτος ἔστ' ἐνὶ δήμῳ."
τὸν δ' ἀπαμειβόμενος προσέφη πολύμητις Ὀδυσσεύς·
"Ἀλκίνοε κρεῖον, πάντων ἀριδείκετε λαῶν,   355
εἴ με καὶ εἰς ἐνιαυτὸν ἀνώγοιτ' αὐτόθι μίμνειν,
πομπὴν δ' ὀτρύνοιτε καὶ ἀγλαὰ δῶρα διδοῖτε,
καί κε τὸ βουλοίμην, καί κεν πολὺ κέρδιον εἴη,
πλειοτέρῃ σὺν χειρὶ φίλην ἐς πατρίδ' ἱκέσθαι·
καί κ' αἰδοιότερος καὶ φίλτερος ἀνδράσιν εἴην   360

"Vi Maira, vi Clímene e Erífila. Nojenta! Amando
ouro acima de tudo, traiu o homem que a queria.
Falar de todas, identificá-las, é inviável. Vi multidões
de esposas e de filhas de heróis. Antes de eu findar,
findaria a Noite imortal. É hora de dormir, seja 330
no navio com meus amigos, seja aqui mesmo. Cuidar
do meu regresso compete a vós e aos deuses."

Interrompeu o relato. Encantados, ninguém abria
a boca. Som algum na sala sombria. Arete, movendo
os alvos braços, foi a primeira a quebrar o silêncio: 335
"Que vos parece este homem, feáceos, no aspecto, no
talhe, no equilíbrio das decisões? Ele é meu hóspede,
cada um de vós participa desta honra. Não se pense
em abreviar-lhe a estada. Não sejais econômicos
ao presenteá-lo. Ele necessita de muito. Favorecidos 340
pelos deuses, abundam riquezas em vossas casas."
Falou, então, Equeneu, um ancião, um herói. A idade
lhe conferia destaque entre os seus: "Amigos, não foge
do nosso escopo o que declarou a sábia rainha. Não
decidamos, porém, antes de ouvir Alcínoo, aqui 345
presente. Falar e agir é sua competência. Atentos, os
feáceos aguardaram o pronunciamento do rei: "O que
ouvimos será executado, falo assim por ter a honra
de ser rei deste povo. Consinta o estrangeiro,
ainda que muito deseje voltar, permanecer até 350
amanhã, tempo necessário para reunir todos os
donativos que lhe destinamos. Garantir-lhe retorno
é o dever de todos, mormente meu, o rei." Prevenido,
respondeu-lhe ponderado Odisseu: "Poderoso
Alcínoo, modelo para todos os povos, se me 355
constrangesses a permanecer por um ano para
preparar meu retorno ricamente brindado, eu
deveria aceitar o convite. Voltar à minha terra de
mãos cheias, seria prova incontesté do meu valor.
Eu seria admirado e estimado por todos em Ítaca 360

πᾶσιν, ὅσοι μ' Ἰθάκηνδε ἰδοίατο νοστήσαντα."
τὸν δ' αὖτ' Ἀλκίνοος ἀπαμείβετο φώνησέν τε·
"ὦ Ὀδυσεῦ, τὸ μὲν οὔ τί σ' ἐΐσκομεν εἰσορόωντες,
ἠπεροπῆά τ' ἔμεν καὶ ἐπίκλοπον, οἷά τε πολλοὺς
βόσκει γαῖα μέλαινα πολυσπερέας ἀνθρώπους, 365
ψεύδεά τ' ἀρτύνοντας ὅθεν κέ τις οὐδὲ ἴδοιτο·
σοὶ δ' ἔπι μὲν μορφὴ ἐπέων, ἔνι δὲ φρένες ἐσθλαί.
μῦθον δ' ὡς ὅτ' ἀοιδὸς ἐπισταμένως κατέλεξας,
πάντων τ' Ἀργείων σέο τ' αὐτοῦ κήδεα λυγρά.
ἀλλ' ἄγε μοι τόδε εἰπὲ καὶ ἀτρεκέως κατάλεξον, 370
εἴ τινας ἀντιθέων ἑτάρων ἴδες, οἵ τοι ἅμ' αὐτῷ
Ἴλιον εἰς ἅμ' ἕποντο καὶ αὐτοῦ πότμον ἐπέσπον.
νὺξ δ' ἥδε μάλα μακρή, ἀθέσφατος· οὐδέ πω ὥρη
εὕδειν ἐν μεγάρῳ, σὺ δέ μοι λέγε θέσκελα ἔργα.
καί κεν ἐς ἠῶ δῖαν ἀνασχοίμην, ὅτε μοι σὺ 375
τλαίης ἐν μεγάρῳ τὰ σὰ κήδεα μυθήσασθαι."
τὸν δ' ἀπαμειβόμενος προσέφη πολύμητις Ὀδυσσεύς·
"Ἀλκίνοε κρεῖον, πάντων ἀριδείκετε λαῶν,
ὥρη μὲν πολέων μύθων, ὥρη δὲ καὶ ὕπνου·
εἰ δ' ἔτ' ἀκουέμεναί γε λιλαίεαι, οὐκ ἂν ἐγώ γε 380
τούτων σοι φθονέοιμι καὶ οἰκτρότερ' ἄλλ' ἀγορεύειν,
κήδε' ἐμῶν ἑτάρων, οἳ δὴ μετόπισθεν ὄλοντο,
οἳ Τρώων μὲν ὑπεξέφυγον στονόεσσαν ἀϋτήν,
ἐν νόστῳ δ' ἀπόλοντο κακῆς ἰότητι γυναικός.

"αὐτὰρ ἐπεὶ ψυχὰς μὲν ἀπεσκέδασ' ἄλλυδις ἄλλῃ 385
ἁγνὴ Περσεφόνεια γυναικῶν θηλυτεράων,
ἦλθε δ' ἐπὶ ψυχὴ Ἀγαμέμνονος Ἀτρεΐδαο
ἀχνυμένη· περὶ δ' ἄλλαι ἀγηγέραθ', ὅσσοι ἅμ' αὐτῷ
οἴκῳ ἐν Αἰγίσθοιο θάνον καὶ πότμον ἐπέσπον.
ἔγνω δ' αἶψ' ἔμ' ἐκεῖνος, ἐπεὶ πίεν αἷμα κελαινόν· 390
κλαῖε δ' ὅ γε λιγέως, θαλερὸν κατὰ δάκρυον εἴβων,
πιτνὰς εἰς ἐμὲ χεῖρας, ὀρέξασθαι μενεαίνων·
ἀλλ' οὐ γάρ οἱ ἔτ' ἦν ἲς ἔμπεδος οὐδέ τι κῖκυς,
οἵη περ πάρος ἔσκεν ἐνὶ γναμπτοῖσι μέλεσσι.
"τὸν μὲν ἐγὼ δάκρυσα ἰδὼν ἐλέησά τε θυμῷ, 395
καί μιν φωνήσας ἔπεα πτερόεντα προσηύδων·

à vista de tão eloquente testemunho de minhas
façanhas." O rei mostrou-se sagaz na resposta: "Não
é essa a impressão que me dás. Não tens aspecto
de trapaceiro à maneira de muitos produtos da negra
terra, disseminados aos montes por aí, forjadores 365
de mentiras, de ignorada procedência. Sabes dar
forma à tua epopeia. Pensas elevadamente. Com
habilidades de aedo, narras teus mitos, não só os
dos argivos, mas sobretudo os teus, comoventes.
Conta-nos mais aqui e agora sem nada ocultar. 370
Dos que te acompanharam a Troia e lá acharam
triste fim, viste alguém? A noite é longa, é sem
limites. Hora para dormir não há. Temos sede de
feitos, de maravilhas. Aguento ouvir-te até ao
raiar do dia. Não canses, rogo, de nos brindar com 375
a narrativa de teus trabalhos." Veio a resposta do
Odisseu das inúmeras façanhas: "Grande Alcínoo,
sustentáculo de muitos povos, há hora para o
emaranhado de mitos e há hora para dormir. Se
desejas acompanhar-me, não tenho como me opor. 380
Ouvirás casos estarrecedores, desgraças que feriram
os meus, devorados pela morte. Há casos de heróis
que sobreviveram à guerra e no regresso tombaram
vitimados pela ação perversa de uma mulher.

"Perséfone dispersou os fantasmas das mulheres, as 385
graciosas dispararam tontas para todos os lados.
Veio a máscara de Agamênon, o filho de Atreu. Veio
triste. Outras máscaras o rodeavam, sombras dos que
com ele foram liquidados por Egisto. Assim fora
determinado. Viu e reconheceu-me num golpe só. 390
Chorou alto. De faces úmidas, estendeu os braços.
Queria tocar-me. Faltava-lhe tutano nos ossos.
Tinha perdido a força. E era forte quando vivo. Os
braços lhe obedeciam destros. Vê-lo causava pena.
Senti um repelão no peito. Chorei. Chamei-o pelo 395
nome. Meus lábios se abriram para lhe falar: 'Meu

Ἀτρεΐδη κύδιστε, ἄναξ ἀνδρῶν Ἀγάμεμνον,
τίς νύ σε κὴρ ἐδάμασσε τανηλεγέος θανάτοιο;
ἦε σέ γ' ἐν νήεσσι Ποσειδάων ἐδάμασσεν
ὄρσας ἀργαλέων ἀνέμων ἀμέγαρτον ἀυτμήν; 400
ἦέ σ' ἀνάρσιοι ἄνδρες ἐδηλήσαντ' ἐπὶ χέρσου
βοῦς περιταμνόμενον ἠδ' οἰῶν πώεα καλά,
ἠὲ περὶ πτόλιος μαχεούμενον ἠδὲ γυναικῶν;
"ὣς ἐφάμην, ὁ δέ μ' αὐτίκ' ἀμειβόμενος προσέειπε·
'διογενὲς Λαερτιάδη, πολυμήχαν' Ὀδυσσεῦ, 405
οὔτ' ἐμέ γ' ἐν νήεσσι Ποσειδάων ἐδάμασσεν
ὄρσας ἀργαλέων ἀνέμων ἀμέγαρτον ἀυτμήν,
οὔτε μ' ἀνάρσιοι ἄνδρες ἐδηλήσαντ' ἐπὶ χέρσου,
ἀλλά μοι Αἴγισθος τεύξας θάνατόν τε μόρον τε
ἔκτα σὺν οὐλομένῃ ἀλόχῳ, οἶκόνδε καλέσσας, 410
δειπνίσσας, ὥς τίς τε κατέκτανε βοῦν ἐπὶ φάτνῃ.
ὣς θάνον οἰκτίστῳ θανάτῳ· περὶ δ' ἄλλοι ἑταῖροι
νωλεμέως κτείνοντο σύες ὣς ἀργιόδοντες,
οἵ ῥά τ' ἐν ἀφνειοῦ ἀνδρὸς μέγα δυναμένοιο
ἢ γάμῳ ἢ ἐράνῳ ἢ εἰλαπίνῃ τεθαλυίῃ. 415
ἤδη μὲν πολέων φόνῳ ἀνδρῶν ἀντεβόλησας,
μουνὰξ κτεινομένων καὶ ἐνὶ κρατερῇ ὑσμίνῃ·
ἀλλά κε κεῖνα μάλιστα ἰδὼν ὀλοφύραο θυμῷ,
ὡς ἀμφὶ κρητῆρα τραπέζας τε πληθούσας
κείμεθ' ἐνὶ μεγάρῳ, δάπεδον δ' ἅπαν αἵματι θῦεν. 420
οἰκτροτάτην δ' ἤκουσα ὄπα Πριάμοιο θυγατρός,
Κασσάνδρης, τὴν κτεῖνε Κλυταιμνήστρη δολόμητις
ἀμφ' ἐμοί, αὐτὰρ ἐγὼ ποτὶ γαίῃ χεῖρας ἀείρων
βάλλον ἀποθνήσκων περὶ φασγάνῳ· ἡ δὲ κυνῶπις
νοσφίσατ', οὐδέ μοι ἔτλη ἰόντι περ εἰς Ἀίδαο 425
χερσὶ κατ' ὀφθαλμοὺς ἑλέειν σύν τε στόμ' ἐρεῖσαι.
ὣς οὐκ αἰνότερον καὶ κύντερον ἄλλο γυναικός,
ἥ τις δὴ τοιαῦτα μετὰ φρεσὶν ἔργα βάληται·
οἷον δὴ καὶ κείνη ἐμήσατο ἔργον ἀεικές,
κουριδίῳ τεύξασα πόσει φόνον. ἦ τοι ἔφην γε 430
ἀσπάσιος παίδεσσιν ἰδὲ δμώεσσιν ἐμοῖσιν
οἴκαδ' ἐλεύσεσθαι· ἡ δ' ἔξοχα λυγρὰ ἰδυῖα
οἷ τε κατ' αἶσχος ἔχευε καὶ ἐσσομένῃσιν ὀπίσσω

caro filho de Atreu, distinto comandante de tropas,
que tipo de morte te prostrou? Foi matança? Não me
digas que te abateu Posidon em ondas gigantes, ao
sopro de ventos que ninguém tem vontade de ouvir.   400
Tombaste em terra firme a braços com inimigos numa
incursão para roubar bois? Foi por ovelhas de pelo
brilhante? Atacaste uma cidade para raptar mulheres?'
A resposta a minhas perguntas veio em seguida:
'Filho de Laertes, meu inventivo Odisseu, não foi   405
Posidon que me matou na travessia. Tempestade
nenhuma me aniquilou. Não foram ventos. Em
incursões terrestres sempre saí ileso. Foi Egisto. O
puto planejou minha morte mancomunado com
minha mulher, uma cadela. Fui convidado a entrar.   410
Era um banquete. Mataram-me como um boi.
Berrei. Sangraram os outros. Morreram como
porcos. Foi bárbaro. No meio da sangria, ainda vi
a brancura de dentes arreganhados. Pareciam
vítimas para o festim de um rico. Casamento.   415
Reunião de amigos. Presenciaste o fim de milhares
em confronto isolado ou no calor da batalha.
Teu ânimo teria desabado se tivesses visto aquilo,
corpos tombados entre copos, sobre mesas, sobre
a comida. Jazíamos num palácio, rios de sangue pelo   420
chão. Cassandra, a filha de Príamo[19] uivava do meu
lado – eu ouvi. Clitemnestra, essa vagabunda, a tinha
golpeado. Já no chão, procurei minha espada. Que
loucura! Eu estava morrendo. A cadela se afastava
de cola abanando e eu ia para a cova, para os braços   425
da Morte. Não lhe passou pela cabeça cerrar-me
os olhos, fechar minha boca. Existe bruaca mais
fedorenta que a mulher? Foi premeditado! Ela
arquitetou essa porcaria toda. Armazenava a sujeira
no peito: acabar com o próprio marido. E eu vivia   430
na ilusão de que meus criados, meus filhos me
receberiam quando eu voltasse para casa. Mas ela,
no trono de crimes, se emporcalhou, cobriu-se de

θηλυτέρῃσι γυναιξί, καὶ ἥ κ' εὐεργὸς ἔῃσιν.'
"ὣς ἔφατ', αὐτὰρ ἐγώ μιν ἀμειβόμενος προσέειπον· 435
'ὦ πόποι, ἦ μάλα δὴ γόνον Ἀτρέος εὐρύοπα Ζεὺς
ἐκπάγλως ἤχθηρε γυναικείας διὰ βουλὰς
ἐξ ἀρχῆς· Ἑλένης μὲν ἀπωλόμεθ' εἵνεκα πολλοί,
σοὶ δὲ Κλυταιμνήστρη δόλον ἤρτυε τηλόθ' ἐόντι.'
"ὣς ἐφάμην, ὁ δέ μ' αὐτίκ' ἀμειβόμενος προσέειπε· 440
'τῷ νῦν μή ποτε καὶ σὺ γυναικί περ ἤπιος εἶναι·
μή οἱ μῦθον ἅπαντα πιφαυσκέμεν, ὅν κ' ἐῢ εἰδῇς,
ἀλλὰ τὸ μὲν φάσθαι, τὸ δὲ καὶ κεκρυμμένον εἶναι.
ἀλλ' οὐ σοί γ', Ὀδυσεῦ, φόνος ἔσσεται ἔκ γε γυναικός·
λίην γὰρ πινυτή τε καὶ εὖ φρεσὶ μήδεα οἶδε 445
κούρη Ἰκαρίοιο, περίφρων Πηνελόπεια.
ἦ μέν μιν νύμφην γε νέην κατελείπομεν ἡμεῖς
ἐρχόμενοι πόλεμόνδε· πάϊς δέ οἱ ἦν ἐπὶ μαζῷ
νήπιος, ὅς που νῦν γε μετ' ἀνδρῶν ἵζει ἀριθμῷ,
ὄλβιος· ἦ γὰρ τόν γε πατὴρ φίλος ὄψεται ἐλθών, 450
καὶ κεῖνος πατέρα προσπτύξεται, ἣ θέμις ἐστίν.
ἡ δ' ἐμὴ οὐδέ περ υἷος ἐνιπλησθῆναι ἄκοιτις
ὀφθαλμοῖσιν ἔασε· πάρος δέ με πέφνε καὶ αὐτόν.
ἄλλο δέ τοι ἐρέω, σὺ δ' ἐνὶ φρεσὶ βάλλεο σῇσιν·
κρύβδην, μηδ' ἀναφανδά, φίλην ἐς πατρίδα γαῖαν 455
νῆα κατισχέμεναι· ἐπεὶ οὐκέτι πιστὰ γυναιξίν.
ἀλλ' ἄγε μοι τόδε εἰπὲ καὶ ἀτρεκέως κατάλεξον,
εἴ που ἔτι ζώοντος ἀκούετε παιδὸς ἐμοῖο,
ἤ που ἐν Ὀρχομενῷ ἢ ἐν Πύλῳ ἠμαθόεντι,
ἤ που πὰρ Μενελάῳ ἐνὶ Σπάρτῃ εὐρείῃ· 460
οὐ γάρ πω τέθνηκεν ἐπὶ χθονὶ δῖος Ὀρέστης.'
"ὣς ἔφατ', αὐτὰρ ἐγώ μιν ἀμειβόμενος προσέειπον·
'Ἀτρεΐδη, τί με ταῦτα διείρεαι; οὐδέ τι οἶδα,
ζώει ὅ γ' ἦ τέθνηκε· κακὸν δ' ἀνεμώλια βάζειν.'
"νῶϊ μὲν ὣς ἐπέεσσιν ἀμειβομένω στυγεροῖσιν 465
ἕσταμεν ἀχνύμενοι θαλερὸν κατὰ δάκρυ χέοντες·
ἦλθε δ' ἐπὶ ψυχὴ Πηληϊάδεω Ἀχιλῆος
καὶ Πατροκλῆος καὶ ἀμύμονος Ἀντιλόχοιο
Αἴαντός θ', ὃς ἄριστος ἔην εἶδός τε δέμας τε
τῶν ἄλλων Δαναῶν μετ' ἀμύμονα Πηλεΐωνα. 470

bosta o mulherio, sem excluir as honestas.' Ele
vociferava. Procurei responder sereno: 'De fato, 435
Zeus enxerga longe, castiga impiedoso a família de
Atreu pela artimanha de suas mulheres desde
sempre. Tombamos aos montes por causa de Helena,
Clitemnestra te armou cilada quando combatias longe.'
Nossa conversa corria assim. Ele ponderou: 'Sirva-te 440
isso de advertência. Nada de confiança excessiva,
nem mesmo em tua mulher. Do que sabes, não lhe contes
tudo. Se revelas certos assuntos, guarda para ti
mesmo outros. A morte não te virá de tua mulher.
Sei que a filha de Icário é sensata, tem a cabeça no 445
lugar. Em sensatez Penélope é campeã. Ao partirmos
para a guerra, deixaste em casa uma jovem. Ela
aconchegava um menininho, ele ainda não falava.
Toma agora assento entre conselheiros. Olhos
que te querem te contemplarão. Deverá receber-te 450
de braços abertos. Desse privilégio minha mulher
me privou. Não permitiu que visse meu filho. Ela
me abateu antes. Guarda o conselho que vou
te dar agora. Desembarca na tua terra em segredo.
Esconde o navio. Já sabes que em mulheres nunca se 455
pode confiar. Escuta. Quero uma informação.
Notícia segura. É sobre meu filho. Ele ainda vive?
Ouviste falar nele? Ele poderia estar em Orcômeno.
Na arenosa Pilo, quem sabe? Teria ido aos campos
de Esparta, à casa de Menelau? Meu divino Orestes 460
jaz morto e enterrado?' O que podia eu fazer além de
dar-lhe resposta vaga? 'Caro filho de Atreu, o que
esperas de mim? Que posso te dizer? Se está vivo ou
morto eu não sei. Palavrear ao vento não convém.'
"Nessa troca de palavras tristes, entrecortadas de suspiros, 465
lagrimamos muito, parados e acabrunhados. De repente
rodopiou a sombra de Aquiles. A sombra de Pátroclo lhe
veio ao encalço. Veio Antítoloco, guerreiro corretíssimo.
Revi Ajax, no porte, no talhe este superava todos. Entre
os dânaos[20] não conheci ninguém igual a ele, excetuando 470

ἔγνω δὲ ψυχή με ποδώκεος Αἰακίδαο
καί ῥ' ὀλοφυρομένη ἔπεα πτερόεντα προσηύδα·
" 'διογενὲς Λαερτιάδη, πολυμήχαν' Ὀδυσσεῦ,
σχέτλιε, τίπτ' ἔτι μεῖζον ἐνὶ φρεσὶ μήσεαι ἔργον;
πῶς ἔτλης Ἄϊδόσδε κατελθέμεν, ἔνθα τε νεκροὶ   475
ἀφραδέες ναίουσι, βροτῶν εἴδωλα καμόντων;"
"ὣς ἔφατ', αὐτὰρ ἐγώ μιν ἀμειβόμενος προσέειπον·
'ὦ Ἀχιλεῦ Πηλῆος υἱέ, μέγα φέρτατ' Ἀχαιῶν,
ἦλθον Τειρεσίαο κατὰ χρέος, εἴ τινα βουλὴν
εἴποι, ὅπως Ἰθάκην ἐς παιπαλόεσσαν ἱκοίμην·   480
οὐ γάρ πω σχεδὸν ἦλθον Ἀχαιΐδος, οὐδέ πω ἁμῆς
γῆς ἐπέβην, ἀλλ' αἰὲν ἔχω κακά. σεῖο δ', Ἀχιλλεῦ,
οὔ τις ἀνὴρ προπάροιθε μακάρτατος οὔτ' ἄρ' ὀπίσσω.
πρὶν μὲν γάρ σε ζωὸν ἐτίομεν ἶσα θεοῖσιν
Ἀργεῖοι, νῦν αὖτε μέγα κρατέεις νεκύεσσιν   485
ἐνθάδ' ἐών· τῷ μή τι θανὼν ἀκαχίζευ, Ἀχιλλεῦ.'
"ὣς ἐφάμην, ὁ δέ μ' αὐτίκ' ἀμειβόμενος προσέειπε·
'μὴ δή μοι θάνατόν γε παραύδα, φαίδιμ' Ὀδυσσεῦ.
βουλοίμην κ' ἐπάρουρος ἐὼν θητευέμεν ἄλλῳ,
ἀνδρὶ παρ' ἀκλήρῳ, ᾧ μὴ βίοτος πολὺς εἴη,   490
ἢ πᾶσιν νεκύεσσι καταφθιμένοισιν ἀνάσσειν.
ἀλλ' ἄγε μοι τοῦ παιδὸς ἀγαυοῦ μῦθον ἐνίσπες,
ἢ ἕπετ' ἐς πόλεμον πρόμος ἔμμεναι, ἦε καὶ οὐκί.
εἰπὲ δέ μοι Πηλῆος ἀμύμονος, εἴ τι πέπυσσαι,
ἢ ἔτ' ἔχει τιμὴν πολέσιν μετὰ Μυρμιδόνεσσιν,   495
ἦ μιν ἀτιμάζουσιν ἀν' Ἑλλάδα τε Φθίην τε,
οὕνεκά μιν κατὰ γῆρας ἔχει χεῖράς τε πόδας τε.
οὐ γὰρ ἐγὼν ἐπαρωγὸς ὑπ' αὐγὰς ἠελίοιο,
τοῖος ἐών, οἷός ποτ' ἐνὶ Τροίῃ εὐρείῃ
πέφνον λαὸν ἄριστον, ἀμύνων Ἀργείοισιν·   500
εἰ τοιόσδ' ἔλθοιμι μίνυνθά περ ἐς πατέρος δῶ·
τῷ κέ τεῳ στύξαιμι μένος καὶ χεῖρας ἀάπτους,
οἳ κεῖνον βιόωνται ἐέργουσίν τ' ἀπὸ τιμῆς.'
"ὣς ἔφατ', αὐτὰρ ἐγώ μιν ἀμειβόμενος προσέειπον·
'ἦ τοι μὲν Πηλῆος ἀμύμονος οὔ τι πέπυσμαι,   505
αὐτάρ τοι παιδός γε Νεοπτολέμοιο φίλοιο
πᾶσαν ἀληθείην μυθήσομαι, ὥς με κελεύεις·

o Pelida. O espírito do veloz Aquiles me reconheceu num
zás. As palavras que ele proferiu vieram chorosas: 'Filho
de Laertes, descendente de Zeus, Odisseu dos planos
mirabolantes, estou espantado. Tua imaginação não tem
limites? Como vieste parar no Hades, morada de finados   475
descerebrados, fantasmas de mortais cansados de viver?'
Expliquei-lhe que nada de excepcional tinha acontecido:
'Aquiles, entre os aqueus o guerreiro de maior valor.
Estou em dificuldades, vim procurar Tirésias. Que me
orientasse. Ainda não voltei à minha rochosa Ítaca. Nem   480
perto de terras de aqueus eu cheguei, muito menos
aos meus domínios. A desgraça não me larga. Bem estás tu.
Não conheço homem mais sortudo, nem antes nem depois.
Vivo, nós te tributávamos honras devidas a deuses. E
agora te encontro aqui como rei dos que passaram pela   485
terra. Não te queixes! Quem poderia ambicionar sorte
mais alta?' A resposta dele não se fez esperar: 'Não
tentes embelezar a morte na minha presença, meu
atilado Odisseu. Preferiria como cabra de eito trabalhar
para outro, um pobretão, a ser rei desse povo de mortos.   490
Vamos a outro assunto. Conta-me alguma coisa do
meu glorioso filho[21]. Ele ainda brilha no campo de batalha
ou explora outro ramo? Fala-me também desse homem
notável, Peleu[22], se tens notícia dele. Ele ainda manda
sobre a imensidão dos mirmidões ou já o tiraram do   495
poder na Hélade e em Ftia por causa da idade? Ele ainda
caminha? Mexe as mãos? Queres saber meu desejo?
Eu gostaria de sentir o calor dos raios do sol para
socorrê-lo, como quando eu combatia na planície
de Troia. Eu aniquilava batalhões para defender nosso   500
povo. Se pudesse voltar, por breve que fosse, para a
casa do meu pai, minha fúria e a força de meus braços
os poriam de joelhos, se é que esses desgraçados
o apearam do poder.' Contestei sereno esse discurso
apaixonado: 'Para te ser sincero, do grande Peleu eu   505
não sei nada. Mas do teu filho Neoptólemo te revelo
o que sei. Espero satisfazer-te assim. Eu mesmo o

αὐτὸς γάρ μιν ἐγὼ κοίλης ἐπὶ νηὸς ἐΐσης
ἤγαγον ἐκ Σκύρου μετ' ἐϋκνήμιδας Ἀχαιούς.
ἦ τοι ὅτ' ἀμφὶ πόλιν Τροίην φραζοίμεθα βουλάς, 510
αἰεὶ πρῶτος ἔβαζε καὶ οὐχ ἡμάρτανε μύθων·
Νέστωρ ἀντίθεος καὶ ἐγὼ νικάσκομεν οἴω.
αὐτὰρ ὅτ' ἐν πεδίῳ Τρώων μαρναίμεθα χαλκῷ,
οὔ ποτ' ἐνὶ πληθυῖ μένεν ἀνδρῶν οὐδ' ἐν ὁμίλῳ,
ἀλλὰ πολὺ προθέεσκε τὸ ὃν μένος οὐδενὶ εἴκων, 515
πολλοὺς δ' ἄνδρας ἔπεφνεν ἐν αἰνῇ δηϊοτῆτι.
πάντας δ' οὐκ ἂν ἐγὼ μυθήσομαι οὐδ' ὀνομήνω,
ὅσσον λαὸν ἔπεφνεν ἀμύνων Ἀργείοισιν,
ἀλλ' οἷον τὸν Τηλεφίδην κατενήρατο χαλκῷ,
ἥρω' Εὐρύπυλον, πολλοὶ δ' ἀμφ' αὐτὸν ἑταῖροι 520
Κήτειοι κτείνοντο γυναίων εἵνεκα δώρων.
κεῖνον δὴ κάλλιστον ἴδον μετὰ Μέμνονα δῖον.
αὐτὰρ ὅτ' εἰς ἵππον κατεβαίνομεν, ὃν κάμ' Ἐπειός,
Ἀργείων οἱ ἄριστοι, ἐμοὶ δ' ἐπὶ πάντα τέταλτο,
ἠμὲν ἀνακλῖναι πυκινὸν λόχον ἠδ' ἐπιθεῖναι, 525
ἔνθ' ἄλλοι Δαναῶν ἡγήτορες ἠδὲ μέδοντες
δάκρυά τ' ὠμόργνυντο τρέμον θ' ὑπὸ γυῖα ἑκάστου·
κεῖνον δ' οὔ ποτε πάμπαν ἐγὼν ἴδον ὀφθαλμοῖσιν
οὔτ' ὠχρήσαντα χρόα κάλλιμον οὔτε παρειῶν
δάκρυ ὀμορξάμενον· ὁ δέ γε μάλα πόλλ' ἱκέτευεν 530
ἱππόθεν ἐξέμεναι, ξίφεος δ' ἐπεμαίετο κώπην
καὶ δόρυ χαλκοβαρές, κακὰ δὲ Τρώεσσι μενοίνα.
ἀλλ' ὅτε δὴ Πριάμοιο πόλιν διεπέρσαμεν αἰπήν,
μοῖραν καὶ γέρας ἐσθλὸν ἔχων ἐπὶ νηὸς ἔβαινεν
ἀσκηθής, οὔτ' ἄρ βεβλημένος ὀξέϊ χαλκῷ 535
οὔτ' αὐτοσχεδίην οὐτασμένος, οἷά τε πολλὰ
γίγνεται ἐν πολέμῳ· ἐπιμὶξ δέ τε μαίνεται Ἄρης.'
"Ὣς ἐφάμην, ψυχὴ δὲ ποδώκεος Αἰακίδαο
φοίτα μακρὰ βιβᾶσα κατ' ἀσφοδελὸν λειμῶνα,
γηθοσύνη ὅ οἱ υἱὸν ἔφην ἀριδείκετον εἶναι. 540
"αἱ δ' ἄλλαι ψυχαὶ νεκύων κατατεθνηώτων
ἕστασαν ἀχνύμεναι, εἴροντο δὲ κήδε' ἑκάστη.
οἴη δ' Αἴαντος ψυχὴ Τελαμωνιάδαο
νόσφιν ἀφεστήκει, κεχολωμένη εἵνεκα νίκης,

conduzi em bem-equilibrada nau de Esciro até aos
aqueus de belas grevas. Costumávamos reunir-nos
para deliberar sobre a cidade de Troia. Foi sempre o 510
primeiro a falar e nunca se enganava no que dizia.
Ficava atrás só de Nestor e de mim. No confronto
com nossos inimigos na planície troiana, ele
nunca se escondia na turba dos guerreiros. O lugar
dele era a vanguarda. Ninguém se igualava a ele. 515
Feriu numerosos guerreiros no calor da refrega. Como
detalhar os embates? Enumerá-los seria difícil. Foram
muitos. Fez muito por nossa gente. Por exemplo:
tomou a couraça de Eurípilo, um herói, filho de Télefo.
Derrubou muitos cétios a seu comando. Uma mulher, 520
presenteada a ouro, meteu Télefo no conflito. Nunca
vi homem mais belo, tirando Mêmnon, deslumbrante.
Quando entramos no Cavalo de Pau, obra de Epeu,
coube a mim, comandante daquele grupo de homens
seletos, o encargo de abrir e fechar firmemente a 525
porta. Nos olhos dos outros chefes e conselheiros
dânaos, brotavam lágrimas, as pernas lhes tremiam
como varas verdes. Mas no rosto de Neoptólemo
eu não vi palidez alguma. Nunca levantou a mão
para enxugar uma única lágrima. Queria, ao contrário, 530
sair do cavalo. Implorava. De mão na espada, de
lança erguida, queria avançar a ferro contra os troianos.
Saqueada a escarpada cidadela de Príamo, carregou
para o navio sua parte do despojo, além de um prêmio
especial. Na pele dele o ferro nunca penetrou. Da 535
luta corporal, sempre saiu ileso, coisa rara na guerra.
A loucura de Ares ali é total.' Mal eu acabara de
falar, a sombra do veloz neto de Eaco marchou a
largos passos ao campo dos asfódelos. Partiu contente
ao saber do comportamento exemplar do filho. 540
"Outras sombras de mortos com passagem pela terra
expunham tristonhas os males que as afligiam. Só o
espírito de Ajax mantinha-se distante, ressentido
comigo, colérico. Favorecido que fui por uma sentença

τήν μιν ἐγὼ νίκησα δικαζόμενος παρὰ νηυσὶ 545
τεύχεσιν ἀμφ' Ἀχιλῆος· ἔθηκε δὲ πότνια μήτηρ.
παῖδες δὲ Τρώων δίκασαν καὶ Παλλὰς Ἀθήνη.
ὡς δὴ μὴ ὄφελον νικᾶν τοιῷδ' ἐπ' ἀέθλῳ·
τοίην γὰρ κεφαλὴν ἕνεκ' αὐτῶν γαῖα κατέσχεν,
Αἴανθ', ὃς πέρι μὲν εἶδος, πέρι δ' ἔργα τέτυκτο 550
τῶν ἄλλων Δαναῶν μετ' ἀμύμονα Πηλεΐωνα.
τὸν μὲν ἐγὼν ἐπέεσσι προσηύδων μειλιχίοισιν·
" Αἶαν, παῖ Τελαμῶνος ἀμύμονος, οὐκ ἄρ' ἔμελλες
οὐδὲ θανὼν λήσεσθαι ἐμοὶ χόλου εἵνεκα τευχέων
οὐλομένων; τὰ δὲ πῆμα θεοὶ θέσαν Ἀργείοισι, 555
τοῖος γάρ σφιν πύργος ἀπώλεο· σεῖο δ' Ἀχαιοὶ
ἶσον Ἀχιλλῆος κεφαλῇ Πηληϊάδαο
ἀχνύμεθα φθιμένοιο διαμπερές· οὐδέ τις ἄλλος
αἴτιος, ἀλλὰ Ζεὺς Δαναῶν στρατὸν αἰχμητάων
ἐκπάγλως ἤχθηρε, τεῒν δ' ἐπὶ μοῖραν ἔθηκεν. 560
ἀλλ' ἄγε δεῦρο, ἄναξ, ἵν' ἔπος καὶ μῦθον ἀκούσῃς
ἡμέτερον· δάμασον δὲ μένος καὶ ἀγήνορα θυμόν.'
"ὣς ἐφάμην, ὁ δέ μ' οὐδὲν ἀμείβετο, βῆ δὲ μετ' ἄλλας
ψυχὰς εἰς Ἔρεβος νεκύων κατατεθνηώτων.
ἔνθα χ' ὅμως προσέφη κεχολωμένος, ἤ κεν ἐγὼ τόν· 565
ἀλλά μοι ἤθελε θυμὸς ἐνὶ στήθεσσι φίλοισι
τῶν ἄλλων ψυχὰς ἰδέειν κατατεθνηώτων.
"ἔνθ' ἤ τοι Μίνωα ἴδον, Διὸς ἀγλαὸν υἱόν,
χρύσεον σκῆπτρον ἔχοντα, θεμιστεύοντα νέκυσσιν,
ἥμενον, οἱ δέ μιν ἀμφὶ δίκας εἴροντο ἄνακτα, 570
ἥμενοι ἑσταότες τε κατ' εὐρυπυλὲς Ἄϊδος δῶ.
"τὸν δὲ μετ' Ὠρίωνα πελώριον εἰσενόησα
θῆρας ὁμοῦ εἰλεῦντα κατ' ἀσφοδελὸν λειμῶνα,
τοὺς αὐτὸς κατέπεφνεν ἐν οἰοπόλοισιν ὄρεσσι
χερσὶν ἔχων ῥόπαλον παγχάλκεον, αἰὲν ἀαγές. 575
"καὶ Τιτυὸν εἶδον, Γαίης ἐρικυδέος υἱόν,
κείμενον ἐν δαπέδῳ· ὁ δ' ἐπ' ἐννέα κεῖτο πέλεθρα,
γῦπε δέ μιν ἑκάτερθε παρημένω ἧπαρ ἔκειρον,
δέρτρον ἔσω δύνοντες, ὁ δ' οὐκ ἀπαμύνετο χερσί·
Λητὼ γὰρ ἕλκησε, Διὸς κυδρὴν παράκοιτιν, 580
Πυθώδ' ἐρχομένην διὰ καλλιχόρου Πανοπῆος.

proferida junto às naus, que me dava direito à posse 545
das armas de Aquiles. Oferecia-as a veneranda mãe do
herói[23]. A decisão foi dos filhos dos Troas e de Atena.
Quisera não ter vencido numa questão tão importante.
A perda foi irreparável, a cabeça do próprio Ajax. Pela
presença e pelos feitos, foi ele o mais ilustre, com 550
exceção do incomparável filho de Peleu. Abordei-o
de voz mansa: 'Ajax, filho de Telamon, nem morto
esqueces tua raiva contra mim por causa dessas
malditas armas? Não foram elas uma praga dos deuses
contra nossa gente? Tu nos eras torre e agora por 555
causa delas estás morto. Choramos a perda de tua
cabeça como a de Aquiles sempre e sempre. Quem
foi o culpado? Ninguém menos que Zeus. Lançou
contra os dânaos, imbatíveis no lance de lanças, ódio
retumbante. Acionou a fatalidade contra ti. Acabemos 560
com isso, meu caro, eu te imploro. Fora com a
fúria! Aquieta teu coração.' Não adiantou. Ficou
calado. Afundou no abismo dos que um dia foram
vivos. Os outros espíritos o acompanharam. Se
a raiva não fosse tanta, poderia ter-me dito uma 565
palavrinha, eu teria respondido. Meu coração me disse
que eu deveria ver outras sombras. Seria melhor.
"Lá estava Minos. Empunhando um cetro de ouro,
pronunciava sentenças a mortos. Fantasmas queriam
saber o que lhes determinava a justiça. Levantavam- 570
se ante as largas portas do palácio de Hades.
"Depois deste apareceu uma figura gigantesca, Orion,
que juntava na campina de asfódelos animais selvagens
abatidos por ele em caçadas pelos montes solitários,
munido só de clava, de bronze maciço, inquebrantável. 575
"Vi Tício, filho da Terra, estendido no solo. Ocupava
nove jeiras. Dois abutres, um de cada lado, devoravam-
lhe o fígado. Os bicos entravam nas entranhas. As
mãos imobilizadas não eram defesa. Ele violentara
Leto, a envaidecida amante de Zeus, quando esta se 580
dirigia a Pito, atravessando campinas de Panopeu.

"καὶ μὴν Τάνταλον εἰσεῖδον κρατέρ' ἄλγε' ἔχοντα
ἑστεῶτ' ἐν λίμνῃ· ἡ δὲ προσέπλαζε γενείῳ·
στεῦτο δὲ διψάων, πιέειν δ' οὐκ εἶχεν ἑλέσθαι·
ὁσσάκι γὰρ κύψει' ὁ γέρων πιέειν μενεαίνων, 585
τοσσάχ' ὕδωρ ἀπολέσκετ' ἀναβροχέν, ἀμφὶ δὲ ποσσὶ
γαῖα μέλαινα φάνεσκε, καταζήνασκε δὲ δαίμων.
δένδρεα δ' ὑψιπέτηλα κατὰ κρῆθεν χέε καρπόν,
ὄγχναι καὶ ῥοιαὶ καὶ μηλέαι ἀγλαόκαρποι
συκέαι τε γλυκεραὶ καὶ ἐλαῖαι τηλεθόωσαι· 590
τῶν ὁπότ' ἰθύσει' ὁ γέρων ἐπὶ χερσὶ μάσασθαι,
τὰς δ' ἄνεμος ῥίπτασκε ποτὶ νέφεα σκιόεντα.
"καὶ μὴν Σίσυφον εἰσεῖδον κρατέρ' ἄλγε' ἔχοντα
λᾶαν βαστάζοντα πελώριον ἀμφοτέρῃσιν.
ἦ τοι ὁ μὲν σκηριπτόμενος χερσίν τε ποσίν τε 595
λᾶαν ἄνω ὤθεσκε ποτὶ λόφον· ἀλλ' ὅτε μέλλοι
ἄκρον ὑπερβαλέειν, τότ' ἀποστρέψασκε κραταιίς·
αὖτις ἔπειτα πέδονδε κυλίνδετο λᾶας ἀναιδής.
αὐτὰρ ὅ γ' ἂψ ὤσασκε τιταινόμενος, κατὰ δ' ἱδρὼς
ἔρρεεν ἐκ μελέων, κονίη δ' ἐκ κρατὸς ὀρώρει. 600

"τὸν δὲ μετ' εἰσενόησα βίην Ἡρακληείην,
εἴδωλον· αὐτὸς δὲ μετ' ἀθανάτοισι θεοῖσι
τέρπεται ἐν θαλίῃς καὶ ἔχει καλλίσφυρον Ἥβην,
παῖδα Διὸς μεγάλοιο καὶ Ἥρης χρυσοπεδίλου.
ἀμφὶ δέ μιν κλαγγὴ νεκύων ἦν οἰωνῶν ὥς, 605
πάντοσ' ἀτυζομένων· ὁ δ' ἐρεμνῇ νυκτὶ ἐοικώς,
γυμνὸν τόξον ἔχων καὶ ἐπὶ νευρῆφιν ὀϊστόν,
δεινὸν παπταίνων, αἰεὶ βαλέοντι ἐοικώς.
σμερδαλέος δέ οἱ ἀμφὶ περὶ στήθεσσιν ἀορτὴρ
χρύσεος ἦν τελαμών, ἵνα θέσκελα ἔργα τέτυκτο, 610
ἄρκτοι τ' ἀγρότεροί τε σύες χαροποί τε λέοντες,
ὑσμῖναί τε μάχαι τε φόνοι τ' ἀνδροκτασίαι τε.
μὴ τεχνησάμενος μηδ' ἄλλο τι τεχνήσαιτο,
ὃς κεῖνον τελαμῶνα ἑῇ ἐγκάτθετο τέχνῃ.
ἔγνω δ' αὖτ' ἔμ' ἐκεῖνος, ἐπεὶ ἴδεν ὀφθαλμοῖσιν, 615
καί μ' ὀλοφυρόμενος ἔπεα πτερόεντα προσηύδα·

"Vi também Tântalo de pé num lago, condenado a
tortura cruel. Embora a água lhe tocasse o queixo,
padecia de sede porque não lhe era permitido beber.
Sempre que o ancião se curvava para aplacar a sede, 585
a água recuava, sumia, desvelando o humo escuro
a seus pés. Uma divindade irada provocava a seca.
Árvores frondosas coroavam-lhe a cabeça de frutas:
peras, romãs, maçãs – pendiam apetitosas, figos
luziam doces, olivas seduziam entre folhas viçosas, 590
mas quando os braços do velho se erguiam para
tocá-las, a ventania as escondia na sobra das nuvens.
"Pude ver Sísifo e seu trabalho extenuante,
sustentar com os braços pedra assombrosa.
Firmava-se com pés e mãos para revolvê-la 595
perambeira acima até atingir o topo, mas quando
quase alcançava o cume, vencido pelo peso,
o penedo insolente rolava até ao sopé. O trabalho
titânico recomeçava. O suor escorria-lhe pelos
membros. A cabeça movia-se numa nuvem de pó. 600

"Para encerrar, percebi o façanhudo Héracles, aliás,
era miragem, num banquete, em companhia divina.
Deliciei-me com os belos tornozelos de Hebe, filha
do imponente Zeus, admirei Hera, calçada com
sandálias de ouro. Aves em fuga se assanham, 605
se agitam. Aves? Vastos volteios de mortos!
Sombrio como a noite, os dedos prendem o arco
desnudo, ajustando o flecha no nervo, lúgubre olhar,
sedento de tiro. Tétrico tilinta-lhe no peito o talim.
Áureo talabarte coberto de obras de arte: 610
ursos, porcos selvagens, olhos chamejantes de leão,
combates, refregas, mortes, matança. O artista que
se esmerou na construção desse boldrié não seria
capaz de igualá-lo no labor de outro. Héracles me
reconheceu, logo que botou os olhos em mim. Minha 615
sorte lamentada soou em suas palavras esvoaçantes:

"'διογενὲς Λαερτιάδη, πολυμήχαν' Ὀδυσσεῦ,
ἆ δείλ', ἦ τινὰ καὶ σὺ κακὸν μόρον ἡγηλάζεις,
ὅν περ ἐγὼν ὀχέεσκον ὑπ' αὐγὰς ἠελίοιο.
Ζηνὸς μὲν πάϊς ἦα Κρονίονος, αὐτὰρ ὀϊζὺν   620
εἶχον ἀπειρεσίην· μάλα γὰρ πολὺ χείρονι φωτὶ
δεδμήμην, ὁ δέ μοι χαλεποὺς ἐπετέλλετ' ἀέθλους.
καί ποτέ μ' ἐνθάδ' ἔπεμψε κύν' ἄξοντ'· οὐ γὰρ ἔτ' ἄλλον
φράζετο τοῦδέ γέ μοι κρατερώτερον εἶναι ἄεθλον·
τὸν μὲν ἐγὼν ἀνένεικα καὶ ἤγαγον ἐξ Ἀΐδαο·   625
Ἑρμείας δέ μ' ἔπεμψεν ἰδὲ γλαυκῶπις Ἀθήνη.'
"ὣς εἰπὼν ὁ μὲν αὖτις ἔβη δόμον Ἄϊδος εἴσω,
αὐτὰρ ἐγὼν αὐτοῦ μένον ἔμπεδον, εἴ τις ἔτ' ἔλθοι
ἀνδρῶν ἡρώων, οἳ δὴ τὸ πρόσθεν ὄλοντο.
καί νύ κ' ἔτι προτέρους ἴδον ἀνέρας, οὓς ἔθελόν περ,   630
Θησέα Πειρίθοόν τε, θεῶν ἐρικυδέα τέκνα·
ἀλλὰ πρὶν ἐπὶ ἔθνε' ἀγείρετο μυρία νεκρῶν
ἠχῇ θεσπεσίῃ· ἐμὲ δὲ χλωρὸν δέος ᾕρει,
μή μοι Γοργείην κεφαλὴν δεινοῖο πελώρου
ἐξ Ἀΐδεω πέμψειεν ἀγαυὴ Περσεφόνεια.   635
"αὐτίκ' ἔπειτ' ἐπὶ νῆα κιὼν ἐκέλευον ἑταίρους
αὐτούς τ' ἀμβαίνειν ἀνά τε πρυμνήσια λῦσαι.
οἱ δ' αἶψ' εἴσβαινον καὶ ἐπὶ κληῖσι καθῖζον.
τὴν δὲ κατ' Ὠκεανὸν ποταμὸν φέρε κῦμα ῥόοιο,
πρῶτα μὲν εἰρεσίῃ, μετέπειτα δὲ κάλλιμος οὖρος.   640

Produto de Zeus, filho de Laertes, Odisseu de vastos
recursos, pelo que se vê, carregas um destino cruel,
infeliz. Em trabalhos à luz do sol, vejo que te igualas
aos meus. Embora eu fosse filho do Cronida, meus   620
infortúnios não terminavam. Eu estava sujeito a um
sujeito mesquinho. Ele me pedia coisas impossíveis.
Teve a petulância de pedir que eu lhe trouxesse o cão
daqui. Façanha maior não existe. E eu consegui
tirá-lo. Roubei-o de Hades. É verdade que Hermes   625
me ajudou, os olhos corujosos de Atena também.'
Héracles fechou a boca e se enfiou no palácio de
Hades. Aguentei firme na expectativa de outro varão
ilustre já morto, valente de outros tempos. Havia
multidões. Eu podia escolher. Por exemplo: Teseu,   630
Pirítoo, ambos filhos decantados de deuses... Antes
de eu me decidir, o povo dos finados vinha aos
montes. Gritaria infernal. Fiquei pálido de medo.
E se viesse a cabeça de Górgona, monstro horrível?
Perséfone, desgraçada, seria capaz de enviá-la dos   635
fundos da casa de Hades. Saí correndo. Chamei meus
homens. Embarcassem! Soltassem as amarras!
Ocuparam seus lugares nos bancos. As ondas nos
levavam pela corrente do Oceano. O barco deslizou
primeiro a remo, depois soprou um ventinho amigo."   640

ΟΔΥΣΣΕΙΑΣ Μ

"αὐτὰρ ἐπεὶ ποταμοῖο λίπεν ῥόον Ὠκεανοῖο
νηῦς, ἀπὸ δ' ἵκετο κῦμα θαλάσσης εὐρυπόροιο
νῆσόν τ' Αἰαίην, ὅθι τ' Ἠοῦς ἠριγενείης
οἰκία καὶ χοροί εἰσι καὶ ἀντολαὶ Ἠελίοιο,
νῆα μὲν ἔνθ' ἐλθόντες ἐκέλσαμεν ἐν ψαμάθοισιν, 05
ἐκ δὲ καὶ αὐτοὶ βῆμεν ἐπὶ ῥηγμῖνι θαλάσσης·
ἔνθα δ' ἀποβρίξαντες ἐμείναμεν Ἠῶ δῖαν.
"ἦμος δ' ἠριγένεια φάνη ῥοδοδάκτυλος Ἠώς,
δὴ τότ' ἐγὼν ἑτάρους προΐειν ἐς δώματα Κίρκης
οἰσέμεναι νεκρόν, Ἐλπήνορα τεθνηῶτα. 10
φιτροὺς δ' αἶψα ταμόντες, ὅθ' ἀκροτάτη πρόεχ' ἀκτή,
θάπτομεν ἀχνύμενοι θαλερὸν κατὰ δάκρυ χέοντες.
αὐτὰρ ἐπεὶ νεκρός τ' ἐκάη καὶ τεύχεα νεκροῦ,
τύμβον χεύαντες καὶ ἐπὶ στήλην ἐρύσαντες
πήξαμεν ἀκροτάτῳ τύμβῳ εὐῆρες ἐρετμόν. 15
"ἡμεῖς μὲν τὰ ἕκαστα διείπομεν· οὐδ' ἄρα Κίρκην
ἐξ Ἀίδεω ἐλθόντες ἐλήθομεν, ἀλλὰ μάλ' ὦκα
ἦλθ' ἐντυναμένη· ἅμα δ' ἀμφίπολοι φέρον αὐτῇ
σῖτον καὶ κρέα πολλὰ καὶ αἴθοπα οἶνον ἐρυθρόν.
ἡ δ' ἐν μέσσῳ στᾶσα μετηύδα δῖα θεάων· 20
"'σχέτλιοι, οἳ ζώοντες ὑπήλθετε δῶμ' Ἀίδαο,
δισθανέες, ὅτε τ' ἄλλοι ἅπαξ θνήσκουσ' ἄνθρωποι.
ἀλλ' ἄγετ' ἐσθίετε βρώμην καὶ πίνετε οἶνον
αὖθι πανημέριοι· ἅμα δ' ἠοῖ φαινομένηφι
πλεύσεσθ'· αὐτὰρ ἐγὼ δείξω ὁδὸν ἠδὲ ἕκαστα 25
σημανέω, ἵνα μή τι κακορραφίῃ ἀλεγεινῇ
ἢ ἁλὸς ἢ ἐπὶ γῆς ἀλγήσετε πῆμα παθόντες.'
"ὣς ἔφαθ', ἡμῖν δ' αὖτ' ἐπεπείθετο θυμὸς ἀγήνωρ.
ὣς τότε μὲν πρόπαν ἦμαρ ἐς ἠέλιον καταδύντα
ἥμεθα δαινύμενοι κρέα τ' ἄσπετα καὶ μέθυ ἡδύ· 30
ἦμος δ' ἠέλιος κατέδυ καὶ ἐπὶ κνέφας ἦλθεν,
οἱ μὲν κοιμήσαντο παρὰ πρυμνήσια νηός,
ἡ δ' ἐμὲ χειρὸς ἑλοῦσα φίλων ἀπονόσφιν ἑταίρων
εἷσέ τε καὶ προσέλεκτο καὶ ἐξερέεινεν ἕκαστα·

Canto 12

"Depois que a nau deixou a corrente do Oceano,
atravessamos as ondas do mar de amplos percursos
até alcançar a ilha de Eeia, sítio da Aurora dos
dedos róseos, de danças e berço de Hélio. Ao
aportarmos firmamos o navio na areia. Baixamos   05
todos ao litoral em que se quebram as ondas.
Cerramos os olhos até nos despertar a Aurora.
Quando a luz auroral pintou o céu, enviei amigos
ao palácio de Circe com a incumbência de buscarem
o corpo de Elpenor, colhido pela morte. Com   10
troncos abatidos prestamos-lhe homenagens fúnebres
no promontório, com gemidos e lágrimas fartas. As
chamas devoraram o corpo e as armas do desastrado.
Erigimos-lhe um túmulo e levantamos uma estela.
Um remo ereto completou a homenagem. Cumprimos   15
os ritos à risca. Circe não ficou indiferente ao nosso
retorno do Hades. Procurou-nos ataviada. As servas
que a acompanhavam – eram duas – nos abasteceram
de pão, de fartas porções de carne e de vinho, rubro e
luzente. Tomando o centro, ouvimos-lhe a voz divina: 20
'Estupendo! Entrastes vivos no reino de Hades.
Sois bimortais, pois os outros lá entram uma vez só.
Ânimo, fartai-vos de carne e pão. Bebei o dia todo.
Partireis só amanhã quando a Aurora pintar o céu.
Eu vos ensinarei o caminho. Assinalarei cada etapa. 25
Quero que a viagem transcorra sem erros, sem
imprevistos. Evitarei sofrimentos no mar e na terra.'
Eu estava receptivo. As palavras dela calaram no meu
coração. O dia inteiro foi de festa até o sol declinar.
Saboreamos assados e regalamo-nos com bons vinhos.   30
O sol baixou. Veio o pretume da noite. Deixei meus
homens estendidos junto às amarras. Tomando-me
a mão, ela me afastou dos companheiros. Deitada
a meu lado, quis que lhe detalhasse a aventura. Não

αὐτὰρ ἐγὼ τῇ πάντα κατὰ μοῖραν κατέλεξα.   35
καὶ τότε δή μ' ἐπέεσσι προσηύδα πότνια Κίρκη·
"'ταῦτα μὲν οὕτω πάντα πεπείρανται, σὺ δ' ἄκουσον,
ὥς τοι ἐγὼν ἐρέω, μνήσει δέ σε καὶ θεὸς αὐτός.
Σειρῆνας μὲν πρῶτον ἀφίξεαι, αἵ ῥά τε πάντας
ἀνθρώπους θέλγουσιν, ὅτις σφεας εἰσαφίκηται.   40
ὅς τις ἀιδρείῃ πελάσῃ καὶ φθόγγον ἀκούσῃ
Σειρήνων, τῷ δ' οὔ τι γυνὴ καὶ νήπια τέκνα
οἴκαδε νοστήσαντι παρίσταται οὐδὲ γάνυνται,
ἀλλά τε Σειρῆνες λιγυρῇ θέλγουσιν ἀοιδῇ
ἥμεναι ἐν λειμῶνι, πολὺς δ' ἀμφ' ὀστεόφιν θὶς   45
ἀνδρῶν πυθομένων, περὶ δὲ ῥινοὶ μινύθουσι.
ἀλλὰ παρεξελάαν, ἐπὶ δ' οὔατ' ἀλεῖψαι ἑταίρων
κηρὸν δεψήσας μελιηδέα, μή τις ἀκούσῃ
τῶν ἄλλων· ἀτὰρ αὐτὸς ἀκουέμεν αἴ κ' ἐθέλῃσθα,
δησάντων σ' ἐν νηὶ θοῇ χεῖράς τε πόδας τε   50
ὀρθὸν ἐν ἱστοπέδῃ, ἐκ δ' αὐτοῦ πείρατ' ἀνήφθω,
ὄφρα κε τερπόμενος ὄπ' ἀκούσῃς Σειρήνοιιν.
εἰ δέ κε λίσσηαι ἑτάρους λῦσαί τε κελεύῃς,
οἱ δέ σ' ἔτι πλεόνεσσι τότ' ἐν δεσμοῖσι διδέντων.
αὐτὰρ ἐπὴν δὴ τάς γε παρὲξ ἐλάσωσιν ἑταῖροι,   55
ἔνθα τοι οὐκέτ' ἔπειτα διηνεκέως ἀγορεύσω,
ὁπποτέρη δή τοι ὁδὸς ἔσσεται, ἀλλὰ καὶ αὐτὸς
θυμῷ βουλεύειν· ἐρέω δέ τοι ἀμφοτέρωθεν.
ἔνθεν μὲν γὰρ πέτραι ἐπηρεφέες, προτὶ δ' αὐτὰς
κῦμα μέγα ῥοχθεῖ κυανώπιδος Ἀμφιτρίτης·   60
Πλαγκτὰς δή τοι τάς γε θεοὶ μάκαρες καλέουσι.
τῇ μέν τ' οὐδὲ ποτητὰ παρέρχεται οὐδὲ πέλειαι
τρήρωνες, ταί τ' ἀμβροσίην Διὶ πατρὶ φέρουσιν,
ἀλλά τε καὶ τῶν αἰὲν ἀφαιρεῖται λὶς πέτρη·
ἀλλ' ἄλλην ἐνίησι πατὴρ ἐναρίθμιον εἶναι.   65
τῇ δ' οὔ πώ τις νηῦς φύγεν ἀνδρῶν, ἥ τις ἵκηται,
ἀλλά θ' ὁμοῦ πίνακάς τε νεῶν καὶ σώματα φωτῶν
κύμαθ' ἁλὸς φορέουσι πυρός τ' ὀλοοῖο θύελλαι.
οἴη δὴ κείνη γε παρέπλω ποντοπόρος νηῦς,
Ἀργὼ πᾶσι μέλουσα, παρ' Αἰήταο πλέουσα.   70
καὶ νύ κε τὴν ἔνθ' ὦκα βάλεν μεγάλας ποτὶ πέτρας,

he ocultei nada. Ela acompanhou a sequência dos 35
fatos. Ouvi, então, as palavras senhoriais da deusa:
'Tudo isso chegou a um término feliz. Agora escuta.
Uma outra voz divina te gravará na mente o que vais
ouvir. Sereias serão tua primeira prova. Elas
Encantam todos os que porventura passam por elas. 40
Quem inadvertidamente se entregar ao canto
delas nunca mais retornará ao lar, nunca mais cairá
nos braços da mulher, não verá os pequerruchos
nunca mais. Elas enfeitiçam os que passam,
acomodadas num prado. Em torno, montes de 45
cadáveres em decomposição, peles presas a ossos.
Evita as rochas. Tampa com cera os ouvidos
dos teus companheiros para não caírem na
armadilha sonora. Se, entretanto, quiseres o
o mel do concerto delas, ordena que te amarrem 50
de pés e mãos ereto no mastro. Que o nó seja
duplo. Entrega-te, então, ao prazer de ouvi-las.
Se, por acaso, pedires que afrouxem as cordas,
ordena-lhes que as apertem ainda mais. Se
vencerdes incólumes esse obstáculo, não quero 55
relatar detalhes do que virá depois. Tu mesmo
deverás decidir qual das direções te convém.
Posso caracterizar-te as duas alternativas.
De um lado, rochas íngremes. Quebram-se ali
os vagalhões da Anfitrite[24] de cenho sombrio: 60
Planctas, Moventes, é o nome que os Supremos
lhes deram. Volátil algum transvoa essas pedras,
nem mesmo trêmulas pombas, portadoras de
ambrosia a Zeus Pai. A uma delas tritura sempre
a lisa pedra. O Pai envia outra para preservar 65
o número. Nave nunca jamais fugiu nenhuma.
Lá flutuam tábuas de naus, cadáveres de homens,
levados pelo sal das ondas, pelo fogo voraz dos
ventos. Só a uma nau transmarítima foi consentido
travessia, a decantada *Argo* ao voltar de Eetes. 70
Mesmo essa teria sido lançada contra o penedo,

ἀλλ' Ἥρη παρέπεμψεν, ἐπεὶ φίλος ἦεν Ἰήσων.
"'οἱ δὲ δύω σκόπελοι ὁ μὲν οὐρανὸν εὐρὺν ἱκάνει
ὀξείῃ κορυφῇ, νεφέλη δέ μιν ἀμφιβέβηκε
κυανέη· τὸ μὲν οὔ ποτ' ἐρωεῖ, οὐδέ ποτ' αἴθρη   75
κείνου ἔχει κορυφὴν οὔτ' ἐν θέρει οὔτ' ἐν ὀπώρῃ.
οὐδέ κεν ἀμβαίη βροτὸς ἀνὴρ οὐδ' ἐπιβαίη,
οὐδ' εἴ οἱ χεῖρές τε ἐείκοσι καὶ πόδες εἶεν·
πέτρη γὰρ λίς ἐστι, περιξεστῇ ἐϊκυῖα.
μέσσῳ δ' ἐν σκοπέλῳ ἔστι σπέος ἠεροειδές,   80
πρὸς ζόφον εἰς Ἔρεβος τετραμμένον, ᾗ περ ἂν ὑμεῖς
νῆα παρὰ γλαφυρὴν ἰθύνετε, φαίδιμ' Ὀδυσσεῦ.
οὐδέ κεν ἐκ νηὸς γλαφυρῆς αἰζήιος ἀνὴρ
τόξῳ ὀϊστεύσας κοῖλον σπέος εἰσαφίκοιτο.
ἔνθα δ' ἐνὶ Σκύλλη ναίει δεινὸν λελακυῖα.   85
τῆς ἦ τοι φωνὴ μὲν ὅση σκύλακος νεογιλῆς
γίγνεται, αὐτὴ δ' αὖτε πέλωρ κακόν· οὐδέ κέ τίς μιν
γηθήσειεν ἰδών, οὐδ' εἰ θεὸς ἀντιάσειεν.
τῆς ἦ τοι πόδες εἰσὶ δυώδεκα πάντες ἄωροι,
ἓξ δέ τέ οἱ δειραὶ περιμήκεες, ἐν δὲ ἑκάστῃ   90
σμερδαλέη κεφαλή, ἐν δὲ τρίστοιχοι ὀδόντες
πυκνοὶ καὶ θαμέες, πλεῖοι μέλανος θανάτοιο.
μέσση μέν τε κατὰ σπείους κοίλοιο δέδυκεν,
ἔξω δ' ἐξίσχει κεφαλὰς δεινοῖο βερέθρου,
αὐτοῦ δ' ἰχθυάᾳ, σκόπελον περιμαιμώωσα,   95
δελφῖνάς τε κύνας τε, καὶ εἴ ποθι μεῖζον ἕλῃσι
κῆτος, ἃ μυρία βόσκει ἀγάστονος Ἀμφιτρίτη.
τῇ δ' οὔ πώ ποτε ναῦται ἀκήριοι εὐχετόωνται
παρφυγέειν σὺν νηΐ· φέρει δέ τε κρατὶ ἑκάστῳ
φῶτ' ἐξαρπάξασα νεὸς κυανοπρῴροιο.   100
"'τὸν δ' ἕτερον σκόπελον χθαμαλώτερον ὄψει, Ὀδυσσεῦ.
πλησίον ἀλλήλων· καί κεν διοϊστεύσειας.
τῷ δ' ἐν ἐρινεός ἐστι μέγας, φύλλοισι τεθηλώς·
τῷ δ' ὑπὸ δῖα Χάρυβδις ἀναρροιβδεῖ μέλαν ὕδωρ.
τρὶς μὲν γάρ τ' ἀνίησιν ἐπ' ἤματι, τρὶς δ' ἀναροιβδεῖ   105
δεινόν· μὴ σύ γε κεῖθι τύχοις, ὅτε ῥοιβδήσειεν·
οὐ γάρ κεν ῥύσαιτό σ' ὑπὲκ κακοῦ οὐδ' ἐνοσίχθων.
ἀλλὰ μάλα Σκύλλης σκοπέλῳ πεπλημένος ὦκα

não fosse Jasão tão caro a Hera. Mais adiante,
erguem-se dois alcantis. A ponta de um penetra
no cerúleo mar celeste. Uma nuvem negra o coroa
sempre. Não esboroa. Nunca a claridade ilumina 75
o pico, nem no outono, no verão tampouco.
Mortal algum o escalaria, nem se manteria no topo.
Vinte pés e vinte mãos lhe valeriam bem pouco.
Tão lisa é a rocha que parece lavrada. Abre-se
no meio da rocha uma caverna sombria, voltada 80
ao Ocidente, para o Érebo. Convém que navegues
precisamente nessa direção, iluminado Odisseu.
Atirador algum, por robusto que seja, se alvejar
a caverna desde a nau bojuda, poderá alcançá-la.
Essa é a morada de Cila, a terrível ladradora. Late 85
lá dentro ao jeito de uma cadelinha recém-nascida;
trata-se, entretanto, de um mostro devastador,
ninguém gostaria de vê-la, nem mesmo um deus.
Dotada de doze pés, disformes todos, ostenta
seis pescoços exageradamente longos. Cada um 90
acaba numa cabeça assustadora. A bocarra com
dentuça tríplice de compactos e sólidos dentes
é ninho da morte. Metade do corpo some no fundo
do antro, mas as cabeçorras avançam, aterradoras.
Explorando o rochedo, caça delfins, lobos-marinhos. 95
Abocanha, por vezes, monstros encorpados, desses
que Anfitrite produz aos milhares. Nauta nenhum
se vangloria de evasão sem prejuízo. De cada navio
que passa o monstro arrebata seis marinheiros.
Esse é o preço pago pelos navios de enegrecida proa. 100
Verás, Odisseu, outro escolho, mais raso. Entre um
e outro, a distância é pouca. Uma seta a vence. Lá se
ergue uma figueira robusta de luxuriante folhagem.
Ao sopé do rochedo, a água negra desce pela goela
de Caribde. Três vezes ao dia, ela a expele para 105
reabsorvê-la fragorosamente depois. Não estejas por
lá na sucção. Ninguém te salvaria, nem mesmo o
Abala-Terra. Navega, portanto, perto do escolho de

νῆα παρὲξ ἐλάαν, ἐπεὶ ἦ πολὺ φέρτερόν ἐστιν
ἓξ ἑτάρους ἐν νηὶ ποθήμεναι ἢ ἅμα πάντας.' 110
"ὣς ἔφατ', αὐτὰρ ἐγώ μιν ἀμειβόμενος προσέειπον·
εἰ δ' ἄγε δή μοι τοῦτο, θεά, νημερτὲς ἐνίσπες,
εἴ πως τὴν ὀλοὴν μὲν ὑπεκπροφύγοιμι Χάρυβδιν,
τὴν δέ κ' ἀμυναίμην, ὅτε μοι σίνοιτό γ' ἑτάρους.'
"ὣς ἐφάμην, ἡ δ' αὐτίκ' ἀμείβετο δῖα θεάων· 115
'σχέτλιε, καὶ δὴ αὖ τοι πολεμήια ἔργα μέμηλε
καὶ πόνος· οὐδὲ θεοῖσιν ὑπείξεαι ἀθανάτοισιν;
ἡ δέ τοι οὐ θνητή, ἀλλ' ἀθάνατον κακόν ἐστι,
δεινόν τ' ἀργαλέον τε καὶ ἄγριον οὐδὲ μαχητόν·
οὐδέ τις ἔστ' ἀλκή· φυγέειν κάρτιστον ἀπ' αὐτῆς. 120
ἢν γὰρ δηθύνησθα κορυσσόμενος παρὰ πέτρῃ,
δείδω, μή σ' ἐξαῦτις ἐφορμηθεῖσα κίχησι
τόσσῃσιν κεφαλῇσι, τόσους δ' ἐκ φῶτας ἕληται.
ἀλλὰ μάλα σφοδρῶς ἐλάαν, βωστρεῖν δὲ Κράταιιν,
μητέρα τῆς Σκύλλης, ἥ μιν τέκε πῆμα βροτοῖσιν· 125
ἥ μιν ἔπειτ' ἀποπαύσει ἐς ὕστερον ὁρμηθῆναι.
"Θρινακίην δ' ἐς νῆσον ἀφίξεαι· ἔνθα δὲ πολλαὶ
βόσκοντ' Ἡελίοιο βόες καὶ ἴφια μῆλα,
ἑπτὰ βοῶν ἀγέλαι, τόσα δ' οἰῶν πώεα καλά,
πεντήκοντα δ' ἕκαστα. γόνος δ' οὐ γίγνεται αὐτῶν, 130
οὐδέ ποτε φθινύθουσι. θεαὶ δ' ἐπιποιμένες εἰσίν,
νύμφαι ἐυπλόκαμοι, Φαέθουσά τε Λαμπετίη τε,
ἃς τέκεν Ἠελίῳ Ὑπερίονι δῖα Νέαιρα.
τὰς μὲν ἄρα θρέψασα τεκοῦσά τε πότνια μήτηρ
Θρινακίην ἐς νῆσον ἀπῴκισε τηλόθι ναίειν, 135
μῆλα φυλασσέμεναι πατρώια καὶ ἕλικας βοῦς.
τὰς εἰ μέν κ' ἀσινέας ἐάᾳς νόστου τε μέδηαι,
ἦ τ' ἂν ἔτ' εἰς Ἰθάκην κακά περ πάσχοντες ἵκοισθε·
εἰ δέ κε σίνηαι, τότε τοι τεκμαίρομ' ὄλεθρον,
νηί τε καὶ ἑτάροις· αὐτὸς δ' εἴ πέρ κεν ἀλύξῃς, 140
ὀψὲ κακῶς νεῖαι, ὀλέσας ἄπο πάντας ἑταίρους.'

"ὣς ἔφατ', αὐτίκα δὲ χρυσόθρονος ἤλυθεν Ἠώς.
ἡ μὲν ἔπειτ' ἀνὰ νῆσον ἀπέστιχε δῖα θεάων·

ila sem hesitar. Te é mais vantajoso deplorar
sumiço de seis companheiros do que perder todos.' 110
Reagi assombrado: 'Minha Deusa, estou transtornado.
Responde-me com franqueza. Digamos que consiga
escapar da devastadora Caribde. Poderia eu atacar a
outra quando ela tentasse molestar meus remeiros?'
A resposta não demorou e foi certeira: 'Estás louco? 115
Não há nada em tua cabeça além de ações bélicas?
Queres sangue? Não recuas nem diante de deuses,
te imortais? Cila não morre. Pertence às calamidades
indestrutíveis: é cruel, é assombrosa, é selvagem.
Não há solução. Fugir dela é o melhor remédio. Se 120
perderes tempo diante da rocha para te armar, temo
por ti. As cabeças de Caribde poderiam voltar em
número igual para arrebatar mais seis homens teus.
Passar por ela é o mais sensato. Invoca Crateis, a mãe
de Cila. Foi ela que a gerou para flagelar os mortais. 125
Só ela poderá impedir novo ataque. Chegarás depois
a Trinácia, uma ilha. Verás campos em que pastam
vacas e ovelhas sadias em quantidade: sete rebanhos
de bois e outros sete de ovelhas. Belo espetáculo!
Cinquenta cabeças em cada rebanho. Nunca procriam 130
nem perecem. Os rebanhos são pastoreados por
ninfas de cabelo bem-arrumado, Faetusa e Lampécia,
filhas da divina Neera e de Hélio Hipérion. A
divina mãe não só as gerou como também as educou.
Levou-as então para a distante ilha de Trinácia. É aí 135
que elas moram com o encargo de guardar as ovelhas
e as moventes vacas do pai. Se não lhes fizeres mal
e cuidares só do regresso, as provações te levarão a
Ítaca. Mas se as molestares, prevejo ruína para tua
nau e para os teus. Poderás escapar, embora teu 140
regresso seja retardado e percas teus companheiros.'

"A Aurora, em trono de ouro, amanheceu na fala de
Circe. Enquanto a deusa entre deusas se distanciava

αὐτὰρ ἐγὼν ἐπὶ νῆα κιὼν ὤτρυνον ἑταίρους
αὐτούς τ' ἀμβαίνειν ἀνά τε πρυμνήσια λῦσαι· 145
οἱ δ' αἶψ' εἴσβαινον καὶ ἐπὶ κληῖσι καθῖζον.
ἑξῆς δ' ἑζόμενοι πολιὴν ἅλα τύπτον ἐρετμοῖς.
ἡμῖν δ' αὖ κατόπισθε νεὸς κυανοπρώροιο
ἴκμενον οὖρον ἵει πλησίστιον, ἐσθλὸν ἑταῖρον,
Κίρκη ἐυπλόκαμος, δεινὴ θεὸς αὐδήεσσα. 150
αὐτίκα δ' ὅπλα ἕκαστα πονησάμενοι κατὰ νῆα
ἥμεθα· τὴν δ' ἄνεμός τε κυβερνήτης τ' ἴθυνε.
"δὴ τότ' ἐγὼν ἑτάροισι μετηύδων ἀχνύμενος κῆρ·
'ὦ φίλοι, οὐ γὰρ χρὴ ἕνα ἴδμεναι οὐδὲ δύ' οἴους
θέσφαθ' ἅ μοι Κίρκη μυθήσατο, δῖα θεάων· 155
ἀλλ' ἐρέω μὲν ἐγών, ἵνα εἰδότες ἤ κε θάνωμεν
ἤ κεν ἀλευάμενοι θάνατον καὶ κῆρα φύγοιμεν.
Σειρήνων μὲν πρῶτον ἀνώγει θεσπεσιάων
φθόγγον ἀλεύασθαι καὶ λειμῶν' ἀνθεμόεντα.
οἶον ἔμ' ἠνώγει ὄπ' ἀκουέμεν· ἀλλά με δεσμῷ 160
δήσατ' ἐν ἀργαλέῳ, ὄφρ' ἔμπεδον αὐτόθι μίμνω,
ὀρθὸν ἐν ἱστοπέδῃ, ἐκ δ' αὐτοῦ πείρατ' ἀνήφθω.
εἰ δέ κε λίσσωμαι ὑμέας λῦσαί τε κελεύω,
ὑμεῖς δὲ πλεόνεσσι τότ' ἐν δεσμοῖσι πιέζειν.'
"ἦ τοι ἐγὼ τὰ ἕκαστα λέγων ἑτάροισι πίφαυσκον· 165
τόφρα δὲ καρπαλίμως ἐξίκετο νηῦς ἐυεργὴς
νῆσον Σειρήνοιιν· ἔπειγε γὰρ οὖρος ἀπήμων.
αὐτίκ' ἔπειτ' ἄνεμος μὲν ἐπαύσατο ἠδὲ γαλήνη
ἔπλετο νηνεμίη, κοίμησε δὲ κύματα δαίμων.
ἀνστάντες δ' ἕταροι νεὸς ἱστία μηρύσαντο 170
καὶ τὰ μὲν ἐν νηὶ γλαφυρῇ θέσαν, οἱ δ' ἐπ' ἐρετμὰ
ἑζόμενοι λεύκαινον ὕδωρ ξεστῇς ἐλάτῃσιν.
αὐτὰρ ἐγὼ κηροῖο μέγαν τροχὸν ὀξέι χαλκῷ
τυτθὰ διατμήξας χερσὶ στιβαρῇσι πίεζον·
αἶψα δ' ἰαίνετο κηρός, ἐπεὶ κέλετο μεγάλη ἲς 175
Ἠελίου τ' αὐγὴ Ὑπεριονίδαο ἄνακτος·
ἑξείης δ' ἑτάροισιν ἐπ' οὔατα πᾶσιν ἄλειψα.
οἱ δ' ἐν νηί μ' ἔδησαν ὁμοῦ χεῖράς τε πόδας τε
ὀρθὸν ἐν ἱστοπέδῃ, ἐκ δ' αὐτοῦ πείρατ' ἀνῆπτον·
αὐτοὶ δ' ἑζόμενοι πολιὴν ἅλα τύπτον ἐρετμοῖς. 180

ha acima, aproximei-me dos companheiros com
ordens de embarque. Soltassem os cabos. Executada 145
ordem num piscar de olhos, ocuparam seus lugares
os bancos. Os remos bateram ordenados no sal
cinza do mar. O sopro leve de Circe, a misteriosa
cantora dos cabelos agitados, vindo de trás,
infunava as velas. A proa negra da nave cortava as 150
ondas. Os trabalhos com os apetrechos da nau
enchiam as horas. Sentados, observamos o piloto e
o vento dirigirem o barco. De coração pesado,
dirijo-me aos meus: 'Amigos, não é segredo para
um ou para dois o que a divina Circe, intérprete 155
da voz celeste, me confiou. Revelarei o que nos
espera. Podemos morrer ou escapar incólumes.
Atenção aos perigos! Evitar a voz arrebatadora
das Sereias e os campos floridos em que moram é
a primeira providência. Só a mim está reservado 160
ouvir o canto. Amarrai-me firmemente. Não
deverei arredar o pé. Estarei ereto junto ao mastro.
Atem-me com laços apertados. Se eu rogar que
me soltem, a tarefa de vocês será redobrar o nó.'
Expliquei tudo, tintim por tintim. 165
Sem tardar nossa bem-talhada nau atingiu a ilha
das Sereias, impelida por propícia brisa. Súbito
serenou o vento. Serena imperou a calmaria.
Sono divino baixou sobre ondas exaustas. Meus
homens atentos recolhem ao porão as inválidas 170
velas. Retornam ordeiros ao renque de remos.
Salta a espuma aos golpes do liso abeto.
A bronze talho em porções um disco de cera.
Meus braços possantes amassam pedaços.
Ao calor escaldante de Hélio imperial amolecem 175
as partes partidas da cera. Tapo em tempo os
tímpanos de todos no barco. De pé me atam
os membros no mastro. Reforçam os nós nas
pontas de possantes calabres. Retornados aos
remos, remeiros ferem o cinza das ondas. 180

ἀλλ' ὅτε τόσσον ἀπῆμεν ὅσον τε γέγωνε βοήσας,
ῥίμφα διώκοντες, τὰς δ' οὐ λάθεν ὠκύαλος νηῦς
ἐγγύθεν ὀρνυμένη, λιγυρὴν δ' ἔντυνον ἀοιδήν:
"'δεῦρ' ἄγ' ἰών, πολύαιν' Ὀδυσεῦ, μέγα κῦδος Ἀχαιῶν,
νῆα κατάστησον, ἵνα νωιτέρην ὄπ ἀκούσῃς.   185
οὐ γάρ πώ τις τῇδε παρήλασε νηὶ μελαίνῃ,
πρίν γ' ἡμέων μελίγηρυν ἀπὸ στομάτων ὄπ' ἀκοῦσαι,
ἀλλ' ὅ γε τερψάμενος νεῖται καὶ πλείονα εἰδώς.
ἴδμεν γάρ τοι πάνθ' ὅσ' ἐνὶ Τροίῃ εὐρείῃ
Ἀργεῖοι Τρῶές τε θεῶν ἰότητι μόγησαν,   190
ἴδμεν δ', ὅσσα γένηται ἐπὶ χθονὶ πουλυβοτείρῃ.'
"ὣς φάσαν ἱεῖσαι ὄπα κάλλιμον: αὐτὰρ ἐμὸν κῆρ
ἤθελ' ἀκουέμεναι, λῦσαί τ' ἐκέλευον ἑταίρους
ὀφρύσι νευστάζων: οἱ δὲ προπεσόντες ἔρεσσον.
αὐτίκα δ' ἀνστάντες Περιμήδης Εὐρύλοχός τε   195
πλείοσί μ' ἐν δεσμοῖσι δέον μᾶλλόν τε πίεζον.
αὐτὰρ ἐπεὶ δὴ τάς γε παρήλασαν, οὐδ' ἔτ' ἔπειτα
φθογγῆς Σειρήνων ἠκούομεν οὐδέ τ' ἀοιδῆς,
αἶψ' ἀπὸ κηρὸν ἕλοντο ἐμοὶ ἐρίηρες ἑταῖροι,
ὅν σφιν ἐπ' ὠσὶν ἄλειψ', ἐμέ τ' ἐκ δεσμῶν ἀνέλυσαν.   200

"ἀλλ' ὅτε δὴ τὴν νῆσον ἐλείπομεν, αὐτίκ' ἔπειτα
καπνὸν καὶ μέγα κῦμα ἴδον καὶ δοῦπον ἄκουσα.
τῶν δ' ἄρα δεισάντων ἐκ χειρῶν ἔπτατ' ἐρετμά,
βόμβησαν δ' ἄρα πάντα κατὰ ῥόον: ἔσχετο δ' αὐτοῦ
νηῦς, ἐπεὶ οὐκέτ' ἐρετμὰ προήκεα χερσὶν ἔπειγον.   205
αὐτὰρ ἐγὼ διὰ νηὸς ἰὼν ὤτρυνον ἑταίρους
μειλιχίοις ἐπέεσσι παρασταδὸν ἄνδρα ἕκαστον:
"'ὦ φίλοι, οὐ γάρ πώ τι κακῶν ἀδαήμονές εἰμεν:
οὐ μὲν δὴ τόδε μεῖζον ἔπει κακόν, ἢ ὅτε Κύκλωψ
εἴλει ἐνὶ σπῆι γλαφυρῷ κρατερῆφι βίηφιν: 210
ἀλλὰ καὶ ἔνθεν ἐμῇ ἀρετῇ, βουλῇ τε νόῳ τε,
ἐκφύγομεν, καί που τῶνδε μνήσεσθαι ὀίω.
νῦν δ' ἄγεθ', ὡς ἂν ἐγὼ εἴπω, πειθώμεθα πάντες.
ὑμεῖς μὲν κώπῃσιν ἁλὸς ῥηγμῖνα βαθεῖαν
τύπτετε κληίδεσσιν ἐφήμενοι, αἴ κέ ποθι Ζεὺς   215

Distantes da praia não mais que o embate do
berro, não ignoram as Sereias a nau que decidida
singra tão perto. Entoam, então, doce canção:
'Pra perto, preclaro Odisseu, pra perto, brilhante
aqueu, nosso hino delicie de perto o teu coração. 185
Todos nos ouvem. É a regra. Sem nos
ouvir ninguém passou aqui em nau negra.
Com nosso saber prossegue mais pleno. Do que
se passou nos campos de Troia sabemos tudo
por divino favor, os padecimentos de troianos 190
e argivos, mais o ocorrido na prolífera terra.'
Versos tais nadavam no ar. Meu coração insaciável
pedia mais. Quero que os companheiros afrouxem
as cordas. Com o cenho aceno. Porém mais
rápidos movem-se os remos. Surgem Perimedes 195
e Euríloco. Arrocham e dobram os nós. Os braços
aderem mais firmes ao mastro. Os remos batem
firmes e levam a nave pra longe. Os tons mortíferos
tombaram, silenciaram remotos. Meus caros
remeiros removem a cera dos ouvidos e me soltam. 200

"A nau, deixando longe a ilha, rasga o pretume da
névoa. Eleva-se a meus olhos a onda. O estampido!
Das mãos temerosas escapam os remos. Vagamos
desgovernados. Ruge o mar. Desamparada de
braços potentes, rola a nau à deriva. Percorro a 205
nave, conforto os camaradas. Abordo um
por um com palavras serenas: 'Caríssimos,
experimentados somos em toda sorte de males.
Este não é maior que o da caverna. Prisioneiros
éramos, então, de ciclópica, desumana força. 210
Meu valor, meu conselho, minha inteligência
garantiram a fuga. Estão lembrados? Atenção
ao que digo! Quero a obediência de todos. A
postos! Decididos penetrem os remos nos fortes
vagalhões. Escapar deste flagelo depende só da 215

δώῃ τόνδε γ' ὄλεθρον ὑπεκφυγέειν καὶ ἀλύξαι·
σοὶ δέ, κυβερνῆθ', ὧδ' ἐπιτέλλομαι· ἀλλ' ἐνὶ θυμῷ
βάλλευ, ἐπεὶ νηὸς γλαφυρῆς οἰήια νωμᾷς.
τούτου μὲν καπνοῦ καὶ κύματος ἐκτὸς ἔεργε
νῆα, σὺ δὲ σκοπέλου ἐπιμαίεο, μή σε λάθῃσι   220
κεῖσ' ἐξορμήσασα καὶ ἐς κακὸν ἄμμε βάλησθα.'
"ὣς ἐφάμην, οἱ δ' ὦκα ἐμοῖς ἐπέεσσι πίθοντο.
Σκύλλην δ' οὐκέτ' ἐμυθεόμην, ἄπρηκτον ἀνίην,
μή πώς μοι δείσαντες ἀπολλήξειαν ἑταῖροι
εἰρεσίης, ἐντὸς δὲ πυκάζοιεν σφέας αὐτούς.   225
καὶ τότε δὴ Κίρκης μὲν ἐφημοσύνης ἀλεγεινῆς
λανθανόμην, ἐπεὶ οὔ τί μ' ἀνώγει θωρήσσεσθαι·
αὐτὰρ ἐγὼ καταδὺς κλυτὰ τεύχεα καὶ δύο δοῦρε
μάκρ' ἐν χερσὶν ἑλὼν εἰς ἴκρια νηὸς ἔβαινον
πρώρης· ἔνθεν γάρ μιν ἐδέγμην πρῶτα φανεῖσθαι   230
Σκύλλην πετραίην, ἥ μοι φέρε πῆμ' ἑτάροισιν.
οὐδέ πη ἀθρῆσαι δυνάμην, ἔκαμον δέ μοι ὄσσε
πάντῃ παπταίνοντι πρὸς ἠεροειδέα πέτρην.
"ἡμεῖς μὲν στεινωπὸν ἀνεπλέομεν γοόωντες·
ἔνθεν μὲν Σκύλλη, ἑτέρωθι δὲ δῖα Χάρυβδις   235
δεινὸν ἀνερροίβδησε θαλάσσης ἁλμυρὸν ὕδωρ.
ἦ τοι ὅτ' ἐξεμέσειε, λέβης ὣς ἐν πυρὶ πολλῷ
πᾶσ' ἀναμορμύρεσκε κυκωμένη, ὑψόσε δ' ἄχνη
ἄκροισι σκοπέλοισιν ἐπ' ἀμφοτέροισιν ἔπιπτεν·
ἀλλ' ὅτ' ἀναβρόξειε θαλάσσης ἁλμυρὸν ὕδωρ,   240
πᾶσ' ἔντοσθε φάνεσκε κυκωμένη, ἀμφὶ δὲ πέτρη
δεινὸν ἐβεβρύχει, ὑπένερθε δὲ γαῖα φάνεσκε
ψάμμῳ κυανέη· τοὺς δὲ χλωρὸν δέος ᾕρει.
ἡμεῖς μὲν πρὸς τὴν ἴδομεν δείσαντες ὄλεθρον·
τόφρα δέ μοι Σκύλλη γλαφυρῆς ἐκ νηὸς ἑταίρους   245
ἓξ ἕλεθ', οἳ χερσίν τε βίηφί τε φέρτατοι ἦσαν.
σκεψάμενος δ' ἐς νῆα θοὴν ἅμα καὶ μεθ' ἑταίρους
ἤδη τῶν ἐνόησα πόδας καὶ χεῖρας ὕπερθεν
ὑψόσ' ἀειρομένων· ἐμὲ δὲ φθέγγοντο καλεῦντες
ἐξονομακλήδην, τότε γ' ὕστατον, ἀχνύμενοι κῆρ.   250
ὡς δ' ὅτ' ἐπὶ προβόλῳ ἁλιεὺς περιμήκεϊ ῥάβδῳ
ἰχθύσι τοῖς ὀλίγοισι δόλον κατὰ εἴδατα βάλλων

soberana vontade de Zeus. Dele virá salvação.
Tu, meu piloto, guarda no peito as ordens que
determinado transmito. O norte da nau está em
tuas mãos. Afasta o navio daquela cerração e
daquelas vagas. Não tires o olho do escolho 220
fronteiro. Uma falha tua será fatal para todos.'
Todos aderiram ao vigor da minha palavra. Não
lhes falei de Cila, da cilada inelutável. O medo
lhes afrouxaria os braços. Quem moveria os
remos? Se uns esbarram nos outros, ai de nós! 225
Escapou-me a constrangedora recomendação
de Circe, de que eu não me armasse. Contra
suas palavras, vesti a couraça, orgulho meu,
empunhei duas lanças, das longas, postei-me
na torre da proa. De lá eu poderia observar a Cila 230
dos rochedos, ruína dos meus companheiros.
Mas ela não aparecia. Meus olhos cansaram de
procurá-la escrupulosamente no tenebroso rochedo.
Angustiados, navegamos ao longo do estreito:
de um lado, Cila; do outro, Caribde, a terrível, a 235
que chupava a água salgada do mar. Ao vomitá-la,
ferve a água como num caldeirão aquecido pelas
chamas. A espuma salta ao pico dos escolhos e
chove esbranquiçada sobre eles. Quando Caribde
absorve a salgada água-marinha, turbilhona 240
toda para dentro de si mesma. Rouca ronca a
rocha. Ao sopé, eleva-se o dorso da terra, negreja
a areia. O pavor empalidece meus homens.
Temendo o fim, não tiramos os olhos dela. Descem,
entrementes, as cabeças de Cila dos rochedos e 245
arrebatam seis, excepcionais no vigor e nos braços.
Quando volto a inspecionar meu barco e meus
homens, percebo braços e pernas que se agitam
no ar. Gritavam por mim. Chamavam-me pelo
nome. Pela última vez! Doía-me o coração. 250
Ocorreu-me o pescador postado em alto rochedo.
O caniço pende longo, isca dolosa atrai os peixes.

ἐς πόντον προίησι βοὸς κέρας ἀγραύλοιο,
ἀσπαίροντα δ' ἔπειτα λαβὼν ἔρριψε θύραζε,
ὣς οἵ γ' ἀσπαίροντες ἀείροντο προτὶ πέτρας·   255
αὐτοῦ δ' εἰνὶ θύρῃσι κατήσθιε κεκληγῶτας
χεῖρας ἐμοὶ ὀρέγοντας ἐν αἰνῇ δηϊοτῆτι·
οἴκτιστον δὴ κεῖνο ἐμοῖς ἴδον ὀφθαλμοῖσι
πάντων, ὅσσ' ἐμόγησα πόρους ἁλὸς ἐξερεείνων.

"αὐτὰρ ἐπεὶ πέτρας φύγομεν δεινήν τε Χάρυβδιν   260
Σκύλλην τ', αὐτίκ' ἔπειτα θεοῦ ἐς ἀμύμονα νῆσον
ἱκόμεθ'· ἔνθα δ' ἔσαν καλαὶ βόες εὐρυμέτωποι,
πολλὰ δὲ ἴφια μῆλ' Ὑπερίονος Ἠελίοιο.
δὴ τότ' ἐγὼν ἔτι πόντῳ ἐὼν ἐν νηὶ μελαίνῃ
μυκηθμοῦ τ' ἤκουσα βοῶν αὐλιζομενάων   265
οἰῶν τε βληχήν· καί μοι ἔπος ἔμπεσε θυμῷ
μάντηος ἀλαοῦ, Θηβαίου Τειρεσίαο,
Κίρκης τ' Αἰαίης, ἥ μοι μάλα πόλλ' ἐπέτελλε
νῆσον ἀλεύασθαι τερψιμβρότου Ἠελίοιο.
δὴ τότ' ἐγὼν ἑτάροισι μετηύδων ἀχνύμενος κῆρ·   270
"'κέκλυτέ μευ μύθων κακά περ πάσχοντες ἑταῖροι,
ὄφρ' ὑμῖν εἴπω μαντήια Τειρεσίαο
Κίρκης τ' Αἰαίης, ἥ μοι μάλα πόλλ' ἐπέτελλε
νῆσον ἀλεύασθαι τερψιμβρότου Ἠελίοιο·
ἔνθα γὰρ αἰνότατον κακὸν ἔμμεναι ἄμμιν ἔφασκεν.   275
ἀλλὰ παρὲξ τὴν νῆσον ἐλαύνετε νῆα μέλαιναν.'
"ὣς ἐφάμην, τοῖσιν δὲ κατεκλάσθη φίλον ἦτορ.
αὐτίκα δ' Εὐρύλοχος στυγερῷ μ' ἠμείβετο μύθῳ·
"'σχέτλιός εἰς, Ὀδυσεῦ· περί τοι μένος, οὐδέ τι γυῖα
κάμνεις· ἦ ῥά νυ σοί γε σιδήρεα πάντα τέτυκται,   280
ὅς ῥ' ἑτάρους καμάτῳ ἀδηκότας ἠδὲ καὶ ὕπνῳ
οὐκ ἐάᾳς γαίης ἐπιβήμεναι, ἔνθα κεν αὖτε
νήσῳ ἐν ἀμφιρύτῃ λαρὸν τετυκοίμεθα δόρπον,
ἀλλ' αὔτως διὰ νύκτα θοὴν ἀλάλησθαι ἄνωγας
νήσου ἀποπλαγχθέντας ἐν ἠεροειδέι πόντῳ.   285
ἐκ νυκτῶν δ' ἄνεμοι χαλεποί, δηλήματα νηῶν,
γίγνονται· πῇ κέν τις ὑπεκφύγοι αἰπὺν ὄλεθρον,

Desce, então, o chifre do boi campestre para
apanhá-los, sobem palpitantes para o alto. Vi assim
a sorte dos meus ao espernearem rumo à pedra. 255
O monstro devorou-os na entrada. Berravam
de mãos estendidas para mim na batalha inglória.
De tudo quanto meus olhos viram nos caminhos
salgados, espetáculo nenhum superou esse.

"Escapamos, por fim, das rochas, de Caribde e de 260
Cila. Chegamos, então, a uma ilha divina. Era
maravilhosa. Bois esplêndidos pastavam. As testas
eram largas. Ovelhas robustas. Eram os rebanhos
de Hélio Hipérion. Mesmo da nau, ouvíamos o mu
dos bois nas mangueiras e o mé das ovelhas. 265
Veio-me à mente a palavra do vidente cego,
o tebano Tirésias e a que ouvi de Circe em Eeia.
A advertência me vinha de ambos, que eu deveria
evitar a ilha de Hélio, alegria dos mortais.
Custou-me muito, mas eu tive que falar aos meus: 270
'Vocês sofreram muito, meus caros, mas tenho
uma palavra a lhes dizer. São agouros de Tirésias
e da Circe de Eeia. Foram enfáticos. Que não me
aproximasse da ilha de Hélio, alegria dos mortais.
Advertiram que um mal iminente nos espreitava. 275
Afastemo-nos deste lugar. É para nosso bem.'
Minhas palavras arrebentaram-lhes o coração.
Euríloco enfrentou-me com objeções severas:
'Crueldade tua, Odisseu! És duro. Nunca te vi
cansado. És um monumento de ferro maciço. 280
O cansaço consome teus companheiros, Odisseu,
e tu não nos deixas dormir. Não queres que
desembarquemos. A ilha nos seduz com delícias.
Ordenas que atravessemos a noite famintos?
Queres ver-nos no mar sombrio, longe da terra? 285
Da noite nascem ventos assassinos, mortíferos
para embarcações. Como escapar da ruína? De

ἤν πως ἐξαπίνης ἔλθῃ ἀνέμοιο θύελλα,
ἢ Νότου ἢ Ζεφύροιο δυσαέος, οἵ τε μάλιστα
νῆα διαρραίουσι θεῶν ἀέκητι ἀνάκτων. 290
ἀλλ' ἤ τοι νῦν μὲν πειθώμεθα νυκτὶ μελαίνῃ
δόρπον θ' ὁπλισόμεσθα θοῇ παρὰ νηὶ μένοντες,
ἠῶθεν δ' ἀναβάντες ἐνήσομεν εὐρέι πόντῳ.'
"ὣς ἔφατ' Εὐρύλοχος, ἐπὶ δ' ᾔνεον ἄλλοι ἑταῖροι.
καὶ τότε δὴ γίγνωσκον ὃ δὴ κακὰ μήδετο δαίμων, 295
καί μιν φωνήσας ἔπεα πτερόεντα προσηύδων:
"Εὐρύλοχ', ἦ μάλα δή με βιάζετε μοῦνον ἐόντα.
ἀλλ' ἄγε νῦν μοι πάντες ὀμόσσατε καρτερὸν ὅρκον:
εἴ κέ τιν' ἠὲ βοῶν ἀγέλην ἢ πῶυ μέγ' οἰῶν
εὕρωμεν, μή πού τις ἀτασθαλίῃσι κακῇσιν 300
ἢ βοῦν ἠέ τι μῆλον ἀποκτάνῃ: ἀλλὰ ἕκηλοι
ἐσθίετε βρώμην, τὴν ἀθανάτη πόρε Κίρκη.'
"ὣς ἐφάμην, οἱ δ' αὐτίκ' ἀπώμνυον, ὡς ἐκέλευον.
αὐτὰρ ἐπεί ῥ' ὄμοσάν τε τελεύτησάν τε τὸν ὅρκον,
στήσαμεν ἐν λιμένι γλαφυρῷ ἐυεργέα νῆα 305
ἄγχ' ὕδατος γλυκεροῖο, καὶ ἐξαπέβησαν ἑταῖροι
νηός, ἔπειτα δὲ δόρπον ἐπισταμένως τετύκοντο.
αὐτὰρ ἐπεὶ πόσιος καὶ ἐδητύος ἐξ ἔρον ἕντο,
μνησάμενοι δὴ ἔπειτα φίλους ἔκλαιον ἑταίρους,
οὓς ἔφαγε Σκύλλη γλαφυρῆς ἐκ νηὸς ἑλοῦσα: 310
κλαιόντεσσι δὲ τοῖσιν ἐπήλυθε νήδυμος ὕπνος.
ἦμος δὲ τρίχα νυκτὸς ἔην, μετὰ δ' ἄστρα βεβήκει,
ὦρσεν ἔπι ζαῆν ἄνεμον νεφεληγερέτα Ζεὺς
λαίλαπι θεσπεσίῃ, σὺν δὲ νεφέεσσι κάλυψε
γαῖαν ὁμοῦ καὶ πόντον: ὀρώρει δ' οὐρανόθεν νύξ. 315
ἦμος δ' ἠριγένεια φάνη ῥοδοδάκτυλος Ἠώς,
νῆα μὲν ὡρμίσαμεν κοῖλον σπέος εἰσερύσαντες.
ἔνθα δ' ἔσαν νυμφέων καλοὶ χοροὶ ἠδὲ θόωκοι:
καὶ τότ' ἐγὼν ἀγορὴν θέμενος μετὰ μῦθον ἔειπον:
"ὦ φίλοι, ἐν γὰρ νηὶ θοῇ βρῶσίς τε πόσις τε 320
ἔστιν, τῶν δὲ βοῶν ἀπεχώμεθα, μή τι πάθωμεν:
δεινοῦ γὰρ θεοῦ αἵδε βόες καὶ ἴφια μῆλα,
Ἠελίου, ὃς πάντ' ἐφορᾷ καὶ πάντ' ἐπακούει.'
"ὣς ἐφάμην, τοῖσιν δ' ἐπεπείθετο θυμὸς ἀγήνωρ.

repente, uma tempestade. Vem donde? Do sul,
do leste bravio? Ventos que desmantelam navios,
mesmo contra disposições celestes. Querem meu   290
conselho? Respeitemos a noite que nos abraça.
Preparemos a ceia ao lado da nau. Ao clarear
do dia, enfrentaremos as sombras do mar.'
Euríloco foi aplaudido por todos. Compreendi
tudo. Uma divindade planejava nossa ruína. Não   295
me calei. As palavras voaram-me da boca: 'Estou
só, Euríloco. Sou obrigado a me submeter. Jurem.
Juramento forte! Quero a palavra de todos. Vamos
encontrar numerosos rebanhos de bois e de ovelhas.
Não façam loucuras. Ninguém bote dedo em rês.   300
Não sujem as mãos nem com vaca nem com ovelha.
Comam a comida que receberam de Circe.' Falei
isso. Eles não se opuseram. Juraram como pedi.
Finda a cerimônia, cumprido o ritual, ancoramos
nosso sólido navio no amplo porto. Água-doce   305
encontramos bem perto. Os companheiros, logo
que desembarcaram, prepararam a ceia com dedo
de mestre. Mitigada a fome e a sede, passaram a
evocar os amigos que, inesperadamente arrebatados,
foram parar no ventre de Cila. Solene foi o pranto.   310
O sono reconfortante silenciou o lamento. Corria
a terceira parte da noite, os astros já em queda,
Zeus, pastor de nuvens, levantou um vento bravio,
uma tempestade devastadora. Nuvens compactas
esconderam terra e mar. O pretume baixou do céu.   315
A Aurora madrugadora levantou, enfim, os dedos
róseos. Arrastamos a nau para uma gruta profunda
e a firmamos perto de assentos de ninfas e pátios
de dança. Convoquei todos para uma reunião e falei:
'Amigos, reforço a ordem. Sirvam-se do que temos   320
no navio. Não toquem nos bois para evitar
calamidades. Estes bois e estas ovelhas pertencem
a Hélio. Enxerga tudo, escuta tudo. E é severo.'
Submeteram-se ao decreto sob protesto. Soprava o

μῆνα δὲ πάντ' ἄλληκτος ἄη Νότος, οὐδέ τις ἄλλος 325
γίγνετ' ἔπειτ' ἀνέμων εἰ μὴ Εὖρός τε Νότος τε.
"οἱ δ' ἧος μὲν σῖτον ἔχον καὶ οἶνον ἐρυθρόν,
τόφρα βοῶν ἀπέχοντο λιλαιόμενοι βιότοιο.
ἀλλ' ὅτε δὴ νηὸς ἐξέφθιτο ἤϊα πάντα,
καὶ δὴ ἄγρην ἐφέπεσκον ἀλητεύοντες ἀνάγκῃ, 330
ἰχθῦς ὄρνιθάς τε, φίλας ὅ τι χεῖρας ἵκοιτο,
γναμπτοῖς ἀγκίστροισιν, ἔτειρε δὲ γαστέρα λιμός·
δὴ τότ' ἐγὼν ἀνὰ νῆσον ἀπέστιχον, ὄφρα θεοῖσιν
εὐξαίμην, εἴ τίς μοι ὁδὸν φήνειε νέεσθαι.
ἀλλ' ὅτε δὴ διὰ νήσου ἰὼν ἤλυξα ἑταίρους, 335
χεῖρας νιψάμενος, ὅθ' ἐπὶ σκέπας ἦν ἀνέμοιο,
ἠρώμην πάντεσσι θεοῖς οἳ Ὄλυμπον ἔχουσιν·
οἱ δ' ἄρα μοι γλυκὺν ὕπνον ἐπὶ βλεφάροισιν ἔχευαν.
Εὐρύλοχος δ' ἑτάροισι κακῆς ἐξήρχετο βουλῆς·
"'κέκλυτέ μευ μύθων κακά περ πάσχοντες ἑταῖροι. 340
πάντες μὲν στυγεροὶ θάνατοι δειλοῖσι βροτοῖσι,
λιμῷ δ' οἴκτιστον θανέειν καὶ πότμον ἐπισπεῖν.
ἀλλ' ἄγετ', Ἠελίοιο βοῶν ἐλάσαντες ἀρίστας
ῥέξομεν ἀθανάτοισι, τοὶ οὐρανὸν εὐρὺν ἔχουσιν.
εἰ δέ κεν εἰς Ἰθάκην ἀφικοίμεθα, πατρίδα γαῖαν, 345
αἶψά κεν Ἠελίῳ Ὑπερίονι πίονα νηὸν
τεύξομεν, ἐν δέ κε θεῖμεν ἀγάλματα πολλὰ καὶ ἐσθλά.
εἰ δὲ χολωσάμενός τι βοῶν ὀρθοκραιράων
νῆ' ἐθέλῃ ὀλέσαι, ἐπὶ δ' ἕσπωνται θεοὶ ἄλλοι,
βούλομ' ἅπαξ πρὸς κῦμα χανὼν ἀπὸ θυμὸν ὀλέσσαι, 350
ἢ δηθὰ στρεύγεσθαι ἐὼν ἐν νήσῳ ἐρήμῃ.'
"'ὣς ἔφατ' Εὐρύλοχος, ἐπὶ δ' ᾔνεον ἄλλοι ἑταῖροι.
αὐτίκα δ' Ἠελίοιο βοῶν ἐλάσαντες ἀρίστας
ἐγγύθεν, οὐ γὰρ τῆλε νεὸς κυανοπρῴροιο
βοσκέσκονθ' ἕλικες καλαὶ βόες εὐρυμέτωποι· 355
τὰς δὲ περίστησάν τε καὶ εὐχετόωντο θεοῖσι,
φύλλα δρεψάμενοι τέρενα δρυὸς ὑψικόμοιο·
οὐ γὰρ ἔχον κρῖ λευκὸν ἐϋσσέλμου ἐπὶ νηός.
αὐτὰρ ἐπεί ῥ' εὔξαντο καὶ ἔσφαξαν καὶ ἔδειραν,
μηρούς τ' ἐξέταμον κατά τε κνίσῃ ἐκάλυψαν 360
δίπτυχα ποιήσαντες, ἐπ' αὐτῶν δ' ὠμοθέτησαν.

Noto. O vento Norte nos fustigava sem cansar. Por   325
um mês inteiro, Noto, Euro, e nada mais. Enquanto
resistia o suprimento de pão e vinho tinto, não se
preocuparam, satisfeitos que estavam com a boia.
Quando tudo tinha sido consumido; tangidos pela
necessidade, começaram a percorrer a ilha. Com   330
ganchos retorcidos, caçavam o que encontravam,
peixes, aves, o que estivesse ao alcance da mão.
A fome castigava. Subi a uma elevação. Implorei.
Que os deuses me mostrassem uma saída!
Andando, distanciei-me dos amigos. Purifiquei   335
as mãos num lugar abrigado do vento e dirigi uma
prece a todos moradores do Olimpo. Derramaram a
doçura do sono nos meus olhos. Euríloco se valeu
da oportunidade para dar maus conselhos:
'Escutem-me, amigos, depois de todos os males que   340
sofremos, qualquer morte assusta os pobres mortais.
Morrer de fome, chegar faminto ao fim é a pior. Por
que esperar? Escolhamos uma vaca de Hélio, uma
das melhores, e a sacrifiquemos aos deuses, senhores
do vasto céu. Se nos for concedido retornar a Ítaca,   345
construamos um templo vistoso a Hélio, o Brilhante,
ornado de estátuas distintas. Se o sacrifício dessas
vacas de chifres direitos ofender uma divindade,
apoiada por outras, e se isso nos levar a naufrágio,
prefiro expirar num zás engolindo água salgada   350
a morrer lentamente nesta ilha deserta.' As palavras
de Euríloco foram aplaudidas por todos. Trataram de
apoderar-se logo das vacas mais nutridas de Hélio,
as testas-largas, as pelos-brilhantes, as gorduchonas
que costumavam pastar perto da nau. Os remeiros   355
as cercaram de braços levantados aos deuses.
Colheram folhas tenras das compactas copas dos
carvalhos por já ter acabado o suprimento de farinha
para oferendas. Rezaram, carnearam e esfolaram.
Extraídas as coxas, cobriram-nas com duas camadas   360
de gordura, revestida de porções de carne vermelha.

οὐδ' εἶχον μέθυ λεῖψαι ἐπ' αἰθομένοις ἱεροῖσιν,
ἀλλ' ὕδατι σπένδοντες ἐπώπτων ἔγκατα πάντα.
αὐτὰρ ἐπεὶ κατὰ μῆρ' ἐκάη καὶ σπλάγχνα πάσαντο,
μίστυλλόν τ' ἄρα τἆλλα καὶ ἀμφ' ὀβελοῖσιν ἔπειραν. 365
καὶ τότε μοι βλεφάρων ἐξέσσυτο νήδυμος ὕπνος,
βῆν δ' ἰέναι ἐπὶ νῆα θοὴν καὶ θῖνα θαλάσσης.
ἀλλ' ὅτε δὴ σχεδὸν ἦα κιὼν νεὸς ἀμφιελίσσης,
καὶ τότε με κνίσης ἀμφήλυθεν ἡδὺς ἀυτμή.
οἰμώξας δὲ θεοῖσι μέγ' ἀθανάτοισι γεγώνευν· 370
"Ζεῦ πάτερ ἠδ' ἄλλοι μάκαρες θεοὶ αἰὲν ἐόντες,
ἦ με μάλ' εἰς ἄτην κοιμήσατε νηλέι ὕπνῳ.
οἱ δ' ἔταροι μέγα ἔργον ἐμητίσαντο μένοντες.'
"ὠκέα δ' Ἠελίῳ Ὑπερίονι ἄγγελος ἦλθε
Λαμπετίη τανύπεπλος, ὅ οἱ βόας ἔκταμεν ἡμεῖς. 375
αὐτίκα δ' ἀθανάτοισι μετηύδα χωόμενος κῆρ·
"Ζεῦ πάτερ ἠδ' ἄλλοι μάκαρες θεοὶ αἰὲν ἐόντες,
τῖσαι δὴ ἑτάρους Λαερτιάδεω Ὀδυσῆος,
οἵ μευ βοῦς ἔκτειναν ὑπέρβιον, ᾗσιν ἐγώ γε
χαίρεσκον μὲν ἰὼν εἰς οὐρανὸν ἀστερόεντα, 380
ἠδ' ὁπότ' ἂψ ἐπὶ γαῖαν ἀπ' οὐρανόθεν προτραποίμην.
εἰ δέ μοι οὐ τίσουσι βοῶν ἐπιεικέ' ἀμοιβήν,
δύσομαι εἰς Ἀίδαο καὶ ἐν νεκύεσσι φαείνω.'
"τὸν δ' ἀπαμειβόμενος προσέφη νεφεληγερέτα Ζεύς·
"Ἠέλι', ἦ τοι μὲν σὺ μετ' ἀθανάτοισι φάεινε 385
καὶ θνητοῖσι βροτοῖσιν ἐπὶ ζείδωρον ἄρουραν·
τῶν δέ κ' ἐγὼ τάχα νῆα θοὴν ἀργῆτι κεραυνῷ
τυτθὰ βαλὼν κεάσαιμι μέσῳ ἐνὶ οἴνοπι πόντῳ.'
"ταῦτα δ' ἐγὼν ἤκουσα Καλυψοῦς ἠυκόμοιο·
ἡ δ' ἔφη Ἑρμείαο διακτόρου αὐτὴ ἀκοῦσαι. 390
"αὐτὰρ ἐπεί ῥ' ἐπὶ νῆα κατήλυθον ἠδὲ θάλασσαν,
νείκεον ἄλλοθεν ἄλλον ἐπισταδόν, οὐδέ τι μῆχος
εὑρέμεναι δυνάμεσθα, βόες δ' ἀποτέθνασαν ἤδη.
τοῖσιν δ' αὐτίκ' ἔπειτα θεοὶ τέραα προὔφαινον·
εἷρπον μὲν ῥινοί, κρέα δ' ἀμφ' ὀβελοῖσι μεμύκει, 395
ὀπταλέα τε καὶ ὠμά, βοῶν δ' ὡς γίγνετο φωνή.
"ἑξῆμαρ μὲν ἔπειτα ἐμοὶ ἐρίηρες ἑταῖροι
δαίνυντ' Ἠελίοιο βοῶν ἐλάσαντες ἀρίστας·

À falta de vinho para as libações, serviram-se de
água. Levaram as vísceras ao fogo. As coxas ardiam
no braseiro, enquanto saboreavam as entranhas.
Retalhado o restante, espetos espetam as postas.   365
Retira-se de minhas pálpebras o brando sono. Volvi
veloz para a nau, firmada na beira do mar. Ao
aproximar-me do navio que eu prezava tanto, o
cheiro apetitoso penetrou-me as narinas, minhas
súplicas subiram ao trono dos imortais: 'Zeus Pai   370
e vós outros deuses de perene existência,
imobilizado pelo sono, caí na desgraça. Na minha
ausência, os meus executaram um ato brutal.' Não
demorou, o longo véu de Lampécia fulgiu diante
de Hélio Hipérion. A deusa levou-lhe a violenta   375
notícia. Escureceu o coração do Sol. Declarou aos
imortais: 'Zeus Pai e vós outros sempre vivos,
castigai os companheiros de Odisseu, são
criminosos. Mataram vacas minhas. Com alegria
eu as contemplava ao subir ao céu estrelado e   380
ao retornar à terra, finda minha jornada celeste.
Se eles não forem punidos com sentença exemplar,
mergulharei no Hades, passarei a iluminar mortos.'
Pronto veio resposta de Zeus Guarda-Nuvens:
'Hélio, continua a enviar tua luz aos imortais e aos   385
mortais sobre a frutífera terra. O fogo dos meus
raios atacará os infratores. Verás os estilhaços
de sua embarcação flutuar sobre o mar cor de vinho.'
Obtive essas informações de Calipso. Ela
afirmou tê-las ouvido de Hermes, Guia-Brilhante.   390
Desci à nau. Desci ao mar. Eu estava revoltado.
Repreendi todos, um por um. O que fazer? Tudo
estava perdido. Os bois já tinham sido abatidos.
Dos deuses logo vieram sinais prodigiosos: peles
serpenteavam, carne nos espetos mugia, assada   395
ou não. O mu das vacas se propagava sonoro. Seis
dias durou o festim dos meus queridos amigos.
Banqueteavam-se com as vacas de Hélio. Só então

ἀλλ' ὅτε δὴ ἕβδομον ἦμαρ ἐπὶ Ζεὺς θῆκε Κρονίων,
καὶ τότ' ἔπειτ' ἄνεμος μὲν ἐπαύσατο λαίλαπι θύων,   400
ἡμεῖς δ' αἶψ' ἀναβάντες ἐνήκαμεν εὐρέι πόντῳ,
ἱστὸν στησάμενοι ἀνά θ' ἱστία λεύκ' ἐρύσαντες.
"ἀλλ' ὅτε δὴ τὴν νῆσον ἐλείπομεν, οὐδέ τις ἄλλη
φαίνετο γαιάων, ἀλλ' οὐρανὸς ἠδὲ θάλασσα,
δὴ τότε κυανέην νεφέλην ἔστησε Κρονίων   405
νηὸς ὕπερ γλαφυρῆς, ἤχλυσε δὲ πόντος ὑπ' αὐτῆς.
ἡ δ' ἔθει οὐ μάλα πολλὸν ἐπὶ χρόνον· αἶψα γὰρ ἦλθε
κεκληγὼς Ζέφυρος μεγάλῃ σὺν λαίλαπι θύων,
ἱστοῦ δὲ προτόνους ἔρρηξ' ἀνέμοιο θύελλα
ἀμφοτέρους· ἱστὸς δ' ὀπίσω πέσεν, ὅπλα τε πάντα   410
εἰς ἄντλον κατέχυνθ'. ὁ δ' ἄρα πρυμνῇ ἐνὶ νηὶ
πλῆξε κυβερνήτεω κεφαλήν, σὺν δ' ὀστέ' ἄραξε
πάντ' ἄμυδις κεφαλῆς· ὁ δ' ἄρ' ἀρνευτῆρι ἐοικὼς
κάππεσ' ἀπ' ἰκριόφιν, λίπε δ' ὀστέα θυμὸς ἀγήνωρ.
Ζεὺς δ' ἄμυδις βρόντησε καὶ ἔμβαλε νηὶ κεραυνόν·   415
ἡ δ' ἐλελίχθη πᾶσα Διὸς πληγεῖσα κεραυνῷ,
ἐν δὲ θεείου πλῆτο, πέσον δ' ἐκ νηὸς ἑταῖροι.
οἱ δὲ κορώνῃσιν ἴκελοι περὶ νῆα μέλαιναν
κύμασιν ἐμφορέοντο, θεὸς δ' ἀποαίνυτο νόστον.

αὐτὰρ ἐγὼ διὰ νηὸς ἐφοίτων, ὄφρ' ἀπὸ τοίχους   420
λῦσε κλύδων τρόπιος, τὴν δὲ ψιλὴν φέρε κῦμα,
ἐκ δέ οἱ ἱστὸν ἄραξε ποτὶ τρόπιν. αὐτὰρ ἐπ' αὐτῷ
ἐπίτονος βέβλητο, βοὸς ῥινοῖο τετευχώς·
τῷ ῥ' ἄμφω συνέεργον, ὁμοῦ τρόπιν ἠδὲ καὶ ἱστόν,
ἑζόμενος δ' ἐπὶ τοῖς φερόμην ὀλοοῖς ἀνέμοισιν.   425
"ἔνθ' ἦ τοι Ζέφυρος μὲν ἐπαύσατο λαίλαπι θύων,
ἦλθε δ' ἐπὶ Νότος ὦκα, φέρων ἐμῷ ἄλγεα θυμῷ,
ὄφρ' ἔτι τὴν ὀλοὴν ἀναμετρήσαιμι Χάρυβδιν.
παννύχιος φερόμην, ἅμα δ' ἠελίῳ ἀνιόντι
ἦλθον ἐπὶ Σκύλλης σκόπελον δεινήν τε Χάρυβδιν.   430
ἡ μὲν ἀνερροίβδησε θαλάσσης ἁλμυρὸν ὕδωρ·
αὐτὰρ ἐγὼ ποτὶ μακρὸν ἐρινεὸν ὑψόσ' ἀερθείς,
τῷ προσφὺς ἐχόμην ὡς νυκτερίς. οὐδέ πῃ εἶχον

Zeus, o Cronida, enviou-nos um dia sereno.
Serenou o vento, a fúria da tempestade. 400
Embarcamos às pressas para ganhar o mar alto.
Subiu o mastro. Desfraldamos o branco das velas.
A ilha recuou para além da linha do horizonte.
Nesga nenhuma de terra se via, só terra e mar.
Zeus baixou uma nuvem tenebrosa sobre nossa 405
bojuda nave. A sombra cobriu a face líquida.
Nossa embarcação não correu por muito tempo.
Zéfiro ululou forte na furiosa procela. Um golpe
ventoso rompeu os dois cabos. O mastro inclina-se
para trás, vacila e tomba. A sentina suga a 410
cordoalha. O tronco bate na popa e quebra a
cabeça do piloto. Estilhaça os ossos do crânio de
todos. O corpo mutilado se eleva e gira no ar
em salto de acrobata. O espírito aguerrido
escapa do peito. Os raios de Zeus bailam na proa. 415
Aos golpes de Zeus, tremem barrotes, alastram-se
vapores de enxofre. Meus companheiros somem
da vante. Quais gralhas marinhas cercam o
casco. Os céus negaram-lhes o sonhado regresso.

"Corro e percorro a nave. Guascaços de água 420
arrombam paredes, quebram barrotes, arrancam
a quilha, que monta no dorso da onda afoita.
Vagalhões arrastam o mastro. Agarro a correia na
ponta do tronco à deriva e o amarro à quilha. Na
improvisada jangada fustigam-me ventos funestos. 425
Zéfiro serena, a tempestade tempera. Mas o Noto
avança e atiça dores no meu coração. Devo retornar
a Caribde, monstro aterrador? Por uma noite
inteira escoltam-me ondas até à fímbria do dia.
Aqui estou: no promontório de Cila, no de Caribde. 430
Esta é a hora de ela sugar as águas do mar.
Agarro-me, de um salto, ao tronco da figueira.
Imito no gesto o morcego. De nada me valem os

οὔτε στηρίξαι ποσὶν ἔμπεδον οὔτ' ἐπιβῆναι·
ῥίζαι γὰρ ἑκὰς εἶχον, ἀπήωροι δ' ἔσαν ὄζοι, 435
μακροί τε μεγάλοι τε, κατεσκίαον δὲ Χάρυβδιν.
νωλεμέως δ' ἐχόμην, ὄφρ' ἐξεμέσειεν ὀπίσσω
ἱστὸν καὶ τρόπιν αὖτις· ἐελδομένῳ δέ μοι ἦλθον
ὄψ'· ἦμος δ' ἐπὶ δόρπον ἀνὴρ ἀγορῆθεν ἀνέστη
κρίνων νείκεα πολλὰ δικαζομένων αἰζηῶν, 440
τῆμος δὴ τά γε δοῦρα Χαρύβδιος ἐξεφαάνθη.
ἧκα δ' ἐγὼ καθύπερθε πόδας καὶ χεῖρε φέρεσθαι,
μέσσῳ δ' ἐνδούπησα παρὲξ περιμήκεα δοῦρα,
ἑζόμενος δ' ἐπὶ τοῖσι διήρεσα χερσὶν ἐμῇσι.
Σκύλλην δ' οὐκέτ' ἔασε πατὴρ ἀνδρῶν τε θεῶν τε 445
εἰσιδέειν· οὐ γάρ κεν ὑπέκφυγον αἰπὺν ὄλεθρον.
"ἔνθεν δ' ἐννῆμαρ φερόμην, δεκάτῃ δέ με νυκτὶ
νῆσον ἐς Ὠγυγίην πέλασαν θεοί, ἔνθα Καλυψὼ
ναίει ἐυπλόκαμος, δεινὴ θεὸς αὐδήεσσα,
ἥ μ' ἐφίλει τ' ἐκόμει τε. τί τοι τάδε μυθολογεύω; 450
ἤδη γάρ τοι χθιζὸς ἐμυθεόμην ἐνὶ οἴκῳ
σοί τε καὶ ἰφθίμῃ ἀλόχῳ· ἐχθρὸν δέ μοί ἐστιν
αὖτις ἀριζήλως εἰρημένα μυθολογεύειν."

pés, não tenho onde firmá-los. Subir não posso.
Longe demoram as raízes, altos elevam-se os galhos   435
e deitam, compactos, sombra sobre Caribde. Firme
aguardo que o monstro vomite mastro e quilha.
Longa é a espera. Voltam ao meu olhar atento.
Chega o tempo em que o juiz retorna para cear,
dirimidos muitos conflitos de partes contrárias. Não   440
foi menor a espera por meus destroços deglutidos.
Relaxando mãos e pés, deixei-me cair. Mergulhei
com estrondo próximo aos pedaços. Empoleirado
neles, recorri às mãos para remos. O Pai dos homens
e dos deuses teve o cuidado de tapar os olhos de Cila.   445
De outro modo eu não teria escapado. Flutuei durante
nove dias. Na noite do décimo, os deuses me
depositaram nas areias de Ogígia, onde vive Calipso,
a deusa dos belos cabelos. A ninfa assombrosa fala
linguagem humana. Recebeu-me em seu leito e   450
em seus cuidados. Deverei repeti-lo? Narrei-o ontem,
meu rei, a ti e a tua esposa aqui no teu palácio. Me
seria penoso retornar, em detalhes, ao mesmo assunto."

Notas do Editor

1. Argos Panoptes era um gigante de cem olhos designado por Hera para vigiar Io, amante de Zeus que ela transformara em novilha. Hermes, incumbido por Zeus a libertar Io, mata o gigante, daí a forma como aqui é chamado.

2. Bastão de ouro, com duas serpentes defrontadas e enroscadas. Símbolo de Hermes como emissário dos deuses, protetor dos rebanhos e condutor das almas.

3. Órion, gigante filho de Posidon e Gaia, após várias peripécias tornou-se objeto da paixão de Aurora. Há vários versos sobre o mito. Segundo um deles, Ártemis – a deusa virgem e caçadora – pôs fim à felicidade de Órion e Aurora, matando-o, pois outrora ele tentara estuprá-la.

4. Um dos rios do inferno. Sua corrente tenebrosa ameaça aqueles que violam juramentos.

5. Segundo a concepção grega, tudo no universo era divino, sagrado; não se trata aqui de chamar Odisseu de deus.

6. Posidon quer a desgraça de Odisseu pois este derrota um de seus filhos, Polifemo (Canto IX).

7. Euro, Noto, Zéfiro e Bóreas: divindades identificadas a ventos; violentos e suscetíveis.

8. Patrônimo, indicação de que se trata do (ou de um) filho de Peleu. Cronida significa "filho de Cronos", e assim por diante.

9. Um dos quatro ramos daquilo que – assim como os argivos, nativos de Argos –, posteriormente, os romanos vieram a chamar de povo grego; gregos.

10. Hefesto é a divindade artesã do Olimpo, o ferreiro e artista. Teria nascido de Hera apenas de modo que Zeus, enciuma-

do, pegou o filho da mulher e jogou-o longe, aleijando-o; daí o fato de por vezes ser chamado de Coxo.

11. Posidon é irmão de Zeus, e este, por sua vez, pai de Atena, portanto Posidon – o Abala-Terra – é o tio em questão.

12. Deus da Guerra.

13. Afrodite, nascida na água do mar, aportou na ilha de Citera, daí o nome com que também é conhecida, "Citereia".

14. Troia.

15. Hermes. Ver nota 1.

16. Segundo os gregos, ao beber sangue os espíritos se corporificavam, tornando possível que se falasse com eles.

17. Em outras versões, como a de *Édipo Rei*, de Sófocles, a personagem aparece como Jocasta.

18. Divindades que se ocupam de vingar crimes, sobretudo aqueles que atentam contra famílias.

19. Que Agamênon havia tomado como butim de guerra e que, dotada do dom da profecia, tentou alertá-lo para o que o aguardava ao voltar para casa.

20. Descendentes de Dânaos, neto de Posidon, fundador e rei lendário da antiga cidade de Argos, no Peloponeso (Grécia); sinônimo de argivo; grego.

21. Neptólemo.

22. Pai de Aquiles.

23. Tétis, uma das Nereidas, divindades-filhas de Nereu, deus marinho.

24. Esposa de Posidon e, portanto, senhora dos mares.

Odisseia, a epopeia das Auroras (2)

Donaldo Schüler

Regresso (cantos 5-12)

1. Primeira Aurora (5.1-227)

Deitada nos braços de Titono, a Aurora se regenera para iluminar o mundo dos homens e dos deuses. Os dedos que incendeiam o firmamento são os mesmos que inflamaram o corpo do companheiro. Ao despertar, a Aurora erotiza céus, terra e canto. O silêncio e a noite geram a luz que embeleza o dia. Do leito à luz, a vida se refaz. Os raios deslizam sonoros no céu, *luz levam* (*phoos pheroi*). O adormecer e o despertar da Aurora marcam o ritmo dos versos e do universo. A Aurora que se ergue do leito de Titono introduz a sequência em que Odisseu se liberta dos abraços de Calipso. A divina Aurora ilumina o espaço. Com a libertação de Odisseu, desponta para Ítaca um novo dia.

Aqui homeristas veem o início de novo poema: "A Odisseia propriamente dita", que se estenderia até ao décimo segundo canto. Argumento: um novo concílio de deuses que parece o primeiro, embora seja diferente. Um poeta posterior, ao organizar a *Odisseia* que temos em mãos, teria feito a montagem de três epopeias: A Telemaquia (1-4), o Regresso (5-12), Ítaca (13-24). Trata-se de uma ficção – ficção erudita, se quiserem –, contudo, ficção. Não sendo ficção, onde buscar provas externas para sustentar a hipótese?

A ficção provoca suspeitas até na terminologia. Fala-se em concílios tendo em mente reuniões que em virtude de despesas com translado e estada não podem ser convocados com frequência. Não se atribuam limitações que tais a deuses que já moram no Olimpo, locomovendo-se, quando necessário, com rapidez superior à dos mais velozes aparelhos sem gastos nem desgaste. Basta uma palavra do poeta para vê-los todos confortavelmente acomodados. Os mais chegados ao trono supremo entram sem formalidades na sala de audiências do

Pai de deuses e de homens. Secretárias ranzinzas e guardas ossudos para garantir a tranquilidade de mandatários ainda não foram inventados. Concílios? Trata-se, antes, de encontros informais, requeridos por urgências poéticas. Comparem-se as reuniões divinas com a assembleia convocada por Telêmaco. O Olimpo não observa o ritual da agorá de Ítaca.

Contra ficções eruditas preferimos imaginação literária, bem mais condizente com a matéria em pauta. Considerem-se as estratégias do narrador, que, ao fixar a versão escrita, conserva farta experiência de exposição oral. Começou com uma reunião de algumas divindades para deliberar sobre dois assuntos urgentes: a viagem de Telêmaco em busca de informações sobre o pai ausente e a libertação de Odisseu, prisioneiro de Calipso. Anterior à época da narração simultânea, o narrador conta primeiro e circunstanciadamente a visita de Telêmaco a renomados companheiros de Odisseu, já devolvidos aos seus lares. É fácil compreender que, findos quatro substanciosos cantos da Telemaquia, reste ao ouvinte vaga lembrança da reunião que desencadeou a sucessão dos eventos. Nada mais natural do que retornar ao ponto de partida. Homero é bastante poeta para não cansar ouvintes com impertinentes repetições. Repete inovando, assim a repetição se faz tolerável, agradável até, recurso retórico, Homero o ensaia na elaboração épica, às vezes. Ouvinte algum terá interesse em conferir coerências. Para fazê-lo, falecem recursos. O canto se desfaz em ar. Conferir documentos é cuidado de leitores. De alguns. Não de todos.

Tanto reuniões de homens quanto de deuses lembram a Aurora. Esta e aquelas inauguram o dia, iluminam. Assembleias coíbem prepotência no céu e na terra. A democracia alvorece.

Homeristas costumam tratar deuses homéricos com severidade teológica. Perguntam se a religião da *Odisseia* e da *Ilíada* é uma só. Procuram contradições nas diferentes epifanias. O equívoco de tratar poetas como teólogos começa por Heródoto ao declarar Hesíodo e Homero inventores dos deuses. Eles de fato o foram, mas como poetas. Leitores que se aproximam da *Divina Comédia* ou do *Paraíso Perdido* com olhos de intérpretes de São Tomás ou de Calvino são cansativos. A Palas Atena de Homero, além de ser deusa, comporta-se como mulher. Eternidade, força e rapidez são marcas de sua divindade. No mais, Palas Atena é humana. Enfrenta exaltada o rei e pai por se retardarem as medidas acertadas para libertar seu protegido. É justo o modo como os poderes do Olimpo tratam um homem nobre, sensato e bondoso como o prisioneiro de Calipso? O descaso divino ratifica a injustiça. Isso já não é só queixa de uma deusa descontente. O discurso de Atena acolhe a impiedade dos homens. Na voz divina soa outra voz, letal aos deuses. Não se declarem monológicos os poemas de Homero. Os primeiros acordes da sinfonia bakhtiniana soam aqui. Não se procure coerência entre a fala exaltada de Atena e os feitos de Odisseu. Aos advogados interessa a força do argumento, não a veracidade dos fatos. Já temos retórica.

Zeus, tonitruante em muitas refregas, sabe ser cordato em conflitos. Para o rei divino, Palas Atena é só uma filha irritada. Ele lembra as providências já tomadas e de imediato passa a executar os outros itens da resolução.

A rapidez com que se movimenta Hermes, encarregado de levar a Calipso a ordem de soltura, espanta menos hoje do que na época em que o cavalo oferecia o meio de transporte mais veloz. Sandálias que permitam translado à velocidade do vento, das aves, do som e da luz entraram nas antevisões da ficção. O soberbo panorama marítimo é evocado no deslocamento de Hermes, comparável ao voo da gaivota.

Hermes contempla a paisagem com olhos admirados de turista. Delicia-se com o cheiro de madeira queimada, escuta o canto solitário da ninfa, observa árvores, pássaros, ninhos, regatos, relvas e flores. Mas não escolheria esse lugar para morar. Como os gregos, Hermes prefere a cidade ao campo. Não silenciou o desgosto que lhe causou a ordem de levar mensagem a esses confins. Sócrates evitou até os acolhedores recantos nas proximidades de Atenas. Só obrigações militares o distanciaram dos muros. O apego dos gregos à cidade é tamanha que Aristóteles enumerou a vida urbana entre as qualidades essenciais. Não admira encontrarmos Odisseu em prantos à beira do mar. Os gregos preferem a cidade ao paraíso. Não há benefício, lembra Atena, que compense o prejuízo de sumir da memória. É preferível ser lembrado no teatro das ações humanas a viver inativo à sombra de uma deusa.

Embora divina, Calipso é mulher. Que lhe valem poderes se vive só, humanamente só? Calipso não prende por maldade. Impedir que Odisseu parta é ato de mulher desesperada. Gostaria de possuí-lo inteiro; dominar-lhe o corpo é o máximo que logra. Os pensamentos de Odisseu, materializados em lágrimas, não saem de Ítaca.

Os deuses superiores mostram-se sensíveis às dores do prisioneiro sem levar em conta as aflições da carcereira. Dura é a ordem do Olimpo. Não há vestígios de compaixão nas palavras de Hermes, o mensageiro. De providências para minorar os sofrimentos da abandonada não se cogitou. A dor humaniza Calipso. Humanizada, a ninfa comove. Nela se refletem os conflitos de outras solidões. Desinteligências e incompreensões dividem a corte divina. Se os deuses não são mais que reflexos dos homens, não espanta que um dia essas imagens se extingam.

A ordem vem do alto, mas a decisão de cumpri-la é de Calipso. O decreto não anula decisão responsável. Por contar com vontade livre, Calipso guarda até o fim a esperança de que Odisseu, seduzido pela oferta da liberdade, resolva partilhar com ela as delícias da harmonia interminável.

A viagem é também vertical: dos deuses superiores aos homens, passando por mundos intermediários onde residem as Ninfas. O que se aloja no alto oprime. Criadas estão as condições para se pensar no fortalecimento dos espaços em que todos atuem como iguais.

Calipso não seria o que é fora do ambiente em que vive confinada. A ninfa lembra as plantas presas pelas raízes. Visto que todos os deuses nasceram da terra, ela se mantém próxima às origens, como a Aurora, como Circe, como as Sereias. Rumo à liberdade, os deuses se espiritualizam e, espiritualizados, se precipitam nos abismos do nada.

Kalypso (Calipso), nome derivado do verbo *kalypto*, é a que cobre, envolve, oculta. *Kállyma* (véu), substantivo que procede do mesmo verbo, designa uma peça da indumentária feminina. O nome qualifica a mulher que o detém. Como de outros epítetos, pode derivar-se dele uma narrativa. Calipso é a mulher que, vivendo escondida, esconde; envolvida, envolve. Já não estranha que Hermes a encontre junto ao tear. Ela mesma gera os véus com que se envolve, com que envolve.

Calipso seduz com a beleza, a juventude, a eternidade. Esta é a superfície. Odisseu percebe o que se passa além do esplendor que tem diante dos olhos: a ternura da esposa, as necessidades do filho, o aplauso dos seus.

A imobilidade de Odisseu na ilha da ninfa que esconde lembra o período de uma prolongada gestação. Com o decreto do Olimpo, Odisseu revém. Cautela, uma das qualidades que o preservou, é reação heroica à notícia da libertação. A ninfa decepcionada estaria pensando em matá-lo no mar? O herói algema-lhe os braços nas cadeias do juramento.

2. Segunda Aurora (5.228-389)

O decreto dos deuses abre o caminho. Para vencer as ondas, Odisseu não conta com o amparo de ninguém antes de ser atirado contra as rochas de Esquéria. Contratempos o empurram à época em que homens se aventuraram ao mar com embarcações rudimentares, feitas de troncos atados com cipós. Do paradisíaco abrigo da deusa, Odisseu cai nas duras tarefas que separam os homens dos outros seres vivos. Distanciando-se da terra firme, Odisseu é descoberto por Posidon, uma divindade inimiga. Como entender de outro modo a tempestade que lhe despedaça a jangada?

Açoitado pelos ventos, Odisseu fala com o *thymós*. Este ainda não é o monólogo interior. Quem o pratica não fala a ninguém, permitindo que o discurso retorne às rudimentares desarticulações do nascedouro. Falando ao *thymós*, Odisseu formula sentenças bem-construídas, discursa coerentemente.

Thymós concentra ódio, paixão, vontade de viver. *Thymós* responde com batimentos cardíacos, *thymós* é o coração. Com o *thymós* falam os que já não têm a quem falar. Em face da morte, Odisseu pensa na vida, ainda que esta se reduza a som, a fala, a renome. Entenda-se Odisseu: recusou a imortalidade oferecida pela ninfa e pensa em imortalidade. Vê-se que há imortalidade e imortalidade. Relevante é a imortalidade na memória dos homens (*kleos*) e esta, conquistada só com feitos, ninguém a pode dar. A outra imortalidade, a presenteada, a que precipita no olvido, não atrai heróis. Por que não morreu, pensa Odisseu, quando defendia contra milhares o corpo de Aquiles? Quem lembrará um devorado pelas ondas em luta sem testemunhas?

Testemunha dos trabalhos no mar é a visão abrangente do poeta, dá relevo heroico aos feitos no úmido deserto. O cataclismo requer resoluções rápidas: agarrar-se a uma viga, nadar. A intempérie arroja o náufrago contra paredes rochosas e o devolve, já próximo do destino, ao mar. A calamidade o situa: acima, os deuses; abaixo, o abismo; entre os deuses e o abismo está ele, o homem. A vitória nessa adversidade honra tanto quanto os feitos que ilustram os guerreiros no campo de batalha. Odisseu é *polytlas*, um que suporta muito, tenaz. Errou ao recusar a eterna hospitalidade de Calipso? Essa ideia não lhe ocorre. Sabe o que escolheu: trabalhos, perigo, morte. Contra a sedução da imortalidade, Odisseu optou pela insegura condição humana.

O triunfo sobre a natureza é também qualidade dos heróis de Júlio Verne. Esses dominam, entretanto, amparados pela técnica. Em *A ilha misteriosa*, o homem perdido, aproveitando recursos que descobre nela, torna-se ceramista, metalúrgico e construtor. Conhecimentos técnicos lhe possibilitam a conquista da eletricidade e instalação telegráfica. Odisseu, perdidos os navios e os companheiros, não se empenha em transferir a civilização para regiões inóspitas. Triunfa só pela força dos braços e pela inteligência. Muitos dias de expectativa, aflição e trabalho se concentram nesta Aurora.

3. Terceira Aurora (5.390-6.47)

Mais de vinte dias sem Auroras. A Deusa dos dedos róseos desponta quando Odisseu já não conta com outro auxílio além do manto de Leucoteia. Quando Posidon, sujeito aos decretos de Zeus, fustiga os corcéis a paragens distantes, a esperança renasce. Bóreas, a serviço de Atena, abre o caminho à embocadura do rio. Na vida atribulada de Odisseu, devolvido à terra firme, fulgura nova etapa. Findas as aventuras no mar, começam os trabalhos da terra. Um sono de mais de trinta horas separa esta fase da anterior. A importância das Auroras de Homero é narrativa. Elas anunciam mudanças notáveis na sequência dos acontecimentos. A Aurora da redenção de Odisseu colide com a Aurora dos devaneios conjugais de Nausícaa. Salvo da morte, Odisseu desperta para ardências juvenis.

4. Quarta Aurora (6.48-7.347)

O Sol ilumina uma ilha hospitaleira. As pessoas gostam de navegar, jogar, dançar e cantar. Depois das ondas e de perigos letais, a ternura. Viajamos da violência ao idílio (quadros pequenos, tocantes). Também aí atuam os deuses. No *Fedro* de Platão e além do *Fedro*, o homem percebe o divino no ínfimo, no cotidiano, no leve movimento das folhas. O divino sabe ser doce. É Palas Atena que promove o encontro de Nausícaa com Odisseu. Na manhã em que se abrem as portas do palácio real, a Aurora desponta majestosamente instalada em seu trono (*éuthronos*). Para despertar a princesa, a Aurora ostenta soberanias de rainha.

Sabemos mais que Odisseu, vemos mais. Além de vermos o que Odisseu vê, observamos Odisseu, descobrimos o encoberto mundo dos deuses, seus conflitos e suas decisões. Percebemos conexões que Odisseu desconhece. Aparece-nos em relação causal o que para Odisseu é mistério. Já não estamos habituados a ser instruídos, preferimos tirar nossas próprias conclusões. Aceitamos as explicações de Homero como informações de um mundo distante, incorporadas na arquitetura ficcional da epopeia. Homero nos informa que Odisseu dorme de sono solto dia adentro por artimanhas de Palas Atena, interessada no encontro do herói e Nausícaa. Na verdade, Atena está a serviço do narrador. Homero precisa imobilizar Odisseu para acionar movimentos no palácio de Alcínoo. A deusa intervém como recurso narrativo. É ela que conecta a noite de Odisseu com a noite de Nausícaa. Autoridade autoral, atrelada à autoridade divina, coordena tempo e espaço no *mythos*. Já na tranquilidade noturna que antecede o dia, as vidas de Nausícaa e de Odisseu se aproximam. Os deuses agem no oculto. O sono e a noite imobilizam só em parte. A noite é genesíaca. Enquanto os homens dormem, agem os deuses. O encontro poderia ter sido ocasional. Assim seria na epopeia sem deuses, o romance antigo e moderno. Os deuses tornam inteligível o que sem eles seria obra do acaso.

Palas Atena, a deusa da sabedoria, a guerreira, apresenta-se a Nausícaa em forma de amiga, a filha de Dimas. Adapta-se aos sentimentos e aos interesses da moça para persuadila a buscar as proximidades do bosque em que Odisseu dorme. Fala-lhe dos deveres em vésperas de casamento. O expediente introduz o idílico acontecer cotidiano: a rainha e suas escravas, o rei que se dirige ao conselho dos nobres, os preparativos para levar princesa e escravas ao regato campestre. Vemos o que Ítaca poderia ser se Odisseu não tivesse partido para a guerra.

Mesmo na vida pacata de todos os dias, o que aparece não é o que aparenta ser. Quem fala à princesa em sonho não é a filha de Dimas, por pudor Nausícaa não declara ao pai os motivos que a levam ao rio. Bem antes de Heráclito, a harmonia invisível é mais forte que a visível.

Em lugar da visão de carros de guerra, acompanhamos a viagem de uma jovem com sonhos conjugais. De fato, são duas viagens; a outra é a viagem da jovem protegida à situação responsável de casada.

Depois do trabalho, as mulheres se entregam a folguedos que despertam Odisseu. O assombro das moças está na omparação: o estranho lhes parece um leão de montanha, habituado à chuva e aos ventos, ameaça voraz a rebanhos. A comparação exprime o sentimento de moças que se creem ameaçadas pela presença hedionda de um homem. Do geral, o narrador desce ao particular.

Em meio à debandada, Nausícaa se detém. Sua responsabilidade principesca vence o temor. Se o estranho necessita de ajuda, como poderia justificar a vileza da fuga? Afrontando riscos, Nausícaa se aproxima e ouve o que ouvidos femininos gostariam de ouvir. Odisseu compara a jovem na estatura e no porte a uma deusa. Odisseu, poderoso orador ante soldados rebeldes, também sabe achar palavras que toquem a sensibilidade da mulher. Não profere, entretanto, galanteios gratuitos. Viu feiticeiras, viu ninfas, viu sereias. Há quanto tempo não vê mulher humana? O explorador de regiões agrestes não perdeu as finuras do homem de ambientes requintados. Como náufrago, suplica a gentileza de vestes e abrigo.

Odisseu ainda não tem nome. O nome virá para selar os feitos. Os feitos não explicitam o nome. O nome coroa os feitos.

Se a fuga das criadas é natural, Nausícaa desafiar o perigo é sobrenatural. Não se entenda sobrenatural como fora da natureza mas como extraordinário, sendo ordinário o comum, o previsível, o ditado pelas leis que regem as relações humanas. Sobrenatural é a ação imprevisível, a liberdade. Há motivos para Odisseu confundir a jovem com uma deusa. Destacando-se do comum, ela adquire porte divino, reluz. Os atos de Calipso, apesar da excepcionalidade que cerca a ninfa, são naturais. Nausícaa, frágil, desprotegida, mortal, é capaz de ato sobrenatural, livre.

Olhos femininos se deliciam nos músculos reluzentes do Odisseu banhado. O leão sumiu. Em seu lugar aparece um corpo escultural, revestido de ouro pelos raios do sol. Os cabelos pendem como jacintos. Fala, banho e vestes fazem do leão um homem. Palavras e tecidos suavizam as relações. Sem elas, presenças agridem. O narrador, manipulador de perspectivas móveis, mostra corpos e sentimentos em transformação.

Nausícaa, vendo o estrangeiro a distância, exprime o desejo de tê-lo como esposo. Senhora das circunstâncias mostra-se também senhora de si. O narrador apanha reações conflitantes. Não convém, pondera a princesa, afrontar os costumes da terra. A prudência manda que o estrangeiro a siga discretamente a distância. Não se diga que a princesa desprezou os pretendentes de Esquéria, seduzida por um náufrago. São ponderações de uma moça que não é joguete de paixões. Odisseu reconhece nessa aparição envolvente uma alma irmã.

A imponência da cidade é bem mais convincente vista pelos olhos estupefatos de Odisseu, conhecedor de costumes e de povos. Nausícaa já lhe dissera que os feáceos, não sendo guerreiros, distinguem-se como navegadores. Odisseu admira barcos e porto, muralhas e praça.

Antes de Odisseu entrar no palácio, Palas Atena, na forma de uma jovem gárrula, familiariza-o com a linhagem do rei. A árvore genealógica une tempo e espaço, homens e deuses, o universo. Vínculos fortes robustecem o homem de ação. Odisseu ainda é um fragmento nas ruas de uma ilha do Mediterrâneo.

Informações lhe vêm pelos olhos e pelos ouvidos. A solidez do palácio sublinha a solidez da linhagem. A opulência de Alcínoo já foi lembrada por Zeus: Odisseu levaria de Esquéria, em presentes, riquezas maiores do que as que se perderam no fundo do mar. Riquezas, hoje frutos do trabalho, são nesses tempos sonhados garantia material do favor celeste. Heródoto abala, mais tarde, a certeza que no mundo da *Odisseia* ainda vige sem contestação. Compare-se Alcínoo e Creso. Sólon, confrontado com os tesouros fabulosos do rei, observa ao monarca estupefato que ninguém pode ser considerado feliz antes de morrer. Essa incerteza ainda não mina a segurança dos abastados de Homero. Se riquezas distinguem os favorecidos dos senhores olímpicos, como não há de sentir-se Odisseu, o sofredor, que não é dono nem das vestes que lhe cobrem o corpo?

O dia que começou à beira de um regato termina no palácio de Alcínoo. Despedidos os nobres, Odisseu tem uma udiência com o casal real. Esboça-se investigação estratégica. Antes de acolher o estrangeiro no palácio, Alcínoo e Atossa precisam saber quem lhes pede hospitalidade. Atossa estranha a roupa. Odisseu terá que esclarecer como usa panos que saíram do tear da rainha. Quem é? Donde veio? O que acontecerá se o apanharem como impostor? Mesmo nessa ilha paradisíaca, o perigo não é menor do que na caverna dos ciclopes. Riscos rondam a vida. Cauteloso, Odisseu começa pelo fim. (Estratégias do narrador para dar vida às aventuras no mar.) Para comover, Odisseu acentua os sofrimentos. Odisseu quer-se acolhido como um infausto prisioneiro de sete anos. A versão de agora afasta a narrativa dos fatos. Pouco importa a verdade, relevante é comover Atossa. O expediente ajuda Homero a nuançar episódios, a romper a sequência cronológica. Se Odisseu começasse antes de Ogígia, teria que identificar-se, o que, inseguro, ainda não lhe interessa. A roupa vincula Odisseu a Nausícaa. Esse incidente não pode ser contornado.

Intervém o rei. Alcínoo quer saber por que Nausícaa não trouxe pessoalmente Odisseu ao palácio como mandam as leis da hospitalidade, se foi ela quem o socorreu. Odisseu revela-se cavalheiro completo. Chama a si a responsabilidade de acompanhar a comitiva a distância. O cuidado de livrar a princesa de observações maldosas foi dele.

Homero sabe explorar o silêncio. Entre as explicações de Odisseu e a resposta de Alcínoo, dois homens vividos se entendem sem falar. Alcínoo lê nas palavras do estrangeiro coisa que ele não disse: ternura pela filha. Alcínoo acompanhou esse homem incomum desde o momento em que suplicou habilmente proteção à rainha e não a ele. Quem poderia proteger a filha melhor? Odisseu atinge com o poder da persuasão muito mais do que poderia esperar. Alcínoo lhe oferece a mão da princesa. O herói procurará recusar a oferta com habilidade para não ofender o rei.

Uma era a Musa, uma era a voz. Desdobrava-se em muitos episódios, narrava aventuras no mar e na terra, combates e momentos de ternura, acolhia a fala dos deuses e a dos homens. A medida (o hexâmetro) mantinha-se, todavia, estável. Alternando sílabas longas e breves, a medida composta de seis unidades (pés) sustentava o ritmo do fazer e o curso das estrelas. Assim acontece na epopeia antiga.

5. Quinta Aurora (8.1-13.17)

Não devemos incluir a Aurora no rol das personagens? Ela ilumina, desperta, ergue. Sendo uma das muitas máscaras da Natureza, os homens a homenageiam como divina.

O dia começa com a assembleia. Os convocados acorrem voluntários para ver o estrangeiro, a sensação do momento. Estamos no coração da cidade. Ouve-se uma só voz, a do rei. Generoso, o monarca divulga os costumes. O povo prospera à sombra dele.

Compare-se a fala de Alcínoo com o discurso de Agamênon aos soldados cansados de guerra, na *Ilíada*. A oratória é outra. O comandante das tropas helênicas leva os guerreiros a refletir, a escolher. Os atacantes, ante a perspectiva do retorno, debandam. A situação entre comandantes e comandados é tensa.

O acordo tácito da assembleia de Esquéria contrasta também com as desinteligências que inquietam Ítaca. Questões conflituosas, demoradamente debatidas, distinguem a nascente democracia grega. Os feáceos, ao contrário, confiam decisões relevantes ao soberano. Vivem numa terra de poesia e sonho. Enquanto outras sociedades sangram em confrontos armados, Esquéria isola-se como ilha de paz.

Odisseu não sofre nenhuma coação. Partir ou ficar está na escolha dele ainda que o rei o queira como genro. Calipso prendeu Odisseu por sete anos. Alcínoo prepara imediatamente um navio com suprimentos e tripulação, além de brindá-lo com festejos de um dia inteiro. De Ogígia a Esquéria, Odisseu se move da escravidão à liberdade: pode viajar ou ficar, pode imaginar, sonhar, sorrir.

Na terra dos sonhos, Demódoco, o aedo, ocupa lugar de destaque. Reservam-lhe assento proeminente. A ele se destinam as melhores iguarias. Ele é o porta-voz da Musa, a memória da comunidade. Povo com tais pendores está preparado a ouvir outro canto, o de Odisseu.

Demódoco é inventivo desde a sua primeira intervenção. Elege como assunto um episódio do ciclo troiano sem pastichar epopeia conhecida. O cantor, ao lembrar conflitos entre chefes gregos, captura o centro da *Ilíada* sem repetir o já sabido. A desinteligência entre subordinados robustece o débil poder central.

Não é descabida a hipótese de que Homero queira, através de Demódoco, refletir sobre o seu próprio ofício. Na voz do poeta, recordações amargas transformam-se em canto.

O choro de Odisseu revela que o herói resiste ao poder catártico da poesia. Não lhe é possível ainda aplaudir como arte incidentes que, embora distanciados por muitos anos, lhe trazem recordações amargas. O canto para instaurar-se como arte conquista autonomia. Odisseu não entrará em estado de poesia enquanto ele próprio não se puser a cantar. Na longa narrativa de Odisseu aos feáceos opera-se a passagem do passado amargo a ritmos envolventes. Vencendo a dor em Esquéria, o herói estará preparado para reconquistar o trono em sua terra.

O choro numa ilha em que se vive em estado de poesia é anomalia. Como chorar num palácio em que não se vive premido por necessidades e trabalho? Odisseu não é estranho por vir de longe, mas por sofrer numa ilha em que não há sofrimento.

Alcínoo, rei da vida sem dor, convida discretamente os convivas a assistirem a competições na praça de esportes. É o expediente que lhe ocorre para enxugar as lágrimas do estrangeiro.

Odisseu é desafiado por Euríalo, um campeão. Levantam-se dúvidas sobre os méritos do hóspede. É justo oferecer navio, tripulação, presentes a um mercador? Objeções, silenciadas na assembleia, soam aqui. Trata-se de um desafio, plausível entre competidores. Não há como fugir. Odisseu toma um disco e o arremessa para além de todas as metas.

A prudência recomenda que o desafiado se contenha. Odisseu, contudo, prudente em outras ocasiões, excede-se, vangloria-se. Em Esquéria desafios não ultrapassam a área desportiva. Alcínoo apressa-se a reconhecer com finura a superioridade do estrangeiro e o convida a apreciar a excelência dos feáceos na dança.

O narrador esmera-se em criar tensão dramática em todos os episódios. Evita assim mera descrição de costumes. O estrangeiro revela-se passo a passo como homem singular: cavalheiro, atleta e orador. Acompanhamos o renascimento do herói, salvo das águas. Como em Esquéria não há ambiente para confronto armado, temos que aguardar a chegada a Ítaca para conhecer o guerreiro.

Em nenhum lugar da *Odisseia*, Homero é tão irreverente como na voz de Demódoco. O aedo desenvolve circunstanciadamente um incidente picante. Hefesto, sabendo-se traído por Afrodite, sua esposa, com Ares, deus da guerra, prepara uma armadilha para o casal adulterino. Prendendo-os numa rede, os expõem em delito ao riso dos deuses. O incidente parodia episódios trágicos ou passíveis de tragédia. Um deles, central, é o assassinato de Agamêmnon pela esposa e pelo amante, lembrado já no primeiro canto. Outro é o retorno de Odisseu. Quem lhe garante que Penélope lhe permaneceu fiel? Assuntos sérios para os homens soam jocosos quando protagonistas são deuses. Hefesto torna público o ato que o humilha e dá-se por satisfeito. Quem dentre os homens procederia assim? O autor da *Odisseia* é o primeiro a parodiar o seu próprio poema com letra de música e dança. Nos movimentos dessacralizados, a destreza dos pés substitui a homenagem aos deuses. O ritmo já não traduz piedade. No crepúsculo dos deuses, fulguram habilidades humanas. A arte toma o lugar do culto.

No banquete vespertino, ouvindo, a seu pedido, Demódoco narrar a estratégia que introduziu o cavalo de pau nos muros de Troia, Odisseu sucumbe em pranto. O anfitrião se impacienta. Exige nome, filiação, origem. Faltam conexões. Convive-se com estilhaços? Como o homem também é filho dos seus feitos, esta é a oportunidade de Odisseu renascer das façanhas. Para recordá-las a um auditório farto de mistérios, terá que selecionar, avaliar, organizar. A urgência de ordenar vence a dor. Quando Odisseu se põe a narrar, as lágrimas cessam. O herói – herói agora também da palavra – chega a narrar com entusiasmo, com gosto. O que foi sofrimento transfigura-se em arte para aplauso de todos. Em Esquéria, metáfora literária, o excepcional retorna sem riscos. Esquéria está entre dois invisíveis, o passado e o futuro. A terra que Odisseu deixou intervém no temor e na esperança. O futuro nunca devolve intacto o que passou. Audácias povoam a noite. Importa que sejam inventadas? São belas. Pode haver verdade maior para um povo que fez da arte estilo de vida? Só a arte torna plausíveis as retumbantes aventuras de Odisseu. A linguagem, comunicativa ou inventiva, tem caráter social. Odisseu está entre gente amiga que o homenageia com festa. As aventuras em que é protagonista serão modeladas para esse auditório. Como não tem nada a temer, narra para fazer sonhar. O discurso conecta. Impossível organizar tudo. Arma-se o conflito entre o discurso organizado e o caos que espreita nas incoerências. Odisseu já não interessa como carne. Ouvidos atentos o procuram para alimentar a imaginação. O prato servido por Odisseu é esse. O homem pode banquetear-se sem consumir proteínas. Como *pneuma*, como sopro, o homem avança sem fronteiras. Odisseu cria para os feáceos um mundo que não é material. Quem é afinal Odisseu? A ficção produzida pelo protagonista não fornecerá retrato claro. Aparecerá um homem ardiloso, incauto por vezes, saudoso da pátria, mas esquecendo-se dela, fiel à esposa, muitas vezes traída, afortunado e sofredor, protegido e deslembrado pelos deuses, solícito e cruel, prático e imaginativo, sábio e ignorante. Alcínoo quer saber quem é Odisseu? Ele é todos e ninguém, símbolo do homem. Dando-se a conhecer, passa a conhecer-se melhor. Motivos para chorar já não há. No palácio iluminado de Alcínoo abre-se a cortina ao invisível, território povoado de antropófagos, ninfas, sereias, monstros. Odisseu toma lugar ao lado de outros heróis que ampliaram o espaço da civilização: Hércules, Perseu, Teseu.

6. A noite da fabulosa narração de Odisseu

No palácio de Alcínoo, a fala passa de Demódoco a Odisseu, do homem inspirado ao protagonista. Tome-se a sério o que Odisseu disse a Polifemo: meu nome é Nulisseu, Ninguém. Ante a nobreza feácea, o aventureiro passa de ninguém a alguém. O relato dos feitos o ergue do anonimato à glória. O que realmente aconteceu ninguém sabe. Testemunhas não há. Dos doze navios que Odisseu tinha ao se despedir de Troia, não sobrou nenhum. Resta Odisseu com sua voz. À medida que narra, Odisseu se configura. Tece a personalidade que deseja imortalizada. Odisseu é produto de seu discurso. O canto de Demódoco e o de Odisseu não são iguais. Demódoco canta outros, Odisseu canta-se si mesmo. Demódoco, para lembrar, necessita do auxílio da Musa, Odisseu guarda em si mesmo o seu arquivo de memórias. O narrador assume sobre a narrativa autoridade usurpada pela Musa, que em Homero ainda não se pluralizou.

6.1. Os cícones (9.39-61)

Iliothen, a primeira palavra da narrativa de Odisseu, coloca o episódio no quadro da guerra de Troia. Destruída a cidade, resta a memória de combates e de retornos trabalhosos. Esta é a primeira visão dos heróis gregos depois da guerra. Seria de se esperar cena que os glorifique. Em vez disso, temos um ataque gratuito a um povo desconhecido, seguido de saque e do rapto de mulheres, comandado pelo próprio Odisseu. Recebemos uma paródia da *Ilíada*. Os heróis que lá combateram para conquistar glória imorredoura aviltam-se aqui. A paródia revela os motivos reais da guerra. Recuperar Helena, limpar a honra da Grécia foi apenas pretexto. Com isso, o autor da *Odisseia* antecipa a crítica feita por Heródoto: Helena ficou no Egito, nunca esteve em Troia, e o que Homero narra na *Ilíada* não é confiável. Heródoto distingue verdade e mentira: mentira é a poesia, a ficção literária. Situação semelhante à da incursão na terra dos cícones nos oferece a *Ilíada* ao detalhar o ataque à cidade de Crises, o sacerdote. Lá como aqui, agressão, saque, rapto, despojos para recompensar combatentes. O episódio, que se sustenta independentemente do poema em que está inserido, lembra a campanha contra Troia. Troquem-se os nomes e estamos na *Ilíada*. Esse pequeno episódio teria tido existência independente? Por que não? Se teve, antecedeu a constituição dos poemas homéricos? A questão de pequenos poemas independentes já foi discutida a propósito da relação do romanceiro ibérico com as grandes epopeias medievais. Seja qual for a resposta, o episódio dos cícones tem caraterísticas que o individualizam: ausência de efeitos de retardamento, escassa caraterização. A concisão abre um leque de alusões sugestivas.

Odisseu recrimina seus homens por não terem recuado a tempo. Por que não lamenta a agressão brutal a uma cidade que não esperava ser atacada? Mesmo sem o apoio dos fatos, Odisseu espera comover os feáceos, espera que chorem por ele, como ele chorou por si mesmo. Mostrar-se culpado está longe dos seus interesses.

Os cícones se vingaram dos gregos em poucas horas sem grande esforço. Onde o heroísmo dos triunfadores sobre as hostes troianas? Inclua-se Odisseu entre os derrotados. Prolixo em outras ocasiões, Odisseu não diz nada sobre sua atuação aqui. Feito nenhum o destaca. O narrador reserva aos inimigos metáfora primaveril. Os cícones vêm abundantes "quais folhas e flores da primavera". Que heróis suportariam a mácula de serem repelidos por flores? Os soldados de Odisseu perdem num dia a glória que lhes custou dez anos de luta. Eurípides retomará a des-heroização dos heróis em *As troianas*.

O narrador aduz uma segunda causa do infortúnio, o fado que vem de Zeus, *Diós aisa*. Afinal, a que devemos atribuir à desgraça: ao desatino ou à fatalidade? Na razão mítica imiscui-se um motivo humano. O narrador enfatiza o humano sem abandonar o mítico. Três esferas estão em jogo: o destino (*aisa*), a vontade de Zeus (*boulé Diós*) e a ignorância dos homens (*nepioi*). O narrador não se decide por nenhuma delas. Enreda-as. Joga com elas à sua conveniência. Os cícones abatem seis soldados de cada navio. Odisseu é um perdedor. Perde tudo. Perde até a roupa do corpo. Chega à ilha dos feácios sem nada.

6.2. Perdidos no mar (9.61-81)

Livrando-se dos cícones, a frota enfrenta o mar tempestuoso. Antes de avançarem, Odisseu e os seus prestam homenagem aos companheiros mortos. O fato de terem morrido por ignorância deles fica esquecido. Eram companheiros. Na ignorância e diante da morte, somos todos solidários. Embora os mortos sejam muitos, o nome de cada um deles, carregado de lembranças, desejos e sonhos, soa três vezes. A linguagem vence a barreira da morte. Nomeado, o morto vive entre os seus. Odisseu navega no mar e nas ondas do discurso.

E a tempestade? Por que pune Zeus tão duramente Odisseu e os que o acompanham? O ataque aos cícones? Os companheiros tombados já não são paga suficiente? Coisas acontecem. Onde localizar a causa? Até a razão mítica, não raro, silencia. A Aurora do terceiro dia não anunciou tempos melhores. Bóreas recebeu ordens para embaralhar caminhos.

6.3. Os lotófagos (9.83-104)

Depois da experiência desastrosa na terra dos cícones, Odisseu procede com mais prudência. Chegando à terra dos lotófagos, pensa em estabelecer relações comerciais para abastecer-se de cereais e água. Os lotófagos não são guerreiros. A planta oferecida aos visitantes rouba a memória. Memória há de entender-se em vários sentidos. Há a memória grupal, arquivo oral ou escrito de feitos, tradições, lendas. Há a memória da humanidade, esforço de recuperar o trajeto percorrido até ao primeiro passo. Nossa é a idade da comunidade, da humanidade. Objetivando-se, a memória se organiza em patrimônio do grupo, de todos. Feri-la molesta mais do que espada ou lança. Quem morre no campo de batalha vive na memória dos seus. À maneira dos que tombaram na luta contra os cícones, os mortos em batalha são muitas vezes evocados. Como lembrar alguém cuja existência se arrasta indefinida numa terra distante, escondida nas brumas do mar? Essa morte é mais completa do que a daqueles que partem coroados de feitos gloriosos. Cair no esquecimento é outra forma de morrer, morrer para sempre, morrer sem retorno. Vem a memória pessoal, interior. Somos capazes de construir outra cena. Projetamos no futuro realidade diferente da que é e da que foi. Apagando-se a memória, anula-se o que distingue o homem. Quem somos, apagada a memória? A memória nos situa no tempo e no espaço. A memória nos constrói e reconstrói. Somos filhos da memória. Vem dela a vida que nos anima. Os lotófagos tiram a vontade de retornar. Nostalgia é uma das formas de construir o futuro, é dor dos que não estão no lugar em que gostariam de estar. Em lugar desse trabalho, os lotófagos oferecem um presente sem ambições, sem projetos, pleno, utopia paradisíaca. Roubam passado e futuro.

O alimento oferecido pelos lotófagos tem efeito contrário ao do fruto que o primeiro casal provou no paraíso. De acordo com o relato bíblico, Adão e Eva, ao levarem à boca o fruto proibido, conheceram que estavam nus, aprenderam a distinguir o bem do mal. Da inocência caíram nos tortuosos e criminosos caminhos da história. Lotos devolve o que a maçã edênica arruinou. Não estranhe que a tranquilidade da Aurora seduza homens castigados por mais de dez anos de luta, navegantes que perderam no mar tempestuoso o caminho à pátria. Os lotófagos encurtam o caminho ao lar, lar primeiro, lar de todos os lares, lugar em que a memória das lutas se extingue. Os companheiros recuperados por Odisseu da magia dos lotófagos são resgatados da morte para a vida. Reconduzindo sua gente às naus, Odisseu os devolve às lides em que se traçam os destinos do homem. Tira-os da utopia e salva-os para a história.

Na cena dos lotófagos Oriente se distancia do Ocidente, paz nirvânica ou ação e sofrimento. Contra a tranquilidade dos narcóticos, o trabalho, a navegação que só conclui na morte.

Cícones e lotófagos merecem comparação. Os lotófagos trataram bem os estrangeiros. Mas, oferecendo-lhes a planta que provoca o esquecimento, causaram-lhes dano sério. Eram amigos? A agressão dos cícones foi menos danosa do que a cordialidade dos lotófagos. A agressão dá aos agredidos a oportunidade de manifestar sua excelência guerreira. Amigos, quem são eles? Os que atacam ou os que recebem hospitaleiramente?

6.4. Os ciclopes (9.105-566)

Antes da Primeira Aurora (9.105-151)

A gente da ilha não planta, não lavra a terra, não conhece leis, nem se reúne em assembleias. Visão paradisíaca. Trigo e parreiras crescem espontaneamente. Ao narrador interessa o povo. Assim diz o proêmio. Observador atento mostra-se Odisseu aqui. Vivem em grutas os moradores de altas montanhas. Os homens exercem autoridade absoluta sobre mulher e filhos. A sorte dos demais não os molesta. A informação não é de quem chega. A descrição não obedece a disposição cronológica.

Longe estamos da sociabilidade grega, da vida em cidades. Coerência entre a paisagem paradisíaca e os habitantes não há. Tudo é possível nessas periferias. Longe dos centros civilizados cai-se num tempo que se aproxima das origens. Não se aguarde harmonia entre habitantes e meio. Paisagem paradisíaca pode ocultar monstros. Longe das cidades, o humano está sujeito a ameaças.

Odisseu vê a terra com olhos de colonizador, uma pequena ilha, vizinha à dos ciclopes. Merecem atenção as possibilidades para a agricultura, a pecuária, a navegação e a caça. O poeta serviu-se de documentos orais ou escritos? Não está excluído.

O detalhamento da chegada anuncia façanhas relevantes. Chegaram à ilha, noite escura. Denso nevoeiro escondia a lua. Alcançada a praia, recolhem as velas e dormem ao relento até o nascer do sol. A noite escura e o nevoeiro sublinham o mistério. Depois da visão global, a experiência.

Primeira Aurora (9.152-169)

Caracterizados os costumes e descrita a terra, Odisseu narra uma caçada e um festim que durou um dia inteiro. Que Odisseu é afeito a refeições fartas, já o sabemos desde a *Ilíada*. A experiência dura que aguarda a expedição é introduzida por despreocupação e jovialidade. Retornar a Ítaca é o firme propósito do herói. Mas esse objetivo não é tão forte que destrua a alegria de viver. O futuro não anula o momento que passa. Humanos são os heróis. O cotidiano confere credibilidade ao fantástico. Estratégias de quem narra.

Segunda Aurora (9.170-306)

Odisseu não vai conduzido por nenhuma necessidade prática. Entra na ilha como investigador (*peiresomai*). Quer saber se os habitantes são arrogantes (*hybristái*), selvagens (*ágrioi*), justos (*díkaioi*), hospitaleiros (*philóxenoi*), se temem os *deuses* (*noos theoudés*). Pura curiosidade de investigador. A empresa é arriscada. O desejo de conhecer supera o temor. Por que leva vinho? Já se observou que, se num romance bem construído se menciona uma arma, ela terá que disparar em algum momento. Indícios do que vai acontecer, sejam de origem divina ou humana, pontilham a Odisseia. O vinho é uma espécie de auxiliar mágico que valerá ao herói na execução da tarefa. A providência sagaz. O vinho pode ser usado para estabelecer vínculos ou para debilitar adversários. Sagaz, Odisseu previne-se para eventualidades. Ao se referir ao vinho, Odisseu entra em pormenores. Narra como o líquido lhe veio às mãos. O detalhe salienta a importância da bebida na empresa. Odisseu entra na caverna. O gigante não está. A ausência cria tensão. O que acontecerá quando o gigante retornar? O interior da caverna, realisticamente descrito, confere naturalidade ao fantástico. Os companheiros de Odisseu se intimidam. Aconselham retirada antes de serem percebidos. Odisseu resiste. Fica pelo motivo que o levou até aí: conhecer. O medo dos companheiros aumenta a expectativa. Odisseu é livre. Permanece porque quer.

Qual é a origem dos gigantes? Grupos humanos isolados, ao encontrarem outros, se teriam amedrontado. Imaginando-os mais fortes que eles próprios, os teriam designado de *gigantes*. Convivência e observação teriam reduzido os seres enormes à estatura normal. Assim teoriza Rousseau, para quem o medo produziu os gigantes. Mas aqui outros sentimentos entram em jogo: curiosidade, desafio, desejo de experimentar recursos da inteligência. Se o medo criou os gigantes, a inteligência os destrói.

Descobertos os gregos na caverna, o ciclope pergunta-lhes de onde vêm. Odisseu lhe diz a verdade. Vêm de Troia, são gente de Agamênon. Pede hospitalidade em nome de Zeus. Insolente é a resposta do gigante. Despreza Zeus e os deuses olímpicos, resquícios de luta antiga. Na periferia inculta ainda grassam conflitos anteriores ao domínio de Zeus, o deus civilizador. Odisseu representa a nova ordem, o culto a Zeus. Trava-se luta entre o passado e o presente, a forma e o disforme, a violência e a lei.

Começa a luta de palavras. Esta Odisseu conhece bem. Donde vêm, onde está o navio? Querem perguntas mais naturais? Odisseu tem amplos motivos para suspeitar. Nas considerações sobre Zeus, o gigante se distancia do navegador. Cautelas de Odisseu: ocultar informações, dizer mentiras com aparência de verdade. O herói não sabe o que pode acontecer. O gigante é incomparavelmente mais forte. Será igual ou superior a ele no certame das palavras?

Odisseu recorre ao primeiro ardil, diz-se vítima de naufrágio. As versões inventadas são sempre as mais plausíveis. Sem advertência, o gigante devora dois dos companheiros de Odisseu "como leão montês", bebe leite e dorme. Odisseu pensa em matá-lo durante o sono. Recua porque morreria na caverna, estando fechada a porta com uma pedra que só o gigante pode mover. O episódio termina insolúvel.

Para *ciclope* (formado de *kyklos*, círculo e *ops*, olho) criamos *globolho* (globo + olho).

Terceira Aurora (9.307-436)

Ao gigante de um olho só, o globolho, as coisas se apresentam simples. Em homens de dois olhos, um prende-se ao manifesto, o outro busca o oculto. Assim pensavam os gregos, assim agia Odisseu. Odisseu é muitos por ser Ninguém. É muitos: navegador, soldado, comerciante, civilizado... O gigante reduz a complexidade a uma substância só: Odisseu e os seus companheiros não passavam de pasto.

Duas dimensões temporais sustentam a resposta de Odisseu: o lugar donde vem (a mãe, os amigos) e o futuro (as metas, a luta contra o aniquilamento). Como Nulisseu, Odisseu sobrevive. Nulisseu não morre. Sendo Ninguém, ele é tudo, todos: os que sofrem, os que se debatem com forças hostis.

Note-se o contraste: Polifemo e Ninguém. O homem se distancia de Polifemo (o muito falado, o falado por todos), mas se aproximada de Odisseu, Nilisseu, Ninguém. Polifemo devora, Ninguém gera.

Contra a complexidade, o gigante não tem defesa. Menospreza o fato de que o vinho, preito de amizade, subindo à cabeça, embaralha as ideias.

A bebida, entrando no corpo do gigante como um veneno (*phármakon*), mina-lhe a defesa. *Phármakon* é a palavra, um quase nada que mesmo crianças manejam. O vinho e a palavra, misturados, detêm a violência do braço.

Odisseu pede recompensa. O gigante promete-lhe devorá-lo por último. Saciar a fome de vermes, de cães, de corvos, de gigantes, o destino do homem é este?

Odisseu não mata o gigante. Serve-se da força do adversário cego. O gigante, submetido por Odisseu, abre-lhe involuntariamente a porta para a liberdade.

Prometendo devorar Nulisseu por último, o gigante concede-lhe tempo. O tempo pode ser administrado: emprega-se tempo, esbanja-se tempo. A dádiva aniquila o doador.

"Ninguém está me matando": Homero dosa a gravidade com a leveza anedótica.

Quarta Aurora (9.437-559)

Cegado, o gigante se humaniza. A cena em que o ciclope fala ao carneiro comove. Em lugar de um leão montês, temos um ser ferido. No peito do monstro pulsa um coração terno. Polifemo recorda ao carneiro, o primeiro da tropa, episódios da vida diária. Ao quadrúpede falta só a palavra articulada para entendimento completo. O solitário afeiçoou-se ao animal.

Tomado de vaidade, Odisseu grita do mar. Os companheiros repreendem o guia. Por que provocar o brutamontes? A insensatez do sábio não tem limites. Agrava a imprudência, revelando o nome. Misturando feitos e desfeitos, o narrador não poupa o façanhudo: o gigante lamenta ter sido ferido por um adversário mesquinho. Na intensidade da paixão, homens e deuses rivalizam. A ferida que o valente deixou no filho ofende Posidon. Pouco lhe importa a justiça.

6.5. Éolo (10.1-79)

Dominar o mar é desejo dos que navegam. Não exerce poder sobre as ondas quem não é senhor dos ventos. Odisseu perdeu a rota a Ítaca, castigado por correntes adversas. Ei-lo no centro do império dos fortes tufões e da brisa acariciante, a ilha flutuante de Éolo. O cetro do mundo aéreo está em suas mãos.

Quem imagina intempestivo o rei dos ventos engana-se. Vivem na ilha o rei, sua mulher e doze filhos. De costumes rigorosamente endogâmicos, os seis irmãos casaram com as seis irmãs. Vivem na ilha sete casais harmoniosos e inteiramente satisfeitos. A endogamia os protege de obrigações externas, de buscas cansativas, de alianças comprometedoras. Os conflitos que perturbam deuses e homens não os afetam. Os ventos imprevisíveis e rebeldes estão sujeitos a tais senhores para a segurança dos que andam por úmidos caminhos e dos que cultivam a terra. Como em toda ordem metafísica, a perfeição de quem domina contrasta a carência dos dominados.

Ao cabo de uma acolhida tranquila, o hospedeiro presenteia o hóspede não com metais preciosos, mas com o domínio dos ventos. Poderia Odisseu desejar dádiva mais rica? O herói tem o destino nas próprias mãos. Acontece que ele não se mostra à altura do presente. Vencido pelo cansaço, fraqueza de que Éolo não padece, Odisseu abandona o posto de vigilância antes do fim. Certos de que estavam sendo ludibriados, os homens de Odisseu abrem os sacos em busca de ouro. O contraste entre Éolo e Odisseu é flagrante. Não só aqui, a indisciplina desgraça o explorador.

O homem é terrível por dominar as rotas do mar, diz o coro de *Antígona*. Domina? O homem não é forte, não o bastante: cansa, suspeita, diverge, cochila. O homem é instável como os ventos. Está mais próximo da agitação aérea do que da tranquilidade divina. As forças confiadas ao homem, soprem dentro ou fora, excedem. Os poderes que se evadem de sua vigilância sopram violentos e arrastam por caminhos indesejados. A natureza reage irracionalmente, isto é, contra a razão do homem. Ela tem suas próprias razões. O homem é natureza, irmão dos ventos. Para dominar requerem-se qualidades mais que humanas.

Já tínhamos visto Odisseu triste, agora ele aparece desesperado. A decepção é tamanha que o seduzem as profundezas sombrias. A continuação da viagem lhe revela o conteúdo inteiro do que disse ao gigante: eu me chamo Ninguém. O conflito interior iguala o mar tempestuoso.

Dois polos seduzem Odisseu: o domínio sobre forças adversas e a entrega. A sabedoria manda eleger posição intermédia: nem soberania, nem submissão. Ceder para atingir objetivos modestos, adiar o regresso, mas regressar.

Por que sofrem os homens? O resultado do episódio confirma o que se diz em muitos lugares na *Odisseia* e em outros textos. Indevidamente os homens buscam fora de si a causa de seus males. Divindades, circunstâncias, forças adversas podem corroborar. Nada, entretanto, diminui a responsabilidade. Odisseu não está longe da pátria por maldição divina, mas por sua própria tolice.

6.6. Os lestrigões (10.80-132)

Dos domínios de Éolo, Odisseu chega à terra dos lestrigões. A beleza da ilha contrasta a crueldade de seus habitantes. Sem maneiras urbanas, embora vivam em cidades, os lestrigões são antropófagos vorazes, desde o rei. Quem poderia prever crueldade na suavidade da jovem princesa, guia dos estrangeiros à morada paterna? A fuga dos exploradores não impede o desastre. Pedras lançadas por mãos gigantescas esmigalham a frota. Os lestrigões fisgam os navegadores como peixes. Um desastre! De doze naus, resta uma, a de Odisseu. E este é apenas o início do regresso. O narrador reserva ao insucesso menos de um verso. Por que o contraste entre a economia verbal e a magnitude do episódio? As razões do canto estão no próprio canto. O narrado requer uma ponta de racionalidade. O que dizer do absurdo? Silêncio devora o sentido.

6.7. Eeia, a ilha de Circe (10.133-574)

Em pranto exprimem-se dores que não conhecem o caminho à palavra.

Primeira Aurora (10.144-186)

Esta primeira Aurora encerra o período de infortúnios que se prolonga desde o infausto episódio dos ventos. A vida recomeça. O narrador recobra o prazer de falar. O despontar do sol desvenda mistérios. Aurora e Circe recebem o mesmo epíteto, "de belas tranças" *(euplókamos)*.

A lança e a espada com que se arma Odisseu assinalam a vitória sobre a tristeza dos últimos dias. Ao iluminar-se o céu, o aventureiro, no alto de um monte, procura sinais de civilização: obras *(erga)*, palavras *(enope)*. Como viver longe de regiões habitadas sem que a condição humana sofra ameaças? O explorador percebe que da terra sobe uma coluna de fumo. Os insucessos dos últimos tempos o tornaram cauteloso. O desejo de conhecer é, no entanto, mais forte que o perigo. Indeciso entre a ousadia e o temor, resolve fazer-se preceder por um grupo de exploradores.

A sorte (Ou foi um deus? Odisseu prefere a segunda hipótese) pôs-lhe um grande cervo no caminho. O navegador narra a vitória sobre o animal como se recordasse o triunfo sobre inimigos. Insucessos repetidos engrandecem o feito. Abatida a presa, o vencedor oferece um banquete de dia inteiro. A refeição farta ajuda a enxugar lágrimas, extingue as imagens da morte. Passado e futuro somem da mente dos guerreiros. O dia sem aflições merece destaque entre Auroras.

Segunda Aurora (10.187-540)

Depois da festa, a volta ao trabalho. Odisseu convoca a gente que lhe resta para uma assembleia. O discurso não reflete os pensamentos que passaram pela mente do herói ao perscrutar a ilha. Recorre a argumentos práticos. Perdidos no mar, não sabem nem distinguir o oriente do ocidente. A busca de informações faz-se urgente. A fumaça que se divisa do monte indica morada de homens? Os soldados respondem ao plano do chefe com lágrimas. Como se entusiasmar por incursões numa região infestada por antropófagos de proporções descomunais? De nada valem protestos. Odisseu divide os soldados em dois grupos. Tirada a sorte, vinte e dois companheiros, comandados por Euríloco, partem rumo ao sinal de fogo.

Ao chegarem, coisas estranhas acontecem. São recebidos por feras tranquilas. O narrador caracteriza Circe, a rainha. Da beleza destaca o arranjo dos cabelos; das qualidades, lembra o canto. Nascida do Sol e de uma filha do Oceano, rio que circunda a Terra, deve-se procurar a morada de Circe no Oriente, região de magia e de mistério.

A ninfa os recebe hospitaleira. Com uma droga, tira-lhes a lembrança da pátria; com o toque de uma varinha, transforma-os em porcos. A antropofagia não é a única ameaça à condição humana. Um cochilo basta para cair na sorte dos animais que chafurdam em pocilgas. O ser a quem se abrem possibilidades infinitas pode sumir na prisão em que vivem quadrúpedes de cabeça inclinada ao solo. Na luta pela humanação, está em jogo o equilíbrio entre a condição animal e o olhar seduzido pelo mundo que se esconde além dos horizontes. Mesmo navegantes que ousaram explorar os limites do universo correm o risco de serem acorrentados ao chão que pisam. Os sentimentos rebeldes adormecidos naqueles que por imperícia caíram em formas rudimentares mantêm viva a possibilidade de retorno. Só Euríloco, recusando o convite da feiticeira, salva-se para relatar a má sorte dos que entraram. Como não presenciou os sucessos no palácio, o explorador dá os companheiros como mortos.

O perigo desafia Odisseu. Ao arrepio do que manda a prudência, o chefe parte só em socorro dos incautos. Contra os efeitos da magia, Hermes o aparelha de instrumentos mágicos. Divindades uranianas e divindades ctônicas disputam o território. Atento aos conselhos de Hermes – ele poderia recusá-los –, Odisseu se põe a serviço dos senhores olímpicos. O guerreiro enfrenta Circe com a espada. Contra a vara mágica, o instrumento de guerra. No choque das culturas, vence a lâmina de ferro. Intimidada, a divindade recua. A intrepidez masculina desperta em Circe a mulher. Também deusas amargam a solidão. O leito anula a distância que entristece seres solitários. Humanizada e submissa, Circe devolve à condição humana seres embrutecidos. Os soldados de Odisseu retornam mais fortes, mais belos. Circe, dilaceradora que era, esplende como aparição materna, rejuvenescedora. Ou seduziria com a tranquilidade sonhada na idade de ouro? A doçura de Circe toca o guerreiro. Mágico é o afeto. Também o leito rouba a razão.

Sensato agora não é Odisseu, sensato é um companheiro fiel, Euríloco. Ocorrem-lhe as ousadias do comandante. Os cuidados do amigo enfurecem Odisseu. Abandonam-no as palavras, o bom-senso. A periferia transtorna. Desponta um Odisseu selvagem. Avança contra o companheiro leal para cortar-lhe o pescoço. Não agiu assim com o gigante que lhe devorou os subordinados. Soube esperar. A violência dessacraliza. Herói e vilão coexistem na mesma personagem. Para evitar derramamento de sangue, os companheiros tranquilizam o transtornado.

O banquete não é agora de um só dia. Ébrio dos encantos de Circe, Odisseu se demora no palácio da ninfa por um ano inteiro. Cansados de esperar, os companheiros despertam o enfeitiçado. O sono foi tão profundo que por quatro estações o narrador esqueceu Auroras. O tempo se arrastou monotonamente sem que nada de novo acontecesse, nenhum episódio a ser lembrado, a vida semelha a morte. Circe é o vestíbulo do reino dos que dormem. Por muitos meses Odisseu não sonha com a pátria, não pensa em viagens. Repousa sem sonhos. Tempo lírico, sem passado nem futuro.

Os companheiros chamam-no de *daimónios*, tocado por divindade estranha, enfeitiçado. Tentam reavivar-lhe imagens esmaecidas. Nos episódios anteriores, Odisseu representou a salvação. Agora a voz redentora vem dos soldados. Não são loucos os muitos. Louco é um só. Despertando da letargia de um ano, o aventureiro prorrompe em lágrimas. Sente o mundo ruir. Chora como o recém-nascido lançado para a realidade crua. Não quer que termine a longa noite de prazeres. Não aspira por nova Aurora. Quer que a noite seja eterna como a morte. Na cascata de lágrimas, Circe já perdeu Odisseu. Recuperado o sentimento do dever, mais forte que o desejo de paz, Odisseu se desprende da ninfa.

Benévola, a ninfa orienta o companheiro de muitos dias. Recomenda-lhe que vá instruir-se com Tirésias no Hades. Desperdiçado o caminho curto para chegar a Ítaca, oferecido por Éolo, resta-lhe o caminho longo, roteiro de perigos, luta e morte.

Por mais que o homem saiba, limitadas são as reservas. Odisseu consulta o vidente que já morreu. Há um saber acumulado, o de passadas gerações. Recorrem a ele os que avançam.

Quem guiará o navegador ao reino dos mortos? O guia é dispensável, assegura-lhe Circe. Para Ítaca o caminho é incerto. Ventos contrários podem frustrar o acesso. Para a terra dos Cimérios, Bóreas sempre sopra favorável.

Odisseu, o sábio, recebe instruções de uma mulher de horizontes limitados, periférica: não combateu os combates que ele combateu, nem navegou os mares que ele navegou, uma mulher que sabe do caminho à morte.

As instruções de Circe entram no reino da poesia. Mágica e poética é a geografia infernal. Odisseu deverá deter-se junto a uma rocha batida por águas misteriosas, a corrente que separa vida e morte. Os mortos vagam além do Aqueronte. Odisseu deverá atraí-las com sangue de ovelha. O fosso será cavado com a espada, metal que também protegerá o fosso, ferro é instrumento de guerra e de magia. Na espada a vida e a morte concorrem. O sangue que Odisseu deitar no fosso restaurará por breves instantes a memória das sombras que o experimentarem.

6.8. No Hades (11.1-12.7)

De todas as viagens, esta, às paragens sombrias dos cimérios, é a mais difícil para homens sedentos de luz. Odisseu a empreende só. Trilhará sozinho um dia esse mesmo caminho para não retornar nunca mais. No caminho à morte, Odisseu dá com muitos rostos, muitas maneiras de morrer.

Como conclui a viagem ao reino dos mortos? Responda a imaginação, mais forte que a fronteira da morte. A poesia desvenda o que fatos escondem. As veredas da vida são reversíveis, o caminho ao mundo dos mortos não. Na viagem de Odisseu a reversibilidade espacial e a irreversibilidade temporal se confundem. Ao que se fez poesia não se fecham portas. A terra dos cimérios situa-se na região oposta à Aurora. Odisseu lá chega ao pôr do sol, hora em que todos os caminhos se apagam. A região oculta aos olhos vive no embalo dos versos. A viagem vacila entre o receio e o prazer de descer, descida de revelações. A vida alimenta-se da morte, e a morte se alimenta da vida. Desce ao Hades quem recorda mortos. Rumo ao reino dos que já não são, o barco avança entre a glória e o olvido. Glorioso é permanecer na memória dos homens.

Para ir ao reino dos mortos e retornar no calor do sangue, métodos convencionais não bastam. Os quatro lados do fosso de Odisseu refletem os quatro horizontes da terra. A espada levanta-se na fronteira entre vida e a morte. Chama e afasta. Semeia o susto mesmo na mente dos habitantes das regiões bolorentas. Trava-se combate singular. Odisseu não ergue a espada só contra guerreiros sedentos de vida, a arma ameaça também noivas, velhos, virgens. O guerreiro luta para que a chusma desordenada não inviabilize o objetivo da vinda. Nada lhe vem sem esforço. Até o Hades requer deliberação ajuizada.

Foucault assegura que o homem dos tempos modernos descobre a morte na dissecação dos cadáveres. A morte, pensa ele, ilumina a vida. A descida ao Hades não tem o mesmo efeito? Tanto na experiência cirúrgica quanto na visão mítica, morte e vida são imagens da mesma unidade. Não sendo física, a morte vem por muitos caminhos, uma delas é a poesia. Protegidos por palavras, ritmos e sons, a morte nos espreita. Nos versos de Homero os mortos vêm e vão. Espada é o canto. Mágico é o aedo. O sangue guardado nos versos reanima os que moram na sombra.

O primeiro a beneficiar-se da oferenda – quem diria? – é Elpenor, companheiro de Odisseu que morreu na festa oferecida por Circe para celebrar a partida. Cômico é o fim do soldado. Embriagado, caiu do terraço, quebrou o pescoço, morreu. O incauto roga que o aventureiro não se esqueça de retornar à ilha para dar-lhe sepultura. Sem essa homenagem, a derradeira, os mortos não descansam. Odisseu, notoriamente sentimental, garante em lágrimas que o pedido será atendido. Embora comovido, Odisseu cuida para que sentimentos não sufoquem o juízo. Fácil não é. Entre o turbilhão de sombras, delineia-se o rosto de Anticleia, mãe de Odisseu. Embora comovido, Odisseu retarda o precário convívio. Urge ouvir Tirésias, vidente legendário, cego para objetos banhados de luz, mas sensível ao que há de vir. Se há lembrança do passado por que não poderá instaurar-se memória do futuro? Envoltos pela noite do passado e pela sombra do porvir, as qualidades de Tirésias não nos são de todo estranhas. Como o sangue no fosso de Odisseu, a palavra traz à luz eventos do que já foi e do que será, narrados por Homero, narrados por Tirésias, ou narrados por um de nós. Como o narrador não deseja que o receptor se perca no mar dos episódios, a fala de Tirésias funciona como prólogo à nova série de aventuras. Poderia equivocar-se, sendo essa sua função? A vidência diminui o impacto do inusitado. O autor da *Odisseia* entrevê o que há de acontecer com os olhos interiores de Tirésias. A vida não se constitui de uma sequência de fatos sem sentido. O triunfo da paz sobre a violência ilumina o caminho.

Se Odisseu conseguir refrear a cobiça dos seus – garante Tirésias –, acontecerá isso; se a ganância vencer acontecerá aquilo. "Se" instala o homem na liberdade. Como no passado, atos desatinados, causa de infortúnio, retardarão o retorno. Ítaca não representa automaticamente o fim dos trabalhos. Odisseu só viverá em paz se combater a violência. Odisseu não é violento só quando violentos lhe ameaçam a vida, ele é fonte de excessos. O remo, instrumento da aventura e da morte, deverá converter-se em monumento de estabilidade, de paz. Plantado na terra, a agricultura prenderá o navegador à terra.

Tirésias o informa sobre riscos na viagem e na pátria, mas quem lhe daria melhores informações sobre sua casa e sua gente do que a mãe, morta pela saudade? De quem? Desse mesmo filho que inopinadamente a encontra no reino dos mortos. Terna é a voz da mãe ao falar da esposa aflita, do pai austero, de Telêmaco. O contato físico não vai além dos braços, para a palavra não há distâncias, nem mesmo a morte. Perde-se a mãe gradativamente. Chega um momento em que não é mais que uma sombra viva só na lembrança. Só nesse recinto conversamos com ela. Homero visualiza conflitos e os dramatiza. Odisseu estende a mão, e a sombra se move como o vapor que sobe da chaleira nas manhãs de inverno.

A mãe abre a galeria de mulheres ilustres, mulheres de outros tempos, origem de linhagens. O mérito dos que realizam grandes feitos é também das mães que os geraram. Vem Tiro, que, unida a Netuno, gerou Pélias; vem Antíope, ancestral dos reis de Tebas; vem Alcmena, mãe de Héracles; vem Epicasta, imortalizada por Sófocles com o nome de Jocasta. Enforcada, amaldiçoa desde o reino dos mortos o filho, Édipo, involuntariamente parricida e incestuoso. Para escrever a tragédia, Sófocles excede essas informações sucintas. Odisseu interrompe a narrativa para não gastar com a evocação de mulheres ilustres a noite toda.

Visivelmente comovida com a atenção dada às mulheres, Arete, a rainha, interrompe a exposição, lembrando que um hóspede de tal categoria faz jus a presentes à altura de seus feitos. Alcínoo confirma o desejo da esposa. As palavras de Odisseu não cansam. O rei manda que Odisseu prossiga, mesmo que o relato toque a fímbria do manto luminoso da Aurora. A arte de Odisseu assemelha-se aos poderes mágicos de Circe. O homem nasce rebelde. A insubordinação de Prometeu é exemplar. O poeta se apropria de poderes de feiticeiros, de gigantes, de deuses. Faz do infortúnio encanto. A narrativa de Odisseu é mais forte que a morte.

Odisseu retoma a palavra falando dos companheiros de Troia reencontrados no Hades. Dentre eles destacam-se Agamêmnon, chefe do exército, morto, ao retornar ao palácio, por artimanhas de Clitemnestra, sua infiel esposa; destaca-se Aquiles, que se declara mais infeliz como príncipe dos mortos do que um humilde lavrador da Tessália. A passagem de Odisseu pelo Hades fornecerá assunto para várias tragédias. Além de Jocasta (Epicasta) e Agamêmnon, também Ajax, Neoptólemo e Héracles fecundaram a imaginação dos tragedistas. Dentre as figuras do passado sobressaem Tântalo e Sísifo, ambos punidos com sentenças cruéis. O primeiro padece de sede e de fome num lago cercado de árvores frutíferas. Sísifo, vencido pelo peso da pedra que deve levar até o alto de uma montanha, reinicia sem descanso um trabalho sem-fim. Nem tudo é desgosto e sofrimento no reino dos mortos. Héracles, ao lado da bela Hebe, vive na morte a felicidade que lhe foi negada em vida. Coberto de insígnias, lembra os trabalhos penosos que lhe foram impostos. Nenhum deles tem valor prático. Filhos de deuses não se ocupam com tarefas prosaicas. Se até o grande Héracles teve de sofrer, por que não sofreriam gerações mais recentes? Separados pelo tempo e por conflitos, os mortais se solidarizam.

A ida ao Hades é uma viagem através do tempo. O desejo de conhecer os homens tem sentido espacial e temporal. O Hades é um mundo de gente que luta e sofre. É uma cidade de homens, um universo. Dos tragedistas a Camus, muitos desceram ao Hades. O conhecimento da morte nos distingue e nos instrui.

A estada no Hades desdobra-se em duas partes. Na primeira, dominam as mulheres, Anticleia e outras damas ilustres. Na segunda, destacam-se os heróis: os companheiros de Odisseu e os que combateram em outros tempos. Damos em cada parte com o mesmo arranjo: aparições recentes seguidas de figuras remotas. Herói civilizador, Odisseu disciplina o mundo caótico das sombras. Mesmo no Hades, o homem organiza o mundo à sua medida. Mas o tempo não diminui o sofrimento, igual para todos, em todas as idades.

Outros heróis desejaria encontrar Odisseu; ocorre-lhe Teseu, mas a prudência manda que recue. Se viesse a Górgona com seu olhar petrificador, perderia o comando sobre os músculos, e Ítaca se transformaria em nostálgica lembrança. Odisseu atravessa o rio Oceano rumo a Eeia, rumo às moradas da Aurora para cumprir a promessa feita a Elpenor. Esta Aurora encerra a longa noite passada no Hades que se fecha como um sonho povoado de desejos e sustos.

6.9. Retorno a Circe (12.8-12.141)

O retorno a Circe, resumido entre duas Auroras, obedece também a interesses narrativos. Encerradas as homenagens fúnebres, a Deusa amplia, deitada ao lado de Odisseu, as informações de Tirésias. Antecipações pontilham as epopeias de Homero. Antecipa-se o arcabouço, não a reação dos caracteres. Navegar é arriscado, arriscado é viver. Enfrentar dificuldades mortíferas distingue o herói, ilustra o homem. A força brilha em quem é frágil.

6.10. As Sereias (12.143-200)

As Sereias, revelando o que foi, surgem como a antítese dos lotófagos. A fascinação do passado é tão perigosa quanto o esquecimento. Capturado pelo passado, o homem sucumbe. Odisseu, protagonista de feitos gloriosos, beira o colapso. O ludibriador surpreende as Sereias com uma artimanha de que não suspeitavam, um ato de que não havia precedentes. O homem encanta porque emerge só parte do que nele fervilha. As Sereias sabem muito, conhecem os sucessos da longínqua Troia e o que se passa na vasta superfície da terra, mas lhes escapa o esquivo espírito dos homens. Não veem no espelho do futuro mais do que imagens do passado. Nenhuma delas se individualiza. A mudança decreta-lhes a morte.

Por mudar, por alterar, por morrer, o homem é terrível. Não é mortal só no fim, a morte o contamina por inteiro, não lhe ensombra só o fim. Morrem sistemas, morrem monumentos. O novo brota nas cinzas.

Tudo indica que as Sereias, vencidas pelas artimanhas de Odisseu, pereceram como a Esfinge ao saber decifrado o enigma. As Sereias e a Esfinge, forças inflexíveis da natureza, ameaçam com o imutável. Cantam como os pássaros. Como os animais, as Sereias atuam em lugar demarcado. O homem, ao substituir a necessidade pela liberdade, provoca-lhes a ruína. Nem o próprio homem, sempre imprevisível, sabe do que é capaz, por isso Sófocles o chamará terrível.

Odisseu, se deixar de inventar, estará arruinado.
Ao narrar seus feitos aos feáceos, Odisseu organiza, seleciona, domina. Inventando, o narrador distancia-se de quem atuou.

6.11. Cila e Caribde (201-259)

Fim desumano é o destino de homens que se comportaram desumanamente. Homero não sanciona agressões, devastação, saques e raptos. Violência contra violência equilibra o universo. Impura é a trajetória do sábio e ponderado Odisseu. Salva-se só depois de severos castigos porque a ordem cósmica convoca seu braço.

Irreversíveis são os caminhos da vida. Voltar para onde? O sacrifício de alguns vale mais que o insucesso de todos. Cila é preferível a Caribde, esse é desde sempre o impiedoso raciocínio do chefe militar. Por que estes e não outros? Essa pergunta não encontra resposta. Já na concepção, a morte de milhões sustenta o êxito de um só. A garganta estreita por que passa a nau lembra o canal que leva da caverna escura à vida. Os que passam renascem.

Odisseu encoraja os navegadores assustados. Escaparam de Polifemo, como não escapariam desse monstro? Palavras veladas animam os braços que movem os remos. O êxito confirma a verdade. Assim raciocina o guia.

Mesmo que Circe tenha advertido a inutilidade de combater monstros imortais, Odisseu se arma. Enfrenta Cila como soldado, haja o que houver.

Os abocanhados por Cila clamam por Odisseu. Não sabem que a morte deles estava em seus planos. Rogam ajuda a alguém que os entregara à sua própria sorte. Sacrifício calculado para triunfar.

6.12. Os bois de Hélio (12. 260-419)

A infração não foi pequena. Embora advertidos, os homens de Odisseu atacam os rebanhos de Hélio, o Sol, o rei. Não estranha que sejam punidos com a escuridão da morte os que agrediram o império da luz. Odisseu não participou do banquete sacrílego, embora não tenha impedido que a afronta acontecesse. Hélio poupa-lhe a vida, mas priva-o do último barco e do auxílio dos últimos homens. Sem proteção de deuses e sem ajuda de homens, as ondas largam o incauto navegador em Ogígia, prisão que o imobiliza por sete anos. O navegador aprendeu mais sobre o mentalidade dos homens convivendo com experimentados companheiros de armas do que com gente estranha. A lição foi dura. Mesmo em momentos decisivos, a paixão pode mais que a reflexão.

Os homens, ao elegerem o sol como símbolo da força que esclarece a mente, idealizam energias que não possuem. Odisseu navega entre o reino da luz e a escuridão dos calabouços profundos. Na mescla desses dois extremos transcorre a vida. Atacar o rebanho de Hélio foi ato tão arriscado quanto roubar o fogo dos deuses. Em ambos os casos as divindades lesadas punem os infratores. Se os homens respeitassem os limites a que estão confinados nunca deixariam de ser crianças. Rebeldia sem riscos não há. Ousar é lutar pela vida.

6.13. Retorno a Cila e Caribde (12.420-453)

Antes do longo repouso de Odisseu em Ogígia, as forças do único sobrevivente da embarcação destroçada são postas à prova. A vida não lhe vem de graça. Odisseu vive porque ninguém dos seus faria o que ele fez ao voltar a confrontar-se com Cila e Caribde.

O relato termina na ilha de Calipso. O narrador pede licença para não repetir o que rei e rainha já sabem. Fecha-se o anel das aventuras.

Odisseu passa por muitas mortes antes de chegar ao reino dos mortos. Penoso é o regresso. Mais tranquilo seria mover-se como sombra entre as sombras. A morte vem como dom. A vida, ao contrário, é nossa constante conquista. Até as sombras do Hades batem-se pelo sangue que por instantes lhes devolve a energia vital. Com a recordação da passagem pela terra, reacendem-se-lhes os conflitos. Da morte não se escapa. Polifemo tinha razão: o último a morrer será Odisseu. Os episódios da ida ao Hades são ficcionais, não a viagem, roteiro de todos. Dizendo-se Ninguém, Odisseu enunciou uma verdade cujo alcance ele próprio não podia adivinhar. Ao fim das narrativas ele não é mais que ficção, Nulisseu, Ninguém. E, ao ser Ninguém, é todos.

Sobre o tradutor

Donaldo Schüler nasceu em Videira, Santa Catarina, em 1932. É doutor em Letras e livre-docente pela Universidade Federal do Rio Grande do Sul e pela Pontifícia Universidade Católica do Rio Grande do Sul e professor titular aposentado em língua e literatura grega da UFRGS. Realizou estágio de pós-doutorado na Universidade de São Paulo, concluído com a publicação do trabalho *Eros: dialética e retórica* (Edusp, 2001). Ministrou cursos em nível de graduação e de pós-graduação em vários países, como Estados Unidos, Canadá, Uruguai, Chile e Argentina, e hoje leciona no Curso de Pós-Graduação em Filosofia da PUCRS, além de atuar como conferencista e professor em várias instituições e universidades. Publicou diversos livros, entre os quais *Teoria do romance* (Ática, 1989), *Narciso Errante, Na conquista do Brasil* (Atelier Editorial, 2001), *Heráclito e seu (dis)curso* (L&PM POCKET, 2000), *Origens do discurso democrático* (L&PM POCKET, 2002), *A construção da Ilíada* (L&PM, 2004) e, no gênero romance, *A mulher afortunada* (Movimento, 1982), *Faustino, Pedro de Malasartes* e *Império caboclo*. Realizou várias traduções, sobretudo de tragédias gregas (Sófocles e Ésquilo). Sua versão para o português do romance *Finnegans Wake*, de James Joyce (Atelier Editorial, 2003), recebeu o prêmio Jabuti, o prêmio de Melhor Tradução da Associação Paulista de Críticos Literários, o Prêmio Açorianos e o prêmio Fato Literário, concedido pela RBS e BANRISUL. Por *Finnício Riovém* (Lamparina, 2004), recebeu o Prêmio Açorianos na categoria literatura infantojuvenil.

Coleção **L&PM** POCKET (LANÇAMENTOS MAIS RECENTES)

- 90.**200 receitas inéditas do Anonymus Gourmet** – J. A. Pinheiro Machado
- 91.**Guia prático do Português correto – vol.2** – Cláudio Moreno
- 92.**Breviário das terras do Brasil** – Assis Brasil
- 93.**Cantos Cerimoniais** – Pablo Neruda
- 94.**Jardim de Inverno** – Pablo Neruda
- 95.**Antonio e Cleópatra** – William Shakespeare
- 96.**Tróia** – Cláudio Moreno
- 97.**Meu tio matou um cara** – Jorge Furtado
- 98.**O anatomista** – Federico Andahazi
- 99.**As viagens de Gulliver** – Jonathan Swift
- 400.**Dom Quixote** – (v. 1) – Miguel de Cervantes
- 401.**Dom Quixote** – (v. 2) – Miguel de Cervantes
- 402.**Sozinho no Pólo Norte** – Thomaz Brandolin
- 403.**Matadouro 5** – Kurt Vonnegut
- 404.**Delta de Vênus** – Anaïs Nin
- 405.**O melhor de Hagar 2** – Dik Browne
- 406.**É grave Doutor?** – Nani
- 407.**Orai pornô** – Nani
- 408.(11).**Maigret em Nova York** – Simenon
- 409.(12).**O assassino sem rosto** – Simenon
- 410.(13).**O mistério das jóias roubadas** – Simenon
- 411.**A irmãzinha** – Raymond Chandler
- 412.**Três contos** – Gustave Flaubert
- 413.**De ratos e homens** – John Steinbeck
- 414.**Lazarilho de Tormes** – Anônimo do séc. XVI
- 415.**Triângulo das águas** – Caio Fernando Abreu
- 416.**100 receitas de carnes** – Sílvio Lancellotti
- 417.**Histórias de robôs**: vol. 1 – org. Isaac Asimov
- 418.**Histórias de robôs**: vol. 2 – org. Isaac Asimov
- 419.**Histórias de robôs**: vol. 3 – org. Isaac Asimov
- 420.**O país dos centauros** – Tabajara Ruas
- 421.**A república de Anita** – Tabajara Ruas
- 422.**A carga dos lanceiros** – Tabajara Ruas
- 423.**Um amigo de Kafka** – Isaac Singer
- 424.**As alegres matronas de Windsor** – Shakespeare
- 425.**Amor e exílio** – Isaac Bashevis Singer
- 426.**Use & abuse do seu signo** – Marília Fiorillo e Marylou Simonsen
- 427.**Pigmaleão** – Bernard Shaw
- 428.**As fenícias** – Eurípides
- 429.**Everest** – Thomaz Brandolin
- 430.**A arte de furtar** – Anônimo do séc. XVI
- 431.**Billy Bud** – Herman Melville
- 432.**A rosa separada** – Pablo Neruda
- 433.**Elegia** – Pablo Neruda
- 434.**A garota de Cassidy** – David Goodis
- 435.**Como fazer a guerra: máximas de Napoleão** – Balzac
- 436.**Poemas escolhidos** – Emily Dickinson
- 437.**Gracias por el fuego** – Mario Benedetti
- 438.**O sofá** – Crébillon Fils
- 439.**O "Martín Fierro"** – Jorge Luis Borges
- 440.**Trabalhos de amor perdidos** – W. Shakespeare
- 441.**O melhor de Hagar 3** – Dik Browne
- 442.**Os Maias (volume1)** – Eça de Queiroz
- 443.**Os Maias (volume2)** – Eça de Queiroz
- 444.**Anti-Justine** – Restif de La Bretonne
- 445.**Juventude** – Joseph Conrad
- 446.**Contos** – Eça de Queiroz
- 447.**Janela para a morte** – Raymond Chandler
- 448.**Um amor de Swann** – Marcel Proust
- 449.**À paz perpétua** – Immanuel Kant
- 450.**A conquista do México** – Hernan Cortez
- 451.**Defeitos escolhidos e 2000** – Pablo Neruda
- 452.**O casamento do céu e do inferno** – William Blake
- 453.**A primeira viagem ao redor do mundo** – Antonio Pigafetta
- 454.(14).**Uma sombra na janela** – Simenon
- 455.(15).**A noite da encruzilhada** – Simenon
- 456.(16).**A velha senhora** – Simenon
- 457.**Sartre** – Annie Cohen-Solal
- 458.**Discurso do método** – René Descartes
- 459.**Garfield em grande forma (1)** – Jim Davis
- 460.**Garfield está de dieta** (2) – Jim Davis
- 461.**O livro das feras** – Patricia Highsmith
- 462.**Viajante solitário** – Jack Kerouac
- 463.**Auto da barca do inferno** – Gil Vicente
- 464.**O livro vermelho dos pensamentos de Millôr** – Millôr Fernandes
- 465.**O livro dos abraços** – Eduardo Galeano
- 466.**Voltaremos!** – José Antonio Pinheiro Machado
- 467.**Rango** – Edgar Vasques
- 468.(8).**Dieta mediterrânea** – Dr. Fernando Lucchese e José Antonio Pinheiro Machado
- 469.**Radicci 5** – Iotti
- 470.**Pequenos pássaros** – Anaïs Nin
- 471.**Guia prático do Português correto – vol.3** – Cláudio Moreno
- 472.**Atire no pianista** – David Goodis
- 473.**Antologia Poética** – García Lorca
- 474.**Alexandre e César** – Plutarco
- 475.**Uma espiã na casa do amor** – Anaïs Nin
- 476.**A gorda do Tiki Bar** – Dalton Trevisan
- 477.**Garfield um gato de peso (3)** – Jim Davis
- 478.**Canibais** – David Coimbra
- 479.**A arte de escrever** – Arthur Schopenhauer
- 480.**Pinóquio** – Carlo Collodi
- 481.**Misto-quente** – Bukowski
- 482.**A lua na sarjeta** – David Goodis
- 483.**O melhor do Recruta Zero (1)** – Mort Walker
- 484.**Aline: TPM – tensão pré-monstrual (2)** – Adão Iturrusgarai
- 485.**Sermões do Padre Antonio Vieira**
- 486.**Garfield numa boa (4)** – Jim Davis
- 487.**Mensagem** – Fernando Pessoa
- 488.**Vendeta** *seguido de* **A paz conjugal** – Balzac
- 489.**Poemas de Alberto Caeiro** – Fernando Pessoa
- 490.**Ferragus** – Honoré de Balzac
- 491.**A duquesa de Langeais** – Honoré de Balzac
- 492.**A menina dos olhos de ouro** – Honoré de Balzac
- 493.**O lírio do vale** – Honoré de Balzac
- 494.(17).**A barcaça da morte** – Simenon
- 495.(18).**As testemunhas rebeldes** – Simenon
- 496.(19).**Um engano de Maigret** – Simenon
- 497.(1).**A noite das bruxas** – Agatha Christie
- 498.(2).**Um passe de mágica** – Agatha Christie
- 499.(3).**Nêmesis** – Agatha Christie
- 500.**Esboço para uma teoria das emoções** – Sartre
- 501.**Renda básica de cidadania** – Eduardo Suplicy

502(1).**Pílulas para viver melhor** – Dr. Lucchese
503(2).**Pílulas para prolongar a juventude** – Dr. Lucchese
504(3).**Desembarcando o diabetes** – Dr. Lucchese
505(4).**Desembarcando o sedentarismo** – Dr. Fernando Lucchese e Cláudio Castro
506(5).**Desembarcando a hipertensão** – Dr. Lucchese
507(6).**Desembarcando o colesterol** – Dr. Fernando Lucchese e Fernanda Lucchese
508.**Estudos de mulher** – Balzac
509.**O terceiro tira** – Flann O'Brien
510.**100 receitas de aves e ovos** – J. A. P. Machado
511.**Garfield em toneladas de diversão (5)** – Jim Davis
512.**Trem-bala** – Martha Medeiros
513.**Os cães ladram** – Truman Capote
514.**O Kama Sutra de Vatsyayana**
515.**O crime do Padre Amaro** – Eça de Queiroz
516.**Odes de Ricardo Reis** – Fernando Pessoa
517.**O inverno da nossa desesperança** – Steinbeck
518.**Piratas do Tietê (1)** – Laerte
519.**Rê Bordosa: do começo ao fim** – Angeli
520.**O Harlem é escuro** – Chester Himes
521.**Café-da-manhã dos campeões** – Kurt Vonnegut
522.**Eugénie Grandet** – Balzac
523.**O último magnata** – F. Scott Fitzgerald
524.**Carol** – Patricia Highsmith
525.**100 receitas de patisseria** – Sílvio Lancellotti
526.**O fator humano** – Graham Greene
527.**Tristessa** – Jack Kerouac
528.**O diamante do tamanho do Ritz** – F. Scott Fitzgerald
529.**As melhores histórias de Sherlock Holmes** – Arthur Conan Doyle
530.**Cartas a um jovem poeta** – Rilke
531(20).**Memórias de Maigret** – Simenon
532(4).**O misterioso sr. Quin** – Agatha Christie
533.**Os analectos** – Confúcio
534(21).**Maigret e os homens de bem** – Simenon
535(22).**O medo de Maigret** – Simenon
536.**Ascensão e queda de César Birotteau** – Balzac
537.**Sexta-feira negra** – David Goodis
538.**Ora bolas – O humor de Mario Quintana** – Juarez Fonseca
539.**Longe daqui aqui mesmo** – Antonio Bivar
540(5).**É fácil matar** – Agatha Christie
541.**O pai Goriot** – Balzac
542.**Brasil, um país do futuro** – Stefan Zweig
543.**O processo** – Kafka
544.**O melhor de Hagar 4** – Dik Browne
545(6).**Por que não pediram a Evans?** – Agatha Christie
546.**Fanny Hill** – John Cleland
547.**O gato por dentro** – William S. Burroughs
548.**Sobre a brevidade da vida** – Sêneca
549.**Geraldão (1)** – Glauco
550.**Piratas do Tietê (2)** – Laerte
551.**Pagando o pato** – Ciça
552.**Garfield de bom humor (6)** – Jim Davis
553.**Conhece o Mário?** vol.1 – Santiago
554.**Radicci 6** – Iotti
555.**Os subterrâneos** – Jack Kerouac
556(1).**Balzac** – François Taillandier
557(2).**Modigliani** – Christian Parisot
558(3).**Kafka** – Gérard-Georges Lemaire
559(4).**Júlio César** – Joël Schmidt
560.**Receitas da família** – J. A. Pinheiro Machado
561.**Boas maneiras à mesa** – Celia Ribeiro
562(9).**Filhos sadios, pais felizes** – R. Pagnoncelli
563(10).**Fatos & mitos** – Dr. Fernando Lucchese
564.**Ménage à trois** – Paula Taitelbaum
565.**Mulheres!** – David Coimbra
566.**Poemas de Álvaro de Campos** – Fernando Pessoa
567.**Medo e outras histórias** – Stefan Zweig
568.**Snoopy e sua turma (1)** – Schulz
569.**Piadas para sempre (1)** – Visconde da Casa Verde
570.**O alvo móvel** – Ross Macdonald
571.**O melhor do Recruta Zero (2)** – Mort Walker
572.**Um sonho americano** – Norman Mailer
573.**Os broncos também amam** – Angeli
574.**Crônica de um amor louco** – Bukowski
575(5).**Freud** – René Major e Chantal Talagrand
576(6).**Picasso** – Gilles Plazy
577(7).**Gandhi** – Christine Jordis
578.**A tumba** – H. P. Lovecraft
579.**O príncipe e o mendigo** – Mark Twain
580.**Garfield, um charme de gato (7)** – Jim Davis
581.**Ilusões perdidas** – Balzac
582.**Esplendores e misérias das cortesãs** – Balzac
583.**Walter Ego** – Angeli
584.**Striptiras (1)** – Laerte
585.**Fagundes: um puxa-saco de mão cheia** – Laerte
586.**Depois do último trem** – Josué Guimarães
587.**Ricardo III** – Shakespeare
588.**Dona Anja** – Josué Guimarães
589.**24 horas na vida de uma mulher** – Stefan Zweig
590.**O terceiro homem** – Graham Greene
591.**Mulher no escuro** – Dashiell Hammett
592.**No que acredito** – Bertrand Russell
593.**Odisséia (1): Telemaquia** – Homero
594.**O cavalo cego** – Josué Guimarães
595.**Henrique V** – Shakespeare
596.**Fabulário geral do delírio cotidiano** – Bukowski
597.**Tiros na noite 1: A mulher do bandido** – Dashiell Hammett
598.**Snoopy em Feliz Dia dos Namorados! (2)** – Schulz
599.**Mas não se matam cavalos?** – Horace McCoy
600.**Crime e castigo** – Dostoiévski
601(7).**Mistério no Caribe** – Agatha Christie
602.**Odisséia (2): Regresso** – Homero
603.**Piadas para sempre (2)** – Visconde da Casa Verde
604.**À sombra do vulcão** – Malcolm Lowry
605(8).**Kerouac** – Yves Buin
606.**E agora são cinzas** – Angeli
607.**As mil e uma noites** – Paulo Caruso
608.**Um assassino entre nós** – Ruth Rendell
609.**Crack-up** – F. Scott Fitzgerald
610.**Do amor** – Stendhal
611.**Cartas do Yage** – William Burroughs e Allen Ginsberg
612.**Striptiras (2)** – Laerte
613.**Henry & June** – Anaïs Nin
614.**A piscina mortal** – Ross Macdonald

615. **Geraldão (2)** – Glauco
616. **Tempo de delicadeza** – A. R. de Sant'Anna
617. **Tiros na noite 2: Medo de tiro** – Dashiell Hammett
618. **Snoopy em Assim é a vida, Charlie Brown! (3)** – Schulz
619. **1954 – Um tiro no coração** – Hélio Silva
620. **Sobre a inspiração poética (Íon)** e ... – Platão
621. **Garfield e seus amigos (8)** – Jim Davis
622. **Odisséia (3): Ítaca** – Homero
623. **A louca matança** – Chester Himes
624. **Factótum** – Bukowski
625. **Guerra e Paz: volume 1** – Tolstói
626. **Guerra e Paz: volume 2** – Tolstói
627. **Guerra e Paz: volume 3** – Tolstói
628. **Guerra e Paz: volume 4** – Tolstói
629. (9).**Shakespeare** – Claude Mourthé
630. **Bem está o que bem acaba** – Shakespeare
631. **O contrato social** – Rousseau
632. **Geração Beat** – Jack Kerouac
633. **Snoopy: É Natal! (4)** – Charles Schulz
634. (8).**Testemunha da acusação** – Agatha Christie
635. **Um elefante no caos** – Millôr Fernandes
636. **Gula de leitura (100 autores que você precisa ler)** – Organização de Léa Masina
637. **Pistoleiros também mandam flores** – David Coimbra
638. **O prazer das palavras** – vol. 1 – Cláudio Moreno
639. **O prazer das palavras** – vol. 2 – Cláudio Moreno
640. **Novíssimo testamento: com Deus e o diabo, a dupla da criação** – Iotti
641. **Literatura Brasileira: modos de usar** – Luís Augusto Fischer
642. **Dicionário de Porto-Alegrês** – Luís A. Fischer
643. **Clô Dias & Noites** – Sérgio Jockymann
644. **Memorial de Isla Negra** – Pablo Neruda
645. **Um homem extraordinário e outras histórias** – Tchékhov
646. **Ana sem terra** – Alcy Cheuiche
647. **Adultérios** – Woody Allen
648. **Para sempre ou nunca mais** – R. Chandler
649. **Nosso homem em Havana** – Graham Greene
650. **Dicionário Caldas Aulete de Bolso**
651. **Snoopy: Posso fazer uma pergunta, professora? (5)** – Charles Schulz
652. (10).**Luís XVI** – Bernard Vincent
653. **O mercador de Veneza** – Shakespeare
654. **Cancioneiro** – Fernando Pessoa
655. **Non-Stop** – Martha Medeiros
656. **Carpinteiros, levantem bem alto a cumeeira & Seymour, uma apresentação** – J.D.Salinger
657. **Ensaios céticos** – Bertrand Russell
658. **O melhor de Hagar 5** – Dik e Chris Browne
659. **Primeiro amor** – Ivan Turguêniev
660. **A trégua** – Mario Benedetti
661. **Um parque de diversões da cabeça** – Lawrence Ferlinghetti
662. **Aprendendo a viver** – Sêneca
663. **Garfield, um gato em apuros (9)** – Jim Davis
664. **Dilbert (1)** – Scott Adams
665. **Dicionário de dificuldades** – Domingos Paschoal Cegalla
666. **A imaginação** – Jean-Paul Sartre
667. **O ladrão e os cães** – Naguib Mahfuz
668. **Gramática do português contemporâneo** – Celso Cunha
669. **A volta do parafuso** seguido de **Daisy Miller** – Henry James
670. **Notas do subsolo** – Dostoiévski
671. **Abobrinhas da Brasilônia** – Glauco
672. **Geraldão (3)** – Glauco
673. **Piadas para sempre (3)** – Visconde da Casa Verde
674. **Duas viagens ao Brasil** – Hans Staden
675. **Bandeira de bolso** – Manuel Bandeira
676. **A arte da guerra** – Maquiavel
677. **Além do bem e do mal** – Nietzsche
678. **O coronel Chabert** seguido de **A mulher abandonada** – Balzac
679. **O sorriso de marfim** – Ross Macdonald
680. **100 receitas de pescados** – Sílvio Lancellotti
681. **O juiz e seu carrasco** – Friedrich Dürrenmatt
682. **Noites brancas** – Dostoiévski
683. **Quadras ao gosto popular** – Fernando Pessoa
684. **Romanceiro da Inconfidência** – Cecília Meireles
685. **Kaos** – Millôr Fernandes
686. **A pele do onagro** – Balzac
687. **As ligações perigosas** – Choderlos de Laclos
688. **Dicionário de matemática** – Luiz Fernandes Cardoso
689. **Os Lusíadas** – Luís Vaz de Camões
690. (11).**Átila** – Éric Deschodt
691. **Um jeito tranqüilo de matar** – Chester Himes
692. **A felicidade conjugal** seguido de **O diabo** – Tolstói
693. **Viagem de um naturalista ao redor do mundo** – vol. 1 – Charles Darwin
694. **Viagem de um naturalista ao redor do mundo** – vol. 2 – Charles Darwin
695. **Memórias da casa dos mortos** – Dostoiévski
696. **A Celestina** – Fernando de Rojas
697. **Snoopy: Como você é azarado, Charlie Brown! (6)** – Charles Schulz
698. **Dez (quase) amores** – Claudia Tajes
699. (9).**Poirot sempre espera** – Agatha Christie
700. **Cecília de bolso** – Cecília Meireles
701. **Apologia de Sócrates** precedido de **Êutifron** e seguido de **Críton** – Platão
702. **Wood & Stock** – Angeli
703. **Striptiras (3)** – Laerte
704. **Discurso sobre a origem e os fundamentos da desigualdade entre os homens** – Rousseau
705. **Os duelistas** – Joseph Conrad
706. **Dilbert (2)** – Scott Adams
707. **Viver e escrever** (vol. 1) – Edla van Steen
708. **Viver e escrever** (vol. 2) – Edla van Steen
709. **Viver e escrever** (vol. 3) – Edla van Steen
710. (10).**A teia da aranha** – Agatha Christie
711. **O banquete** – Platão
712. **Os belos e malditos** – F. Scott Fitzgerald
713. **Libelo contra a arte moderna** – Salvador Dalí
714. **Akropolis** – Valerio Massimo Manfredi
715. **Devoradores de mortos** – Michael Crichton
716. **Sob o sol da Toscana** – Frances Mayes
717. **Batom na cueca** – Nani
718. **Vida dura** – Claudia Tajes
719. **Carne trêmula** – Ruth Rendell
720. **Cris, a fera** – David Coimbra

721. **O anticristo** – Nietzsche
722. **Como um romance** – Daniel Pennac
723. **Emboscada no Forte Bragg** – Tom Wolfe
724. **Assédio sexual** – Michael Crichton
725. **O espírito do Zen** – Alan W.Watts
726. **Um bonde chamado desejo** – Tennessee Williams
727. **Como gostais** *seguido de* **Conto de inverno** – Shakespeare
728. **Tratado sobre a tolerância** – Voltaire
729. **Snoopy: Doces ou travessuras? (7)** – Charles Schulz
730. **Cardápios do Anonymus Gourmet** – J.A. Pinheiro Machado
731. **100 receitas com lata** – J.A. Pinheiro Machado
732. **Conhece o Mário?** vol.2 – Santiago
733. **Dilbert (3)** – Scott Adams
734. **História de um louco amor** *seguido de* **Passado amor** – Horacio Quiroga
735. (11).**Sexo: muito prazer** – Laura Meyer da Silva
736. (12).**Para entender o adolescente** – Dr. Ronald Pagnoncelli
737. (13).**Desembarcando a tristeza** – Dr. Fernando Lucchese
738. **Poirot e o mistério da arca espanhola & outras histórias** – Agatha Christie
739. **A última legião** – Valerio Massimo Manfredi
740. **As virgens suicidas** – Jeffrey Eugenides
741. **Sol nascente** – Michael Crichton
742. **Duzentos ladrões** – Dalton Trevisan
743. **Os devaneios do caminhante solitário** – Rousseau
744. **Garfield, o rei da preguiça (10)** – Jim Davis
745. **Os magnatas** – Charles R. Morris
746. **Pulp** – Charles Bukowski
747. **Enquanto agonizo** – William Faulkner
748. **Aline: viciada em sexo (3)** – Adão Iturrusgarai
749. **A dama do cachorrinho** – Anton Tchékhov
750. **Tito Andrônico** – Shakespeare
751. **Antologia poética** – Anna Akhmátova
752. **O melhor de Hagar 6** – Dik e Chris Browne
753. (12).**Michelangelo** – Nadine Sautel
754. **Dilbert (4)** – Scott Adams
755. **O jardim das cerejeiras** *seguido de* **Tio Vânia** – Tchékhov
756. **Geração Beat** – Claudio Willer
757. **Santos Dumont** – Alcy Cheuiche
758. **Budismo** – Claude B. Levenson
759. **Cleópatra** – Christian-Georges Schwentzel
760. **Revolução Francesa** – Frédéric Bluche, Stéphane Rials e Jean Tulard
761. **A crise de 1929** – Bernard Gazier
762. **Sigmund Freud** – Edson Sousa e Paulo Endo
763. **Império Romano** – Patrick Le Roux
764. **Cruzadas** – Cécile Morrisson
765. **O mistério do Trem Azul** – Agatha Christie
766. **Os escrúpulos de Maigret** – Simenon
767. **Maigret se diverte** – Simenon
768. **Senso comum** – Thomas Paine
769. **O parque dos dinossauros** – Michael Crichton
770. **Trilogia da paixão** – Goethe
771. **A simples arte de matar** (vol.1) – R. Chandler
772. **A simples arte de matar** (vol.2) – R. Chandler
773. **Snoopy: No mundo da lua! (8)** – Charles Schulz
774. **Os Quatro Grandes** – Agatha Christie
775. **Um brinde de cianureto** – Agatha Christie
776. **Súplicas atendidas** – Truman Capote
777. **Ainda restam aveleiras** – Simenon
778. **Maigret e o ladrão preguiçoso** – Simenon
779. **A viúva imortal** – Millôr Fernandes
780. **Cabala** – Roland Goetschel
781. **Capitalismo** – Claude Jessua
782. **Mitologia grega** – Pierre Grimal
783. **Economia: 100 palavras-chave** – Jean-Paul Betbèze
784. **Marxismo** – Henri Lefebvre
785. **Punição para a inocência** – Agatha Christie
786. **A extravagância do morto** – Agatha Christie
787. (13).**Cézanne** – Bernard Fauconnier
788. **A identidade Bourne** – Robert Ludlum
789. **Da tranquilidade da alma** – Sêneca
790. **Um artista da fome** *seguido de* **Na colônia penal e outras histórias** – Kafka
791. **Histórias de fantasmas** – Charles Dickens
792. **A louca de Maigret** – Simenon
793. **O amigo de infância de Maigret** – Simenon
794. **O revólver de Maigret** – Simenon
795. **A fuga do sr. Monde** – Simenon
796. **O Uraguai** – Basílio da Gama
797. **A mão misteriosa** – Agatha Christie
798. **Testemunha ocular do crime** – Agatha Christie
799. **Crepúsculo dos ídolos** – Friedrich Nietzsche
800. **Maigret e o negociante de vinhos** – Simenon
801. **Maigret e o mendigo** – Simenon
802. **O grande golpe** – Dashiell Hammett
803. **Humor barra pesada** – Nani
804. **Vinho** – Jean-François Gautier
805. **Egito Antigo** – Sophie Desplancques
806. (14).**Baudelaire** – Jean-Baptiste Baronian
807. **Caminho da sabedoria, caminho da paz** – Dalai Lama e Felizitas von Schönborn
808. **Senhor e servo e outras histórias** – Tolstói
809. **Os cadernos de Malte Laurids Brigge** – Rilke
810. **Dilbert (5)** – Scott Adams
811. **Big Sur** – Jack Kerouac
812. **Seguindo a correnteza** – Agatha Christie
813. **O álibi** – Sandra Brown
814. **Montanha-russa** – Martha Medeiros
815. **Coisas da vida** – Martha Medeiros
816. **A cantada infalível** *seguido de* **A mulher do centroavante** – David Coimbra
817. **Maigret e os crimes do cais** – Simenon
818. **Sinal vermelho** – Simenon
819. **Snoopy: Pausa para a soneca (9)** – Charles Schulz
820. **De pernas pro ar** – Eduardo Galeano
821. **Tragédias gregas** – Pascal Thiercy
822. **Existencialismo** – Jacques Colette
823. **Nietzsche** – Jean Granier
824. **Amar ou depender?** – Walter Riso
825. **Darmapada: A doutrina budista em versos**
826. **J'Accuse...!** – a verdade em marcha – Zola
827. **Os crimes ABC** – Agatha Christie
828. **Um gato entre os pombos** – Agatha Christie
829. **Maigret e o sumiço do sr. Charles** – Simenon
830. **Maigret e a morte do jogador** – Simenon
831. **Dicionário de teatro** – Luiz Paulo Vasconcellos
832. **Cartas extraviadas** – Martha Medeiros
833. **A longa viagem de prazer** – J. J. Morosoli
834. **Receitas fáceis** – J. A. Pinheiro Machado
835. (14).**Mais fatos & mitos** – Dr. Fernando Lucchese

836.(15).**Boa viagem!** – Dr. Fernando Lucchese
837.**Aline: Finalmente nua!!!** (4) – Adão Iturrusgarai
838.**Mônica tem uma novidade!** – Mauricio de Sousa
839.**Cebolinha em apuros!** – Mauricio de Sousa
840.**Sócios no crime** – Agatha Christie
841.**Bocas do tempo** – Eduardo Galeano
842.**Orgulho e preconceito** – Jane Austen
843.**Impressionismo** – Dominique Lobstein
844.**Escrita chinesa** – Viviane Alleton
845.**Paris: uma história** – Yvan Combeau
846.(15).**Van Gogh** – David Haziot
847.**Maigret e o corpo sem cabeça** – Simenon
848.**Portal do destino** – Agatha Christie
849.**O futuro de uma ilusão** – Freud
850.**O mal-estar na cultura** – Freud
851.**Maigret e o matador** – Simenon
852.**Maigret e o fantasma** – Simenon
853.**Um crime adormecido** – Agatha Christie
854.**Satori em Paris** – Jack Kerouac
855.**Medo e delírio em Las Vegas** – Hunter Thompson
856.**Um negócio fracassado e outros contos de humor** – Tchékhov
857.**Mônica está de férias!** – Mauricio de Sousa
858.**De quem é esse coelho?** – Mauricio de Sousa
859.**O burgomestre de Furnes** – Simenon
860.**O mistério Sittaford** – Agatha Christie
861.**Manhã transfigurada** – L. A. de Assis Brasil
862.**Alexandre, o Grande** – Pierre Briant
863.**Jesus** – Charles Perrot
864.**Islã** – Paul Balta
865.**Guerra da Secessão** – Farid Ameur
866.**Um rio que vem da Grécia** – Cláudio Moreno
867.**Maigret e os colegas americanos** – Simenon
868.**Assassinato na casa do pastor** – Agatha Christie
869.**Manual do líder** – Napoleão Bonaparte
870.(16).**Billie Holiday** – Sylvia Fol
871.**Bidu arrasando!** – Mauricio de Sousa
872.**Desventuras em família** – Mauricio de Sousa
873.**Liberty Bar** – Simenon
874.**E no final a morte** – Agatha Christie
875.**Guia prático do Português correto – vol. 4** – Cláudio Moreno
876.**Dilbert** (6) – Scott Adams
877.(17).**Leonardo da Vinci** – Sophie Chauveau
878.**Bella Toscana** – Frances Mayes
879.**A arte da ficção** – David Lodge
880.**Striptiras** (4) – Laerte
881.**Skrotinhos** – Angeli
882.**Depois do funeral** – Agatha Christie
883.**Radicci 7** – Iotti
884.**Walden** – H. D. Thoreau
885.**Lincoln** – Allen C. Guelzo
886.**Primeira Guerra Mundial** – Michael Howard
887.**A linha de sombra** – Joseph Conrad
888.**O amor é um cão dos diabos** – Bukowski
889.**Maigret sai em viagem** – Simenon
890.**Despertar: uma vida de Buda** – Jack Kerouac
891.(18).**Albert Einstein** – Laurent Seksik
892.**Hell's Angels** – Hunter Thompson
893.**Ausência na primavera** – Agatha Christie
894.**Dilbert** (7) – Scott Adams
895.**Ao sul de lugar nenhum** – Bukowski
896.**Maquiavel** – Quentin Skinner
897.**Sócrates** – C.C.W. Taylor
898.**A casa do canal** – Simenon
899.**O Natal de Poirot** – Agatha Christie
900.**As veias abertas da América Latina** – Eduardo Galeano
901.**Snoopy: Sempre alerta!** (10) – Charles Schulz
902.**Chico Bento: Plantando confusão** – Mauricio de Sousa
903.**Penadinho: Quem é morto sempre aparece** – Mauricio de Sousa
904.**A vida sexual da mulher feia** – Claudia Tajes
905.**100 segredos de liquidificador** – José Antonio Pinheiro Machado
906.**Sexo muito prazer 2** – Laura Meyer da Silva
907.**Os nascimentos** – Eduardo Galeano
908.**As caras e as máscaras** – Eduardo Galeano
909.**O século do vento** – Eduardo Galeano
910.**Poirot perde uma cliente** – Agatha Christie
911.**Cérebro** – Michael O'Shea
912.**O escaravelho de ouro e outras histórias** – Edgar Allan Poe
913.**Piadas para sempre** (4) – Visconde da Casa Verde
914.**100 receitas de massas light** – Helena Tonetto
915.(19).**Oscar Wilde** – Daniel Salvatore Schiffer
916.**Uma breve história do mundo** – H. G. Wells
917.**A Casa do Penhasco** – Agatha Christie
918.**Maigret e o finado sr. Gallet** – Simenon
919.**John M. Keynes** – Bernard Gazier
920.(20).**Virginia Woolf** – Alexandra Lemasson
921.**Peter e Wendy** *seguido de* **Peter Pan em Kensington Gardens** – J. M. Barrie
922.**Aline: numas de colegial** (5) – Adão Iturrusgarai
923.**Uma dose mortal** – Agatha Christie
924.**Os trabalhos de Hércules** – Agatha Christie
925.**Maigret na escola** – Simenon
926.**Kant** – Roger Scruton
927.**A inocência do Padre Brown** – G.K. Chesterton
928.**Casa Velha** – Machado de Assis
929.**Marcas de nascença** – Nancy Huston
930.**Aulete de bolso**
931.**Hora Zero** – Agatha Christie
932.**Morte na Mesopotâmia** – Agatha Christie
933.**Um crime na Holanda** – Simenon
934.**Nem te conto, João** – Dalton Trevisan
935.**As aventuras de Huckleberry Finn** – Mark Twain
936.(21).**Marilyn Monroe** – Anne Plantagenet
937.**China moderna** – Rana Mitter
938.**Dinossauros** – David Norman
939.**Louca por homem** – Claudia Tajes
940.**Amores de alto risco** – Walter Riso
941.**Jogo de damas** – David Coimbra
942.**Filha é filha** – Agatha Christie
943.**M ou N?** – Agatha Christie
944.**Maigret se defende** – Simenon
945.**Bidu: diversão em dobro!** – Mauricio de Sousa
946.**Fogo** – Anaïs Nin
947.**Rum: diário de um jornalista bêbado** – Hunter Thompson
948.**Persuasão** – Jane Austen
949.**Lágrimas na chuva** – Sergio Faraco
950.**Mulheres** – Bukowski
951.**Um pressentimento funesto** – Agatha Christie
952.**Cartas na mesa** – Agatha Christie
953.**Maigret em Vichy** – Simenon
954.**O lobo do mar** – Jack London

955. **Os gatos** – Patricia Highsmith
956(22). **Jesus** – Christiane Rancé
957. **História da medicina** – William Bynum
958. **O Morro dos Ventos Uivantes** – Emily Brontë
959. **A filosofia na era trágica dos gregos** – Nietzsche
960. **Os treze problemas** – Agatha Christie
961. **A massagista japonesa** – Moacyr Scliar
962. **A taberna dos dois tostões** – Simenon
963. **Humor do miserê** – Nani
964. **Todo o mundo tem dúvida, inclusive você** – Édison de Oliveira
965. **A dama do Bar Nevada** – Sergio Faraco
966. **O Smurf Repórter** – Peyo
967. **O Bebê Smurf** – Peyo
968. **Maigret e os flamengos** – Simenon
969. **O psicopata americano** – Bret Easton Ellis
970. **Ensaios de amor** – Alain de Botton
971. **O grande Gatsby** – F. Scott Fitzgerald
972. **Por que não sou cristão** – Bertrand Russell
973. **A Casa Torta** – Agatha Christie
974. **Encontro com a morte** – Agatha Christie
975(23). **Rimbaud** – Jean-Baptiste Baronian
976. **Cartas na rua** – Bukowski
977. **Memória** – Jonathan K. Foster
978. **A abadia de Northanger** – Jane Austen
979. **As pernas de Úrsula** – Claudia Tajes
980. **Retrato inacabado** – Agatha Christie
981. **Solanin (1)** – Inio Asano
982. **Solanin (2)** – Inio Asano
983. **Aventuras de menino** – Mitsuru Adachi
984(16). **Fatos & mitos sobre sua alimentação** – Dr. Fernando Lucchese
985. **Teoria quântica** – John Polkinghorne
986. **O eterno marido** – Fiódor Dostoiévski
987. **Um safado em Dublin** – J. P. Donleavy
988. **Mirinha** – Dalton Trevisan
989. **Akhenaton e Nefertiti** – Carmen Seganfredo e A. S. Franchini
990. **On the Road – o manuscrito original** – Jack Kerouac
991. **Relatividade** – Russell Stannard
992. **Abaixo de zero** – Bret Easton Ellis
993(24). **Andy Warhol** – Mériam Korichi
994. **Maigret** – Simenon
995. **Os últimos casos de Miss Marple** – Agatha Christie
996. **Nico Demo** – Mauricio de Sousa
997. **Maigret e a mulher do ladrão** – Simenon
998. **Rousseau** – Robert Wokler
999. **Noite sem fim** – Agatha Christie
1000. **Diários de Andy Warhol (1)** – Editado por Pat Hackett
1001. **Diários de Andy Warhol (2)** – Editado por Pat Hackett
1002. **Cartier-Bresson: o olhar do século** – Pierre Assouline
1003. **As melhores histórias da mitologia: vol. 1** – A.S. Franchini e Carmen Seganfredo
1004. **As melhores histórias da mitologia: vol. 2** – A.S. Franchini e Carmen Seganfredo
1005. **Assassinato no beco** – Agatha Christie
1006. **Convite para um homicídio** – Agatha Christie
1007. **Um fracasso de Maigret** – Simenon
1008. **História da vida** – Michael J. Benton
1009. **Jung** – Anthony Stevens
1010. **Arsène Lupin, ladrão de casaca** – Maurice Leblanc
1011. **Dublinenses** – James Joyce
1012. **120 tirinhas da Turma da Mônica** – Mauricio de Sousa
1013. **Antologia poética** – Fernando Pessoa
1014. **A aventura de um cliente ilustre** *seguido de* **O último adeus de Sherlock Holmes** – S. Arthur Conan Doyle
1015. **Cenas de Nova York** – Jack Kerouac
1016. **A corista** – Anton Tchékhov
1017. **O diabo** – Leon Tolstói
1018. **Fábulas chinesas** – Sérgio Capparelli e Márcia Schmaltz
1019. **O gato do Brasil** – Sir Arthur Conan Doyle
1020. **Missa do Galo** – Machado de Assis
1021. **O mistério de Marie Rogêt** – Edgar Allan Poe
1022. **A mulher mais linda da cidade** – Bukowski
1023. **O retrato** – Nicolai Gogol
1024. **O conflito** – Agatha Christie
1025. **Os primeiros casos de Poirot** – Agatha Christie
1026. **Maigret e o cliente de sábado** – Simenon
1027(25). **Beethoven** – Bernard Fauconnier
1028. **Platão** – Julia Annas
1029. **Cleo e Daniel** – Roberto Freire
1030. **Til** – José de Alencar
1031. **Viagens na minha terra** – Almeida Garrett
1032. **Profissões para mulheres e outros artigos feministas** – Virginia Woolf
1033. **Mrs. Dalloway** – Virginia Woolf
1034. **O cão da morte** – Agatha Christie
1035. **Tragédia em três atos** – Agatha Christie
1036. **Maigret hesita** – Simenon
1037. **O fantasma da Ópera** – Gaston Leroux
1038. **Evolução** – Brian e Deborah Charlesworth
1039. **Medida por medida** – Shakespeare
1040. **Razão e sentimento** – Jane Austen
1041. **A obra-prima ignorada** *seguido de* **Um episódio durante o Terror** – Balzac
1042. **A fugitiva** – Anaïs Nin
1043. **As grandes histórias da mitologia greco-romana** – A. S. Franchini
1044. **O corno de si mesmo & outras historietas** – Marquês de Sade
1045. **Da felicidade** *seguido de* **Da vida retirada** – Sêneca
1046. **O horror em Red Hook e outras histórias** – H. P. Lovecraft
1047. **Noite em claro** – Martha Medeiros
1048. **Poemas clássicos chineses** – Li Bai, Du Fu e Wang Wei
1049. **A terceira moça** – Agatha Christie
1050. **Um destino ignorado** – Agatha Christie
1051(26). **Buda** – Sophie Royer
1052. **Guerra Fria** – Robert J. McMahon
1053. **Simons's Cat: as aventuras de um gato travesso e comilão – vol. 1** – Simon Tofield
1054. **Simons's Cat: as aventuras de um gato travesso e comilão – vol. 2** – Simon Tofield
1055. **Só as mulheres e as baratas sobreviverão** – Claudia Tajes
1056. **Maigret e o ministro** – Simenon
1057. **Pré-história** – Chris Gosden
1058. **Pintou sujeira!** – Mauricio de Sousa
1059. **Contos de Mamãe Gansa** – Charles Perrault
1060. **A interpretação dos sonhos: vol. 1** – Freud

061. **A interpretação dos sonhos: vol. 2** – Freud
062. **Frufru Rataplã Dolores** – Dalton Trevisan
063. **As melhores histórias da mitologia egípcia** – Carmem Seganfredo e A.S. Franchini
064. **Infância. Adolescência. Juventude** – Tolstói
065. **As consolações da filosofia** – Alain de Botton
066. **Diários de Jack Kerouac – 1947-1954**
067. **Revolução Francesa – vol. 1** – Max Gallo
068. **Revolução Francesa – vol. 2** – Max Gallo
069. **O detetive Parker Pyne** – Agatha Christie
070. **Memórias do esquecimento** – Flávio Tavares
071. **Drogas** – Leslie Iversen
072. **Manual de ecologia (vol.2)** – J. Lutzenberger
073. **Como andar no labirinto** – Affonso Romano de Sant'Anna
074. **A orquídea e o serial killer** – Juremir Machado da Silva
075. **Amor nos tempos de fúria** – Lawrence Ferlinghetti
076. **A aventura do pudim de Natal** – Agatha Christie
077. **Maigret no Picratt's** – Simenon
078. **Amores que matam** – Patricia Faur
079. **Histórias de pescador** – Mauricio de Sousa
080. **Pedaços de um caderno manchado de vinho** – Bukowski
081. **A ferro e fogo: tempo de solidão (vol.1)** – Josué Guimarães
082. **A ferro e fogo: tempo de guerra (vol.2)** – Josué Guimarães
083. **Carta a meu juiz** – Simenon
084(17). **Desembarcando o Alzheimer** – Dr. Fernando Lucchese e Dra. Ana Hartmann
085. **A maldição do espelho** – Agatha Christie
086. **Uma breve história da filosofia** – Nigel Warburton
087. **Uma confidência de Maigret** – Simenon
088. **Heróis da História** – Will Durant
089. **Concerto campestre** – L. A. de Assis Brasil
090. **Morte nas nuvens** – Agatha Christie
091. **Maigret no tribunal** – Simenon
092. **Aventura em Bagdá** – Agatha Christie
093. **O cavalo amarelo** – Agatha Christie
094. **O método de interpretação dos sonhos** – Freud
095. **Sonetos de amor e desamor** – Vários
096. **120 tirinhas do Dilbert** – Scott Adams
097. **124 fábulas de Esopo**
098. **O curioso caso de Benjamin Button** – F. Scott Fitzgerald
099. **Piadas para sempre: uma antologia para morrer de rir** – Visconde da Casa Verde
100. **Hamlet (Mangá)** – Shakespeare
101. **A arte da guerra (Mangá)** – Sun Tzu
102. **Maigret na pensão** – Simenon
103. **Meu amigo Maigret** – Simenon
104. **As melhores histórias da Bíblia (vol.1)** – A. S. Franchini e Carmen Seganfredo
105. **As melhores histórias da Bíblia (vol.2)** – A. S. Franchini e Carmen Seganfredo
106. **Psicologia das massas e análise do eu** – Freud
107. **Guerra Civil Espanhola** – Helen Graham
108. **A autoestrada do sul e outras histórias** – Julio Cortázar
109. **O mistério dos sete relógios** – Agatha Christie
110. **Peanuts: Ninguém gosta de mim... (amor)** – Charles Schulz
111. **Cadê o bolo?** – Mauricio de Sousa
112. **O filósofo ignorante** – Voltaire
113. **Totem e tabu** – Freud
114. **Filosofia pré-socrática** – Catherine Osborne
115. **Desejo de status** – Alain de Botton
116. **Maigret e o informante** – Simenon
117. **Peanuts: 120 tirinhas** – Charles Schulz
118. **Passageiro para Frankfurt** – Agatha Christie
119. **Maigret se irrita** – Simenon
120. **Kill All Enemies** – Melvin Burgess
121. **A morte da sra. McGinty** – Agatha Christie
122. **Revolução Russa** – S. A. Smith
123. **Até você, Capitu?** – Dalton Trevisan
124. **O grande Gatsby (Mangá)** – F. S. Fitzgerald
125. **Assim falou Zaratustra (Mangá)** – Nietzsche
126. **Peanuts: É para isso que servem os amigos (amizade)** – Charles Schulz
127(27). **Nietzsche** – Dorian Astor
128. **Bidu: Hora do banho** – Mauricio de Sousa
129. **O melhor do Macanudo Taurino** – Santiago
130. **Radicci 30 anos** – Iotti
131. **Show de sabores** – J.A. Pinheiro Machado
132. **O prazer das palavras – vol. 3** – Cláudio Moreno
133. **Morte na praia** – Agatha Christie
134. **O fardo** – Agatha Christie
135. **Manifesto do Partido Comunista (Mangá)** – Marx & Engels
136. **A metamorfose (Mangá)** – Franz Kafka
137. **Por que você não se casou... ainda** – Tracy McMillan
138. **Textos autobiográficos** – Bukowski
139. **A importância de ser prudente** – Oscar Wilde
140. **Sobre a vontade na natureza** – Arthur Schopenhauer
141. **Dilbert (8)** – Scott Adams
142. **Entre dois amores** – Agatha Christie
143. **Cipreste triste** – Agatha Christie
144. **Alguém viu uma assombração?** – Mauricio de Sousa
145. **Mandela** – Elleke Boehmer
146. **Retrato do artista quando jovem** – James Joyce
147. **Zadig ou o destino** – Voltaire
148. **O contrato social (Mangá)** – J.-J. Rousseau
149. **Garfield fenomenal** – Jim Davis
150. **A queda da América** – Allen Ginsberg
151. **Música na noite & outros ensaios** – Aldous Huxley
152. **Poesias inéditas & Poemas dramáticos** – Fernando Pessoa
153. **Peanuts: Felicidade é...** – Charles M. Schulz
154. **Mate-me por favor** – Legs McNeil e Gillian McCain
155. **Assassinato no Expresso Oriente** – Agatha Christie
156. **Um punhado de centeio** – Agatha Christie
157. **A interpretação dos sonhos (Mangá)** – Freud
158. .**Peanuts: Você não entende o sentido da vida** – Charles M. Schulz
159. **A dinastia Rothschild** – Herbert R. Lottman
160. **A Mansão Hollow** – Agatha Christie
161. **Nas montanhas da loucura** – H.P. Lovecraft
162(28). **Napoleão Bonaparte** – Pascale Fautrier
163. **Um corpo na biblioteca** – Agatha Christie

IMPRESSÃO:

Santa Maria - RS - Fone/Fax: (55) 3220.4500
www.pallotti.com.br